DIE KUNST DER PROSA

DIE KUNST DER PROSA

SAMMLUNG AUSGEWÄHLTER DICHTUNGEN

UND IHRE INTERPRETATION

O. S. FLEISSNER

E. M. FLEISSNER

WELLS COLLEGE

NEW YORK

APPLETON-CENTURY-CROFTS

EDUCATIONAL DIVISION

MEREDITH CORPORATION

FOREWORD

This book is not — as might be assumed from the title — a systematic, academic treatise. It is a collection of short stories of recognized literary merit, each followed by an analysis of its composition and style and all of them linked together as examples of literary movements in their historical evolution.

The aim of this book is to call the reader's attention to the artistic qualities of German literary prose. Ordinarily, the reader's attention centers on content. Form is taken for granted and appreciated only in a superficial way. Yet any genuine aesthetic enjoyment and satisfaction that we derive from literature grows and deepens in direct proportion to our understanding of form.

Problems of form are likely to be discussed in vague and general terms. Often they become obscured by an intricate way of saying things and by a difficult terminology. Therefore, they may appear as something too abstract and specialized for the average reader. We have tried to counteract this impression. Our interpretation aims first of all at a simple, straightforward, and clear presentation of problems which, in themselves, are more subtle and elusive than those of content. The analysis of each story is strictly based upon the one given illustration and consciously avoids general statements not supported by it. No attempt was made to exhaust all the possibilities of the subject. Our purpose was rather to kindle the reader's imagination, to offer a basis for further discussion.

The book is intended for fourth-semester and third-year college reading. Is it asking too much of a student if we expect him to give his attention to artistic considerations when he is still in the intermediate stages of his study of German? We think not. On the contrary, we believe that the psychological moment to stir a student's interest in style and composition is the time when words and paragraphs are, as far as he is concerned, still entities in themselves rather than mere tokens of content. At this time he is inclined to consider his German reading primarily from the point of view of grammar and drill in vocabulary. He does not put it on the same plane as his readings in English literature. We want him to do just that. We want him to realize that, while acquiring the language, he is also gaining in his understanding of literary values.

To make this feasible, we have endeavored to give him all possible aid. The vocabulary is comprehensive — excluding only the most common words — and the first pages of the Introduction have been translated in footnotes. This seemed advisable in order to avoid misunderstanding. The German term *Erlebnis*, a very important term in our discussion, has no equivalent in English. It must be translated in various ways according to its use, and upon its correct translation hinges the meaning of these first introductory paragraphs which acquaint the reader with the central problem of the whole book.

The inclusion of Rilke's "Cornet" in a collection of prose writings may not seem entirely justified. However, Rilke's prose poem offers such striking illustrations of rhythm and sound in style, and at the same time so fascinates the student with its youthful enthusiasm and love of beauty, that it appears especially valuable for our purpose. Moreover, we included the English translation by Mrs. Norton — so close to the original and yet never forced — because it offers a unique opportunity to observe the kinship of English and German as well as to enter into the spirit of the original spontaneously and without effort.

If this book is new and something of an experiment in the field of German textbook writing, it is nevertheless in accordance with modern trends in the study of literature. Studies of style, aesthetic interpretation, and literary criticism are of major interest at present. Why should they be reserved for the advanced student when the majority of students of German never reach the so-called advanced stage? We are convinced that the intelligent and sensitive mind would be infinitely more attracted and stimulated by material of this sort than by merely entertaining stories.

In a way, this book represents also an "elementary critical reader" for students of German literature. The stories offer a wide variety of reading matter of an everyday nature, while the interpretations following them acquaint the student with a vocabulary which should prove helpful for later reading of critical literature.

We wish to thank Professor A. B. Faust for his interest and valuable criticism and our publishers F. S. Crofts & Co. for their usual sincere co-operation.

O. S. F.

E. M. F.

INHALT

DIE KUNST DER PROSA

I. EINFÜHRUNG

> „Lese ich aus einem Autor ein paar
> Seiten, so weiß ich dann schon unge-
> fähr, wie weit er mich fördern
> kann." — Schopenhauer

In unserer Zeit ist das tiefe und bleibende Erlebnis eines Buches
selten geworden. Tageserfolge lösen in kurzer Zeit einander
ab, wir lesen zu viel und zu flüchtig, um mehr als oberflächliche Eindrücke zu empfangen. Erst im Erlebnis wird uns eine
Dichtung aber als Kunstwerk lebendig.

Wenn wir lesen, halten wir uns an den Inhalt. Wir empfangen ihn durch die *Form*, können ihn gar nicht anders empfangen. Aber wir kümmern uns wenig um diese Form. Gefühle,
Vorstellungen und Gedanken, die Handlung, die Charaktere
und ihre Entwicklung, das sind die Werte, die uns interessieren.
Wir geben gern zu, daß die künstlerische Form, Aufbau und
Sprache, wichtig ist, daß sie irgendwie dazu gehört, aber wir

In our time, to receive a lasting and profound impression from a book
has become a rare thing. Best sellers follow each other in rapid succession;
we read too much and too carelessly to receive more than superficial
impressions. Only when a book affects us as a vital experience, however,
can we appreciate its significance as a work of art.

When we read, we concentrate on content. Content, it is true, is always
given to us *formed* in some way. But we concern ourselves little with
this form. Emotions, observations, and ideas, the plot, the characters, and
their development, these are the qualities that interest us. We readily
admit that artistic form — composition and style — is important, that

geben uns nicht die Mühe, sie deshalb genauer kennen zu lernen. Ein paar treffende Ausdrücke und charakteristische Wendungen behalten wir vielleicht im Gedächtnis und meinen damit den Stil des Dichters zu erfassen. Wir sind uns nicht klar darüber, daß wir, indem wir den Gehalt der Form entkleiden, das Persönliche und damit das eigentlich Künstlerische verlieren.

Erst wenn wir eine Dichtung zum zweitenmal lesen — und wie selten tun wir das — kommt uns die Form zum Bewußtsein. Nun kennen wir den Inhalt, wir wissen, wie alles endet und sich löst, das Moment der Spannung fehlt, und unser Interesse wendet sich dem zu, was wir beim ersten Lesen überflogen haben. Nicht mehr was gesagt wird, sondern *wie* es gesagt wird, nicht mehr was geschieht, sondern *wie* und *warum* es geschieht, interessiert uns nun. Zu unserer Überraschung wird uns erst dadurch auch der Inhalt, den wir schon kannten, wirklich zum Erlebnis.

Das Werther-Erlebnis[1] des achtzehnten Jahrhunderts läßt sich durch den Gedanken- und Gefühlsgehalt der Dichtung

it is part of the whole, but we do not bother to study it more closely. A few striking expressions and characteristic turns of speech we may remember and think sufficient to explain the author's style. We do not realize that, in reading content stripped of form, we overlook that which is truly artistic.

Only by reading a book a second time — which we do very rarely — do we become conscious of its form. Now we know its content; we know how everything comes out in the end. The element of suspense is absent, and our interest turns to that which we skipped over in our first reading. Not what is said, but *how* it is said; not what happens, but *how* and *why* it happens, is now of interest to us. To our own surprise, the book which is familiar to us as far as content is concerned, takes on a new and vital significance.

The Werther-enthusiasm of the eighteenth century, for instance, cannot be explained solely by the ideas and emotions contained in "Werthers

allein nicht erklären. Die Form, die der junge Goethe dafür
schuf, die Glut und Leidenschaft seiner Sprache, die fein durchdachte und doch natürliche und organisch wachsende Komposition des Ganzen, diese Form, die seiner Gedanken- und Ge-
fühlswelt Körper und Leben gab, hat zündend auf die Leser
gewirkt und wirkt noch heute auf jeden, der die Sammlung
aufbringt, den „Werther" ruhig und mit innerem Anteil zu
lesen. Diese Form ohne ihren Gehalt ist undenkbar, aber ebenso
wenig ist der Gehalt ohne sie noch ein Kunstwerk. Im *Erlebnis*
der Dichtung begreifen wir Form und Gehalt als künstlerische
Einheit.

Unser Erlebnis der Dichtung setzt das schöpferische Erlebnis
des Dichters voraus. Dieses schöpferische Erlebnis ist aber nicht
identisch mit einer persönlichen Erfahrung, die vielleicht den
Anstoß zu seiner Dichtung gegeben hat und manche Einzelheit darin erklärt. Goethes Liebe zu Lotte liegt gewiß dem
„Werther" zugrunde, ebenso wie der Selbstmord eines jungen
Bekannten Werthers Selbstmord mitbegründet. In diesen Er-

Leiden." The form which the young Goethe gave to them, the fire and
enthusiasm of his style, the composition subtly conceived and yet seeming
to grow organically, this form which gave body and life to his thoughts
and emotions, inspired the reading public and still grips everyone capable
of sufficient concentration to read "Werther" with patience and sympathetic understanding. This form without its content is unthinkable,
but the content without this form would cease to be a work of art. In
truly grasping the essence of a work of art, we perceive the artistic one-
ness of content and form.

Our understanding of the artistic nature of a work of literature presupposes the original creative conception of its author. This creative
experience, however, is not to be identified with some personal experience,
an experience which may perhaps have been instrumental in bringing
about his artistic conception and may explain some of its details. Goethe's
love for Lotte, no doubt, was the basis for "Werther," and the suicide of

fahrungen war Goethe der Empfangende, Beobachtende, Leidende. Er empfing den Stoff seiner Dichtung. Dann, als das Erlebnis seiner Liebe zu Lotte schon abgeschlossen war, als er Distanz gewonnen hatte, ohne die Intensität des Erlebens vergessen zu haben, schrieb er „Die Leiden des jungen Werthers". Die Dichtung ist die aktive Antwort des Dichters, ein *neues* Erlebnis, in dem sich der Erfahrungsstoff der Wirklichkeit zu einer eigenen Welt gestaltet. Auf dieses zweite, das *künstlerische* Erlebnis kommt es an. Wirklichkeitserfahrungen und -erlebnisse haben wir alle. Sie interessieren uns und unsere nächsten Freunde, sonst niemand. Es gibt auch Schriftsteller, die nichts weiter tun, als von solchen Erfahrungen, Beobachtungen und Erlebnissen zu berichten. Weil ihnen dieses zweite, künstlerische, formgebende Erlebnis fehlt, fehlt uns — ihren Werken gegenüber — das Erlebnis der Dichtung.

Die metrisch gebundene Sprache ist fast immer verschieden von der Sprache, wie wir sie täglich sprechen und hören. Sind

a young acquaintance partially explains Werther's suicide. In these personal experiences Goethe was receptive, observing, impressionable. He absorbed the subject matter of his novel. Then, when the experience of his love for Lotte had become a thing of the past, when he was standing aloof from it without having forgotten the intensity of his feelings, he wrote "Die Leiden des jungen Werthers." This novel is the creative response of a poet, a *new* experience in which the subject matter gained through his personal contacts with reality becomes transformed into a world of its own. This second, *artistic* experience is essential. All of us have experiences and emotional reactions to reality. They interest us and our closest friends, nobody else. There are writers who do nothing but report such observations, experiences, and personal reactions. Because they lack that second, artistic, form-creating experience, they cannot arouse in us, as readers, that profound response which is characteristic of a work of art.

Poetic language is almost always different from the language spoken auch die Wörter dieselben, so sind Verwendung und Sinn verschieden, sie sind in viel stärkerem Maße als in der Alltagssprache Symbole der Dinge geworden. In der *Prosa* sind wir uns dieses Unterschiedes nicht so unmittelbar bewußt. Der Naturalismus hat die Alltagssprache in der Literatur eingebürgert und sich bemüht, nicht nur in der Wortwahl, sondern auch im Ton nur noch Wirklichkeit zu sein. Das hat auflösend gewirkt auf die künstlerische Form, die immer ein besonderes und persönliches Erlebnis der Wirklichkeit voraussetzt. Der moderne Unterhaltungsroman in allen seinen Abarten ist davon ein Zeugnis. Beobachtungen und Erfahrungen, die nicht zum künstlerischen Erlebnis geworden sind, werden darin berichtet, nicht lebendig verkörpert. Ein Beispiel aus Vicki Baums [2] „Der Weg":

„Dies aber ist Frau Zienkanns Tagewerk: Sie erhebt sich, zieht sich rasch an und ist lange vor ihrem hustenden Gatten fertig. Sie weckt die Kinder auf, Otto, den Gymnasiasten, und Marianne, die in die Handelsschule geht. Sie rüttelt das träge kleine Dienstmädchen aus dem Schlaf und setzt inzwischen schon in der Küche Wasser auf den Gasherd fürs Frühstück.

and heard in everyday life. Even though the words are the same, their use and meaning are different; to a much higher degree than in everyday usage, they have become symbols of what they express. With reference to *prose*, we are not so immediately conscious of this difference. Naturalism has made a place for everyday speech in literature and has endeavored to copy reality not only in the choice of words but also in tone. This has had a disintegrating influence upon artistic form since that always presupposes an original and personal response to reality. Modern popular fiction in all its variations illustrates this tendency. Here observations and experiences which have not been transformed into artistic conceptions are merely reported and not imbued with a life of their own. As an example we quote from Vicki Baum's story "Der Weg."

Es ist kalt in allen Räumen, kleine Dampfwolken ziehen vor
ihrem Mund hin. Sie streicht Brote und richtet Päckchen her,
sie näht schnell noch einen abgerissenen Knopf an. Sie weckt
nochmals das kleine verschlafene Dienstmädchen und deckt
inzwischen den Frühstückstisch. Ihre Finger zittern morgens
immer ein wenig vor Nervosität, bis sie den Mann und die
Kinder pünktlich und wohlversorgt aus dem Haus gebracht hat.
Nachher wird es ein wenig angenehmer. Sie rechnet das Haushaltsbuch durch und entwirft den Plan für den laufenden Tag.
Sie putzt den Kanarienvogel; sie begießt die Blumen. Sie räumt
das Schlafzimmer auf, wobei ihre Hände blau vor Kälte werden.
Sie wischt im Wohnzimmer den Staub, sie schilt mit dem trägen
kleinen Dienstmädchen, das alles nur halb macht. Sie steht am
Kohlenaufzug und hilft die Eimer heraufziehen, sie überwacht
das heikle und sparsam gehandhabte Geschäft des Einheizens.
Sie tut ein altes Regenhütchen auf den Kopf, nimmt eine Markttasche zur Hand, die aus einem alten Rockfutter gemacht ist,
und trabt zur Halle, wo es heute billigen Fisch gibt. Sie segelt
mit der schweren und gefüllten Tasche heimwärts, sie zankt
mit dem Dienstmädchen und bohnert nun selbst den Flur, der
nicht sauber geworden ist. Sie kocht. Sie plättet eine Bluse für
Marianne, die nachmittags eingeladen ist. Sie kocht wieder. Bei
Zienkanns ißt man in drei Abteilungen: Marianne kommt um
ein Uhr und muß um drei wieder fort; Otto kommt um halb-
drei und muß um vier Uhr wieder fort. Herr Zienkann kommt
nach vier und schläft hinterher. Das Dienstmädchen knurrt
über solche Wirtschaft, bei der man nie fertig wird. Frau Zienkann trocknet selbst das Geschirr mit ab —

„Sie stopft dem Mann die Wäsche, überhört die Aufgaben des
Gymnasiasten, sie sitzt im Hinterzimmer an der Maschine und
macht aus sechs alten Bettlaken drei neue; sie trennt ein Kleid

auf und schneidet etwas für Marianne daraus zurecht, wobei ihre Finger zittern. Sie plättet steife Kragen, kunstvoll und mit Glanzstärke. Sie richtet das Abendbrot her. Sie schaut ein wenig in ihr Haushaltsbuch, wobei ihr Gesicht wieder jenen törichten Ausdruck der Anspannung annimmt. Nachher seufzt sie. Herr Zienkann liest ungerührt die Zeitung und gähnt manchmal. Auch Frau Zienkann ist müde; aber sie wartet noch, bis Otto, der bei einem Freund ist, heimkommt. Sie nimmt sogar noch eine Handarbeit vor; sie häkelt eine endlose, endlose Spitze für Mariannens Wäsche und denkt dabei an den Schrank, den sie kaufen muß.

„Nein, es ist nichts Besonderes um diese Frau Elisabeth Zienkann; sie ist nur eine von hunderttausend Frauen, die das gleiche Tagewerk betreiben. Sie ist nicht groß und nicht klein, eher zart gebaut; nicht häßlich, aber auch nicht hübsch. Nicht mehr jung, aber auch nicht alt. Nicht unglücklich, aber auch nicht glücklich. Sie erzählt manchmal, daß sie früher schönes Haar gehabt hätte. Sie steht zuweilen still in der guten Stube und schaut die Photographie des jungen Herrn Zienkann an; es kommt vor, daß sie ihre zerarbeiteten Hände besieht und wunderlich lächelt. Man muß eine Creme kaufen — denkt sie und vergißt es wieder. Ganz selten geschieht es sogar, daß sie abends an das kleine Bücherbort geht und ein Buch herunterholt; aber dann schläft sie gewöhnlich bei der dritten Seite ein. Oder sie setzt sich vor das Pianino und nimmt nach einer Weile die Hände aus dem Schoß und schlägt einen Akkord an, und dann horcht sie lange hinterher, bis alle Klangwellen verzittert sind. Die Kinder lachen heimlich dazu. ‚Das Leben ist schwer — ‘ sagt Frau Zienkann zuweilen. Aber das ist im Grunde nur eine Redensart.“

Der Sinn dieser Beschreibung ist natürlich im Leser eine Vorstellung zu erwecken von der Eintönigkeit und Kleinlichkeit des Tagewerks einer kleinbürgerlichen Hausfrau. Die ganze erste Hälfte der Erzählung „Der Weg" — woraus das Zitat entnommen ist — hat nur diesen einen Zweck. Die zweite Hälfte beschreibt dann Frau Zienkanns Krankheit und Tod, die sie endlich dem Alltag für immer entreißen. Die zugrundeliegende Erfahrung ist so allgemein, daß wohl jeder Leser dafür ein gewisses Verständnis mitbringt, daß also der Inhalt — wenn auch nicht im Einzelnen — als bekannt vorausgesetzt werden kann. Das Spannungsmoment ist von Anfang an gering. Es kommt nicht sehr darauf an, was Frau Zienkann alles tut, ihre Handlungen interessieren den Leser kaum. Er findet darin kaum Belehrung und wenig, das von psychologischem Interesse wäre. Nichts hindert ihn demnach, seine Aufmerksamkeit der formalen Seite der Erzählung zuzuwenden. Ist das, was sie enthält, wirklich gestaltet? Dann müßte sie ein Zentrum haben, eine positive Mitte, zu der alles, was geschieht, in sinnvoller Beziehung steht. Frau Zienkann müßte dieses Zentrum sein. Sie hat aber keine Persönlichkeit. Wie eine Maschine läuft sie ab. Ihre Unfähigkeit, sich über den Alltag zu erheben, liegt in der Absicht des Verfassers; trotzdem könnte sie das Zentrum einer Dichtung sein, wenn ihre Hilflosigkeit wirklich erlebt und gestaltet wäre. Es wird aber nur darüber berichtet. Der Stoff erstickt das Erlebnis, nicht nur in Frau Zienkann, sondern auch im Leser.

Das monotone „sie", womit fast jeder Satz anfängt, ist natürlich als Stilmittel beabsichtigt. Es soll die Monotonie und Abgerissenheit der einzelnen Handlungen Frau Zienkanns unterstreichen, die zu ihrem Sein keine Beziehung und nur in ihrer Existenz eine vorübergehende Verbundenheit haben. Wird die Absicht der Verfasserin aber erreicht? Sie wird erreicht und zugleich zerstört, weil das einfache Stilmittel der Wiederholung, so übertrieben oft und ohne Variation verwendet, den Leser ermüdet und sein Interesse lähmt. Um die Vorstellung der Monotonie zu erwecken, darf der Stil nicht selbst monoton und langweilig werden. Das gleiche gilt auch von der Wiederholung: „das träge kleine Dienstmädchen", „das kleine verschlafene Dienstmädchen", „das Dienstmädchen", „das faule kleine Dienstmädchen" usw. Das Übergewicht des Stoffes und der Mangel an geistiger Verarbeitung und Gestaltung bei Frau Zienkann wird im Stil nicht symbolisiert, sondern nachgeahmt.

Die zweite Hälfte dieser Erzählung ist offenbar als Gegengewicht gegen die Stofflichkeit der ersten gedacht und beschäftigt sich hauptsächlich mit Frau Zienkanns Fieberträumen und Sehnsüchten. Das Ganze zerfällt dadurch aber in zwei Teile, die nicht organisch miteinander verbunden sind. Sentimentalität ersetzt den Naturalismus. Der Versuch, den Leser in eine Seele blicken zu lassen, mißlingt, weil diese Seele zuerst, im Zusammenhang mit dem tätigen Leben, kein Eigenleben gewann und nun, losgelöst von der Wirklichkeit, schemenhaft bleiben muß. Und die Sprache, die zuerst keine Spur von Phantasie und Geist verriet, bleibt nun, wo ihr die Stütze des Realen fehlt, ohne Charakter und Bildhaftigkeit.

Der Gesamteindruck der Erzählung „Der Weg" ist unkünstlerisch. Es fehlt ihr ein Zentrum, ein sinnvoller Aufbau, ein Erlebnis. Alles bleibt Beobachtung von außen, statt Gestaltung von innen her. Das kurze, als Beispiel angeführte Zitat ist typisch für das Ganze und beweist, daß der Stil, selbst im Ausschnitt, Aufschluß über die künstlerische Qualität eines Werkes gibt. Umso mehr, je weniger der Stoff an sich die Aufmerksamkeit des Lesers ablenkt.

Dasselbe Thema, das diesem Ausschnitt und der ganzen Erzählung „Der Weg" zugrundeliegt, die monotone Rastlosigkeit des Hausfrauenlebens, kommt, als allgemein menschliche Erfahrung, oft in den Werken der Realisten vor. Als Gegenstück zu Vicki Baum ein Abschnitt aus Sudermanns [3] „Das Bilderbuch meiner Jugend":

„Meine Mutter war eine geschäftige kleine Frau, vom Morgen bis in die Nacht hinein auf die Wohlfahrt der Ihrigen und den Glanz des Hauses bedacht. Sie wusch und schneiderte, sie polierte und zimmerte, sie putzte und plättete immerzu. Das Lichtchen an ihrem Bette brannte bis zur Morgenhelle, und wenn mein Vater nachts aufstehen mußte, weil Maische abzulassen oder nach der Gärung zu sehen war, dann war sie es, die ihn wachrief."

In drei Sätzen der gleiche Inhalt, aber ganz anders dargestellt. Das drückende Übergewicht des Stoffes fällt fort. Der erste Satz: eine gutmütig humorvolle Einführung. Der zweite — mit der typischen Wiederholung des „sie" — eine straffe Zusammenfassung der Handlung, die durch den Abschluß „immerzu", die Wortwahl und einen gewissen Rhythmus sich fast wie im Märchen liest. Der dritte, der Höhepunkt und, durch die gleichnishafte Verwendung des immer brennenden Lichtchens, ein Hinweis auf die seelische Qualität der „Mutter". Auch hier erhebt sich der Stil nicht zu künstlerischer Gestaltung; er bleibt Bericht. Aber der Stoff wird beherrscht vom Formwillen des Dichters, der das einzelne unterordnet, das wichtige betont und zu Geschlossenheit und Abrundung führt.* Die persönliche Note und die lebendige Anschauung aber, die charakteristisch sind für das künstlerische Erlebnis, fehlen auch hier. Um uns dieser lebendigen Anschauung † und damit des künstlerischen Erlebnisses bewußt zu werden, vergleichen wir nun

---

* gives to it unity and proportion.

† Vgl. Schopenhauer: „Über das innere Wesen der Kunst", Seite 228.

mit dem Zitat aus Sudermann eine Stelle aus Rilkes [4] Roman
„Die Aufzeichnungen des Malte Laurids Brigge":

„Daß ich es nicht lassen kann, bei offenem Fenster zu
schlafen. Elektrische Bahnen rasen läutend durch meine Stube.
Automobile gehen über mich hin. Eine Tür fällt zu. Irgendwo
klirrt eine Scheibe herunter, ich höre ihre großen Scherben
lachen, die kleinen Splitter kichern. Dann plötzlich dumpfer,
eingeschlossener Lärm von der anderen Seite, innen im Hause.
Jemand steigt die Treppe. Kommt, kommt unaufhörlich. Ist da,
ist lange da, geht vorbei. Und wieder die Straße. Ein Mädchen
kreischt: Ah tais-toi, je ne veux plus.[5] Die Elektrische rennt
ganz erregt heran, darüber fort, fort über alles. Jemand ruft.
Leute laufen, überholen sich. Ein Hund bellt. Was für eine
Erleichterung: ein Hund. Gegen Morgen kräht sogar ein Hahn,
und das ist Wohltun ohne Grenzen. Dann schlafe ich plötzlich ein."

Auch hier ist Monotonie, die Monotonie der Sinneseindrücke,
die die allnächtlichen Geräusche der Großstadt hervorbringen.
Dazu das schlaflose, hilflose Lauschen-Müssen.* Auch hier ist
Wiederholung; aber nicht einfache Wiederholung, sondern
Steigerung, Variation: Jemand kommt, kommt unaufhörlich . . .
ist da, ist lange da . . . die Elektrische rennt darüber fort, fort
über alles. Die jedem bekannten Geräusche sind nicht beschrieben, sondern erlebt. Wie sie auf den Lauschenden ein-
dringen, über ihn wegrasen, Teil seines Wesens werden, empfangen sie von ihm den erlebten, persönlichen Ausdruck.
Scherben lachen, Splitter kichern, jedes Geräusch bekommt
Eigenleben. Und jede Einzelheit wird Teil einer rhythmisch
ansteigenden Sprachmelodie, die zugleich die steigende nervöse
Spannung des Lauschenden und die Häufung des Geschehens

* state of enforced listening.

zum Bewußtsein bringt. Dann die Entspannung: ein Hund bellt ... ein Hahn kräht ... der Bann der sinnlosen Unruhe ist gebrochen; die Erlösung: dann schlafe ich plötzlich ein.

Wodurch sind bei Rilke die einzelnen Handlungsteile miteinander verbunden? Nicht durch Kausalität oder Zweckbestimmtheit, sondern durch die *Phantasie* des Erlebenden, für die sie Nahrung bedeuten, und die sich an ihnen materialisiert. So erklärt es sich, daß an sich sinnlose und monotone Vorgänge — zwar als solche erkannt — aber in ihrer Darstellung alles andere als monoton sind, im Gegenteil als höchst persönliches, gesteigertes Erleben wirken. Im dichterischen Erlebnis spielt die Phantasie eine entscheidende Rolle. Sie ist das aktive Element, das aus der bloßen Erfahrung neue Welten schafft.

Es gibt kein Erleben ohne Phantasie. Selbst in der Beobachtung, der unpersönlichsten Form des Erlebens, läßt sich die Phantasie nicht ausschließen. Zwei Menschen sehen denselben Vorgang verschieden, ihre Eindrücke sind mitbestimmt durch ein Etwas in ihnen, das erhellt und verdunkelt, auswählt und betont und aus dem Objekt dadurch den individuellen Eindruck formt.

II. EINFACHE FORMEN DER VOLKSDICHTUNG

Wir alle haben im Traum die Phantasie als lebendige und schöpferische Kraft kennen gelernt. In der Verkettung von Ursache und Wirkung, die wir Wirklichkeit nennen, besitzt die Phantasie wenig Spielraum; im Traum gewinnt sie die Oberhand. Dadurch entsteht die geheimnisvolle, überraschende Spannung und Intensität des Traumes. Über die Traumphantasie haben wir aber keine Gewalt. Sie macht mit uns, was sie will. Darin unterscheidet sich der Traum vom künstlerischen Erlebnis. Er bleibt ungeformt. Erst wenn es uns gelingt, die Phantasie zu befreien und zugleich zu beherrschen, entsteht Kunst.

Die Dichtungsform, die der Phantasie den größten Spielraum gibt und dem Traum wohl am nächsten steht, ist das *Märchen*. Im Gegensatz zur betonten Realität der Vorgänge in den früheren Beispielen stellt sich die Märchenhandlung der Wirklichkeit entgegen. Eine Handlung, die — realistisch betrachtet — verhängnisvoll enden müßte, wird auf wunderbare Weise zum guten Ende geführt. Aber diese Hilfe kommt nicht unverdient und willkürlich wie im Traum, ebenso wenig wie das Unglück nur eine Laune des Schicksals ist. Beide sind Mittel, das Vertrauen des Menschen, sei es auf die eigene Kraft, auf die Naturgewalten, auf Gott, zu prüfen und zu belohnen. Dieses Vertrauen ist das Erlebnis, das dem Märchen zugrunde liegt. Es ist tiefer und ursprünglicher als alle Erfahrung und hat seinen Ursprung in der Phantasie des Menschen, aber es richtet sich auf die Bezwingung der Wirklichkeit. Es befreit die Phantasie und beherrscht sie zugleich, indem es sie ethisch verpflichtet. So phantastisch die Handlung des Märchens auch ist, zuletzt wird immer der Gute belohnt und der Böse bestraft, und der Held fügt sich ein in das wirkliche Leben und „lebt glücklich bis an sein Ende". Als Beispiel ein Grimmsches Märchen [1]:

DIE STERNTALER

Es war einmal ein kleines Mädchen, dem war Vater und Mutter gestorben, und es war so arm, daß es kein Kämmerchen mehr hatte, darin zu wohnen, kein Bettchen mehr, darin zu schlafen, und endlich gar nichts mehr als die Kleider auf dem Leib und ein Stückchen Brot in der Hand, das ihm ein mitleidiges Herz geschenkt hatte. Es war aber gut and fromm. Und weil es so von aller Welt verlassen war, ging es im Vertrauen auf den lieben Gott hinaus ins Feld. Da begegnete ihm ein armer Mann, der sprach: „Ach, gib mir etwas zu essen, ich bin so hungrig." Es reichte ihm das ganze Stückchen Brot und sagte: „Gott segne dir's!" und ging weiter. Da kam ein Kind, das jammerte und sprach: „Es friert mich so an meinem Kopfe, schenk' mir etwas, womit ich ihn bedecken kann." Da tat es seine Mütze ab und gab sie ihm. Und als es noch eine Weile gegangen war, kam wieder ein Kind und hatte kein Leibchen an und fror: da gab es ihm seins; und noch weiter, da bat eins um ein Röcklein, das gab es auch von sich hin. Endlich gelangte es in einen Wald, und es war schon dunkel geworden, da kam noch eins und bat um ein Hemdlein, und das fromme Mädchen dachte: „Es ist dunkle Nacht, da sieht dich niemand, du kannst wohl dein Hemd weggeben", und zog das Hemd ab und gab es auch noch hin. Und wie es so stand und gar nichts mehr hatte, fielen auf einmal die Sterne vom Himmel und waren lauter harte, blanke Taler; und ob es gleich sein Hemdlein weggegeben, so hatte es ein neues an, und das war vom allerfeinsten Linnen. Da sammelte es sich die Taler hinein und war reich sein Lebtag.

INTERPRETATION

„Die Sterntaler" ist ein Volksmärchen. Der Verfasser ist unbekannt. Es hat lange im Volk gelebt und ist von Mund zu Mund gegangen, ehe es aufgeschrieben wurde, und wir finden es oft in mehreren Fassungen, mit kleinen Verschiedenheiten im Aufbau und sprachlichen Ausdruck. Sie sind ohne Bedeutung, weil das Märchen als Volksdichtung ja nicht die bewußte individuelle Form besitzen kann wie das Werk eines Einzelnen, und weil sie nur Variationen des Märchenstiles sind, der sich in allen Märchen offenbart. Im Gegensatz zur Dichtung eines Einzelnen ist jedes Märchen eben nur ein Beispiel der Volksdichtung „Märchen" und gerade durch das Fehlen individueller Merkmale gekennzeichnet. Wie können wir da noch von künstlerischem Erlebnis, künstlerischer Formgebung sprechen? Setzt beides nicht den individuellen Dichter voraus? Ursprünglich gewiß; auch das Märchen hat seinen Verfasser; aber durch das Mit- und Nacherleben * des Volkes ist das Individuelle abgestreift, das Typische betont worden. Statt des Einzelcharakters besitzt es nun Volkscharakter.

„Es war einmal . . .", so beginnen die meisten deutschen Märchen. Was geschieht, ist vergangen, ist Erinnerung, Volkserinnerung geworden. Sonst aber ist es nicht an Ort und Zeit gebunden. Die Volkserinnerung behält nur das Wesentliche.

* through sympathetic and active participation.

Deshalb sind die meisten Märchen kurz; längere Märchen sind immer aus mehreren Handlungen zusammengesetzt, so ähnlich wie das Volksepos aus mehreren Sagen und Geschichten erwachsen ist.

Das Märchen liebt Handlungen und Situationen, die unser Mitleid und damit unsere Teilnahme und Spannung erregen: ein kleines Mädchen, verwaist, verlassen und arm. Das Märchen verweilt bei der Beschreibung dieser Armut und Verlassenheit, aber es vermeidet jede Anspielung auf das Gefühl des Mädchens selbst. Das verlassene arme Kind weint und jammert nicht; es geht „im Vertrauen auf den lieben Gott hinaus ins Feld". Wie das Volkslied, so kennt auch das Volksmärchen keine Sentimentalität des Ausdrucks. Wohl aber liebt es, unsere Teilnahme dadurch zu steigern, daß es eine Handlung, eine Situation bis zum äußersten führt: das letzte Stückchen Brot, sogar sein Hemdlein gibt das Mädchen hin, seine Armut ist vollkommen. Erst dann darf die wunderbare Hilfe kommen. Dadurch wird diese Hilfe — als unvermittelter Gegensatz — umso eindrucksvoller. Und wie es vorher in der Beschreibung der Armut weit über die Realität hinausging, so ist dem Märchen nun kein Ding zu groß und fern und erhaben, um die wunderbare Hilfe zu bringen. Die Sterne fallen vom Himmel und werden zu harten Talern! Wie das Märchen vorher der äußersten Armut keinen Gefühlsausdruck gab, so bringen nun auch Glück und Reichtum keine Gefühlsreaktion. Das Mädchen sammelt die Sterntaler in sein ebenfalls vom Himmel gefallenes Hemdchen und ist reich für sein Lebtag.

Diese Kargheit des Gefühlsausdrucks geht aber beim Märchen nicht wie bei vielen modernen Erzählern auf eine bewußte Unterdrückung des Gefühls zugunsten der Wirklichkeitsschilderung zurück. Sie setzt im Gegenteil das Gefühl als stark und

selbstverständlich voraus, und es kommt dem Märchen im
Grunde nur auf dieses Gefühl an. Die Märchenphantasie nährt
sich vom Gefühl, und das Wunder, die Erlösung verlöre jeden
Sinn ohne eine aufs höchste gespannte Teilnahme. Die schöpferische Kraft der Phantasie des deutschen Volksmärchens aber
liegt in der Handlung: ihr Gegengewicht in der Wirklichkeit
kann deshalb nicht ein Gefühlsausbruch, sondern muß wieder
eine Handlung sein. Wenn dem Orientalen ein fratzenhafter
Geist erscheint, macht ihn der Schrecken hilflos: der Gegensatz zu seiner eigenen Welt ist zu groß, er kann ihn nicht überbrücken. Im deutschen Märchen aber werden die Sterne zu
Talern, und was ist natürlicher, als daß sie dann aufgesammelt
werden?

Im Volkston, in kurzen Sätzen, mit alltäglichen Adjektiven,
Vergleichen und Wendungen, mit häufiger Wiederholung derselben Ausdrücke erzählt das Märchen eine wunderbare Geschichte. Oft ist der Gegensatz zwischen der ungewöhnlichen
Handlung und dem naiven Ausdruck so auffallend, daß wir
ihn als Humor empfinden. Die Volksdichtung ist reich an
Humor; in vielen Fällen aber ist uns die Naivität des Ausdrucks so fremd geworden, daß wir sie als Humor mißverstehen.
„Es ist dunkle Nacht," sagt das arme, verlassene Mädchen,
„da sieht dich niemand, du kannst wohl dein Hemd weggeben."
Das klingt so naiv, daß wir darüber lächeln müssen. Und doch
ist es bestimmt nicht humorvoll empfunden. Eine solche Stelle,
wo die Verschiedenheit des Märchenstils von dem unserer Zeit
so stark ist, daß wir sie beinahe mißverstehen, ist wichtig, weil
sich gerade an dieser Verschiedenheit die Eigenart des Märchenstils offenbart: die Worte sind so alltäglich, der Sinn ist so naiv,
und doch ist die Absicht dahinter weder alltäglich noch naiv.
Es ist der Ausdruck des äußersten Vertrauens, das in sich die

Wirklichkeit überwindet und die wunderbare Hilfe herbeiruft. Daß es dem Märchen gelingt, dieses schrankenlose Vertrauen in so einfache, anspruchslose Form zu kleiden, macht es erst möglich, daß die Sterne vom Himmel fallen! Diese Einfachheit entspringt — so paradox es scheint — der Phantasie, die hier die Wirklichkeit ganz durchdringt und belebt mit einer Unmittelbarkeit, die unserer Zeit fremd geworden, die vielleicht dem einzelnen Dichter überhaupt unerreichbar und nur in der Volksdichtung möglich ist. Von hier aus gesehen, bekommt der ganze, scheinbar so alltägliche, anspruchslose Märchenstil eine tiefere Bedeutung. —

Das Märchen als Volkserinnerung ist geformt und bestimmt durch das Übergewicht der Phantasie über die Wirklichkeit. Es gibt aber auch eine Volkserinnerung, worin die Phantasie nicht diese beherrschende Rolle spielt: das ist die *Anekdote*. Das Märchen hält sich an eine allgemeine menschliche Erfahrung, die Anekdote an einen bestimmten historischen Fall. Das Märchen vergißt Namen, Ort und Zeit; die Anekdote knüpft an sie an. Sie berichtet ein merkwürdiges Ereignis, das zugleich charakteristisch ist für die Menschen, die daran beteiligt waren. Ein Erdbeben, ein Schiffbruch ist keine Anekdote; aber eine merkwürdige Rettung aus Erdbeben oder Schiffbruch, die zugleich die beteiligten Menschen scharf charakterisiert, wäre ein geeigneter Stoff.

Wie das Märchen eine Krise braucht, wo das Wunder helfend eingreift, so braucht die Anekdote eine *Pointe*. Eine einfache Handlung ohne überraschende Wendung ist keine Anekdote. Die Pointe wird oft durch den Zufall hervorgebracht, der auf einmal die Situation und die beteiligten Menschen charakteristisch beleuchtet. Sie kann aber auch in einem treffenden,

witzigen Ausspruch oder in einer überraschenden Handlungsweise liegen. Oft ist sie eine Verbindung aller drei Faktoren.
Durch die Pointe unterscheidet sich die Anekdote vom historischen Bericht und wird Dichtung. Denn hier, wie in der
Krise des Märchens, greift die Phantasie in die Wirklichkeit
ein. Durch die Pointe bekommt die einmalige historische Begebenheit symbolische Bedeutung und wird als Einheit und
Form, statt als Ablauf und Stoff * erlebt.

Im Gegensatz zum Märchen kommt es bei der Formulierung
der Pointe, sowie beim ganzen Aufbau der Anekdote sehr auf
sprachliche und kompositorische Einzelheiten an. Sie wird daher
erst durch die Darstellung eines einzelnen Dichters zur Dichtung. Trotzdem rechnen wir sie oft noch zur Volksdichtung,
wenn der Dichter in der Form das voll zum Ausdruck bringt,
was in der Volksüberlieferung schon unvollkommen gegeben
war. Als Beispiel eine Anekdote von Johann Peter Hebel [2]:

KANNITVERSTAN

JOHANN PETER HEBEL

Der Mensch hat wohl täglich Gelegenheit, in Emmendingen
und Gundelfingen [3] so gut als in Amsterdam, Betrachtungen
über den Unbestand aller irdischen Dinge anzustellen, wenn er
will, und zufrieden zu werden mit seinem Schicksal, wenn auch
nicht viel gebratene Tauben [4] für ihn in der Luft herumfliegen.
Aber auf dem seltsamsten Umweg kam ein deutscher Handwerksbursche in Amsterdam durch den Irrtum zur Wahrheit und ihrer Erkenntnis. Denn als er in die große und reiche
Handelsstadt voll prächtiger Häuser, Schiffe und geschäftiger

* as a mere sequence of events.

Menschen gekommen war, fiel ihm sogleich ein großes und schönes Haus in die Augen, wie er auf der ganzen Wanderschaft von Tuttlingen [5] bis nach Amsterdam noch keines erlebt hatte. Lange betrachtete er mit Bewunderung das kostbare Gebäude, die sechs Kamine auf dem Dach, die schönen Gesimse und die hohen Fenster, größer als an des Vaters Haus daheim die Tür.

Endlich konnte er sich nicht enthalten, einen Vorübergehenden anzureden. „Guter Freund," redete er ihn an, „könnt Ihr mir nicht sagen, wie der Herr heißt, dem dieses wunderschöne Haus gehört mit den Fenstern voll Tulpen, Sternenblumen und Levkojen?"

Der Mann aber, der vermutlich etwas Wichtigeres zu tun hatte und zum Unglück gerade so viel von der deutschen Sprache verstand als der Fragende von der holländischen, nämlich nichts, sagte kurz und schnauzig: *Kannitverstan* und eilte vorüber. Dies war ein holländisches Wort oder drei, wenn man's recht betrachtet, und heißt auf deutsch so viel als: Ich kann Euch nicht verstehen. Aber der gute Fremdling glaubte, es sei der Name des Mannes, nach dem er gefragt hatte.

„Das muß ein schwerreicher Mann sein, der Herr Kannitverstan", dachte er und ging weiter. Gass' aus Gass' ein kam er endlich an den Meerbusen, der da heißt: Het Ey oder auf deutsch: das Ypsilon. Da stand nun Schiff an Schiff und Mastbaum an Mastbaum, und er wußte anfänglich nicht, wie er mit seinen zwei einzigen Augen alle diese Merkwürdigkeiten genug sehen und betrachten konnte; bis endlich ein großes Schiff seine Aufmerksamkeit an sich zog, das vor kurzem aus Ostindien angelangt war und jetzt eben ausgeladen wurde. Schon standen ganze Reihen von Kisten und Ballen auf- und nebeneinander am Lande. Noch immer wurden mehrere herausgewälzt, Fässer voll Zucker und Kaffee, voll Reis und Pfeffer.

Als er lange zugesehen hatte, fragte er endlich einen, der eben eine Kiste auf der Achsel heraustrug, wie der glückliche Mann heiße, dem das Meer alle diese Waren an das Land bringe. *Kannitverstan* war die Antwort.

Da dachte er: „Aha, schaut's da heraus? Kein Wunder, wem das Meer solche Reichtümer an das Land schwemmt, der hat gut solche Häuser in die Welt stellen und solche Tulpen vor die Fenster in vergoldeten Scherben."

Jetzt ging er wieder zurück und stellte eine recht traurige Betrachtung bei sich selbst an, was er für ein armer Mensch sei unter so viel reichen Leuten in der Welt. Aber als er eben dachte: „wenn ich's doch nur auch einmal so gut bekäme wie dieser Herr Kannitverstan es hat", kam er um eine Ecke und erblickte einen großen Leichenzug.

Vier schwarz vermummte Pferde zogen einen ebenfalls schwarz überzogenen Leichenwagen langsam und traurig, als ob sie wüßten, daß sie einen Toten in seine Ruhe führten. Ein langer Zug von Freunden und Bekannten des Verstorbenen folgte nach, Paar um Paar, verhüllt in schwarze Mäntel und stumm. In der Ferne läutete ein einsames Glöcklein.

Jetzt ergriff unsern Fremdling ein wehmütiges Gefühl, das an keinem guten Menschen vorübergeht, wenn er eine Leiche sieht, und er blieb mit dem Hut in der Hand andächtig stehen, bis alles vorüber war. Doch machte er sich an den letzten vom Zug, der eben in der Stille ausrechnete, was er an seiner Baumwolle gewinnen könnte, wenn der Zentner um zehn Gulden aufschlüge, ergriff ihn sachte am Mantel und bat ihn treuherzig um Verzeihung.

„Das muß wohl auch ein guter Freund von Euch gewesen sein," sagte er, „dem das Glöcklein läutet, daß Ihr so betrübt und nachdenklich mitgeht." *Kannitverstan* war die Antwort.

Da fielen unserm guten Tuttlinger ein paar große Tränen aus den Augen, und es ward ihm auf einmal schwer und wieder leicht ums Herz. „Armer Kannitverstan," rief er aus, „was hast du nun von all deinem Reichtum? Was ich einst von meiner Armut auch bekomme: ein Totenkleid und ein Leintuch und von all deinen schönen Blumen vielleicht ein Rosmarin auf die kalte Brust oder eine Raute."

Mit diesen Gedanken begleitete er die Leiche, als wenn er dazu gehörte, bis ans Grab, sah den vermeinten Herrn Kannitverstan hinabsenken in seine Ruhestätte und ward von der holländischen Leichenpredigt, von der er kein Wort verstand, mehr gerührt als von mancher deutschen, auf die er nicht achtgab. Endlich ging er leichten Herzens mit den andern wieder fort, verzehrte in einer Herberge, wo man Deutsch verstand, mit gutem Appetit ein Stück Limburger Käse, und wenn es ihm wieder einmal schwerfallen wollte, daß so viele Leute in der Welt so reich seien und er so arm, so dachte er nur an den Herrn Kannitverstan in Amsterdam und an sein großes Haus, an sein reiches Schiff und an sein enges Grab.

INTERPRETATION

Wenn wir Hebels „Kannitverstan" mit den „Sterntalern" vergleichen, so fällt uns als Hauptunterschied im „Kannitverstan" der Mangel an Handlung und das Übergewicht der Reflexion auf. An Stelle der Handlung tritt die Beschreibung. Der deutsche Handwerksbursche kommt nach Holland und betrachtet dort die Stadt Amsterdam, den Hafen, schließlich einen holländischen Leichenzug. Was er sieht, ist ihm fremd und steht in keiner Beziehung zu ihm. Er kann darüber nur reflektieren. Weil er aber nicht einmal die Sprache versteht, baut er seine Reflexionen auf einem Mißverständnis auf. Trotz-

dem — und darin liegt die Pointe der Anekdote — kommt er
zu einer vernünftigen und menschlich wertvollen Schlußfolgerung, die ihn selbst und was er sieht, charakterisiert und ihn
mit der fremden Welt innerlich verbindet. Zuletzt vergießt
er Tränen am Grabe des Herrn Kannitverstan, der ihm nun
näher steht als dem holländischen Leichengefolge.

Der Mangel an Handlung, das Vorherrschen von Beschreibung und Reflexion ist nicht charakteristisch für die Anekdote
im allgemeinen, findet sich aber oft in der volkstümlichen Erzählung, wenn sie belehren und erziehen will. Ein Anek-
dotenstoff wird oft wie bei Hebel zu diesem Zwecke auf seine
beschreibenden und moralisch belehrenden Möglichkeiten hin
ausgebaut.

Trotz des Mangels an Handlung, trotz der Kürze der Erzählung und der moralisierenden Tendenz, die an die Fabel
erinnert, ist der „Kannitverstan" ein gutes Beispiel *epischer*
Erzählungskunst. Die Spannung zwischen Phantasie und Wirklichkeit wirkt im Märchen dem epischen Fluß entgegen. Sie
drängt dem Höhepunkt und der Lösung, dem Ende entgegen
— nicht umsonst ist das Märchen kurz — während für die
Epik das Ende nicht wesentlicher ist als der Anfang und der
ganze Verlauf der Erzählung. Diese epische Ruhe, dieser „lange
Atem" des epischen Erzählers ist im „Kannitverstan" vorhanden. Sie prägt sich in den längeren Sätzen aus, die behaglich beschreiben, was der Fremdling sieht; in der Mischung von
Beobachtung, Reflexion und Erinnerung, die bald das Allgemeine, bald das Besondere betont, an der Einzelheit Freude hat
und im Leser eine Stimmung nachdenklicher Teilnahme erweckt, ohne Spannung zu erregen. Diese Darstellungsweise
eines an sich geringfügigen Stoffes könnte langweilig wirken,
wenn sie nicht durch den Charakter der Anekdote, durch die

Pointe zusammengehalten und durch den Reiz der Hebelschen Sprache belebt würde.

Um seines Stiles willen hat Johann Peter Hebel einen Ehrenplatz in der deutschen Literatur. Ihm ist es geglückt, die Volkssprache unverfälscht und doch künstlerisch zu gebrauchen. Sein Stil hat so wenig Auffallendes und ist doch persönlich. Die Alltagswirklichkeit des süddeutschen Handwerkers und Bürgers findet darin ihre dichterische Gestalt. Gefühle und Gedanken, Geschmack und Bildung sind nicht ungewöhnlich, der Erfahrungskreis ist begrenzt; aber diese kleine Welt verliert durch Hebels Humor alles Kleinliche und Beschränkte. Dieser Humor liegt im Stil. Auch darin trifft er den Volkston. Er vermeidet die Ironie, den intellektuellen Humor der Romantiker; er geht auch nicht so weit wie Gottfried Keller, dessen Phantasie oft humoristisch mit dem Stoffe spielt. Er bleibt ganz bei der Sache und gewinnt aus der Sache selbst durch den Ausdruck eine humorvolle Wirkung. Humoristisch wirkt die Verwendung volkstümlicher Vergleiche in Verbindung mit ernsthafter Reflexion: z.B. der Vergleich der gebratenen Tauben aus dem Schlaraffenland in Verbindung mit dem „Unbestand aller irdischen Dinge". Humoristisch wirkt die naive Ausdrucksweise des Handwerksburschen, der die Vorübergehenden mit „guter Freund" anredet, der so zutraulich einem Eiligen von den Tulpen, Sternenblumen und Levkojen an den Fenstern erzählt, der angesichts des holländischen Seehandels von den Reichtümern spricht, die „das Meer an das Land schwemmt". Volkshumor steckt in Wendungen wie: „der Mann, der gerade so viel von der deutschen Sprache verstand als der Fragende von der holländischen, nämlich nichts", oder in dem Gegensatz des betrübten und nachdenklichen Leidtragenden, der sich in der Stille ausrechnet, was er an seiner Baumwolle gewinnen

könnte. Solche Beispiele erschöpfen aber Hebels Humor nicht,
der die Stimmung des Ganzen beherrscht, auch wo er nicht
unmittelbar greifbar ist. Er verleiht der abgegriffenen Alltagssprache einen mehr als alltäglichen Sinn: wir sehen — um mit
Gottfried Keller zu reden — mit dem naiven Handwerksburschen „zum erstenmal die Welt". Wir bewundern mit ihm
die sechs Kamine auf dem Dach, die schönen Gesimse und die
hohen Fenster und lächeln zugleich über ihn und uns selbst.
Wir erkennen und genießen die Täuschung, der er unterliegt,
und überlassen uns doch selbst seiner Illusion. Darauf beruht
die künstlerische Wirkung der kleinen Dichtung, und sie ist
umso reiner, als sie mit so einfachen Mitteln hervorgebracht
wird.

Hebels Stil hat noch viel gemeinsam mit dem Märchenstil.
Sein Verdienst liegt in der bewußten Pflege der Volkssprache,
seine kleinen Dichtungen sind tief ins Volk gedrungen und im
besten Sinne, durch Ursprung und Gestaltung, Volksdichtungen.
Der unkomplizierte, knappe Stoff der Anekdote hat aber auch
Dichter gereizt, die dem Volkstümlichen weniger nahe stehen,
weil sich gerade daran die Eigenart und Kraft ihres Stils erproben
konnte. Ein interessantes Beispiel und Gegenstück zu Hebels
volkstümlicher Anekdote ist Heinrich von Kleists [6] „Anekdote
aus dem letzten preußischen Kriege".

ANEKDOTE
AUS DEM LETZTEN PREUSSISCHEN KRIEGE

HEINRICH VON KLEIST

In einem bei Jena liegenden Dorf erzählte mir auf einer Reise
nach Frankfurt der Gastwirt, daß sich mehrere Stunden nach

der Schlacht, um die Zeit, da das Dorf schon ganz von der Armee des Prinzen von Hohenlohe verlassen und von Franzosen, die es für besetzt gehalten, umringt gewesen wäre, ein einzelner preußischer Reiter darin gezeigt hätte; und versicherte mir, daß wenn alle Soldaten, die an diesem Tage mitgefochten, so tapfer gewesen wären wie dieser, die Franzosen hätten geschlagen werden müssen, wären sie auch noch dreimal stärker gewesen, als sie in der Tat waren.

Dieser Kerl, sprach der Wirt, sprengte, ganz von Staub bedeckt, vor meinen Gasthof und rief:

„Herr Wirt!"

Und da ich frage: „Was gibt's?"

„Ein Glas Branntwein!" antwortet er, indem er sein Schwert in die Scheide wirft: „mich dürstet."

„Gott im Himmel!" sag' ich, „will Er machen,[7] Freund, daß er wegkommt! Die Franzosen sind ja dicht vor dem Dorf!"

„Ei was!" spricht er, indem er dem Pferde den Zügel über den Hals legt. „Ich habe den ganzen Tag nichts genossen!"

„Nun Er ist, glaub' ich, vom Satan besessen — ! He! Lise!" rief ich, „schaff' ihm eine Flasche Danziger [8] herbei!" und sage: „Da!" und will ihm die Flasche in die Hand drücken, damit er nur reite.

„Ach was!" spricht er, indem er die Flasche wegstößt und sich den Hut abnimmt: „wo soll ich mit dem Quark hin?" Und: „schenk' Er ein!" spricht er, indem er sich den Schweiß von der Stirn abtrocknet: „denn ich habe keine Zeit!"

„Nun Er ist ein Kind des Todes", sag' ich. „Da!" sag' ich und schenk' ihm ein: „da! trink' Er und reit' Er! Wohl mag's Ihm bekommen!"

„Noch eins!" spricht der Kerl, während die Schüsse schon von allen Seiten ins Dorf prasseln.

Ich sage: „Noch eins? Plagt Ihn — !"

„Noch eins!" spricht er, indem er sich den Bart wischt und sich vom Pferde herab schneuzt: „denn es wird bar bezahlt!"

„Ei, mein' Seel', so wollt' ich doch, daß Ihn — ! [9] Da!" sag' ich und schenk' ihm noch, wie er verlangt, ein zweites und schenk' ihm, da er getrunken, noch ein drittes ein und frage: „ist Er nun zufrieden?"

„Ach!" — schüttelt sich der Kerl. „Der Schnaps ist gut! — Na!" spricht er und setzt sich den Hut auf, „was bin ich schuldig?"

„Nichts! nichts!" versetz' ich. „Pack' Er sich, ins Teufels Namen, die Franzosen ziehen augenblicklich ins Dorf!"

„Na!" sagt er, indem er in seinen Stiefel greift: „so soll's Ihm Gott lohnen." Und holt aus dem Stiefel einen Pfeifenstummel hervor und spricht, nachdem er den Kopf ausgeblasen: „schaff' Er mir Feuer!"

„Feuer?" sag' ich: „plagt Ihn — ?"

„Feuer, ja!" spricht er: „denn ich will mir eine Pfeife Tabak anmachen!"

„Ei, den Kerl reiten Legionen — ! He, Lise", ruf' ich das Mädchen, und während der Kerl sich die Pfeife stopft, schafft das Mädchen ihm Feuer.

„Na!" sagt der Kerl, die Pfeife, die er angeschmaucht, im Maul: „nun sollen die Franzosen die Schwerenot kriegen!"

Und damit, indem er sich den Hut in die Augen drückt und zum Zügel greift, wendet er das Pferd und zieht vom Leder.

„Ein Mordkerl!" sag' ich, „ein verfluchter, verwetterter Galgenstrick! Will Er sich ins Henkers Namen scheren, wo Er hingehört? Drei Chasseurs — sieht Er nicht? halten ja schon vor dem Tor!"

„Ei was!" spricht er, indem er ausspuckt, und faßt die drei

Kerls blitzend ins Auge: „Wenn ihrer zehn wären, ich fürcht' mich nicht."

Und in dem Augenblick reiten auch die drei Franzosen schon ins Dorf.

„Bassa Manelka!" [10] ruft der Kerl und gibt seinem Pferde die Sporen und sprengt auf sie ein und greift sie, als ob er das ganze Hohenlohische Corps hinter sich hätte, an; dergestalt, daß, da die Chasseurs ungewiß, ob nicht noch mehr Deutsche im Dorf sein mögen, einen Augenblick wider ihre Gewohnheit stutzen. Er, mein' Seel', ehe man noch eine Hand umkehrt, alle drei vom Sattel haut, die Pferde, die auf dem Platz herumlaufen, aufgreift, damit bei mir vorbeisprengt und

„Bassa Teremtetem!" [11] ruft und „Sieht Er wohl, Herr Wirt?" und „Adies!" und „Auf Wiedersehen!" und „hoho! hoho! hoho!" —— —

So einen Kerl, sprach der Wirt, habe ich Zeit meines Lebens nicht gesehen.

INTERPRETATION

Heinrich von Kleist war Dramatiker. Auch seine erzählenden Schriften sind voll dramatischer Spannung. Seine Anekdote liest sich — mit Ausnahme des ersten Satzes — wie eine Szene aus einem Schauspiel. Alles wird Gegenwart, Handlung; Gebärden werden kurz angedeutet, der Dialog, knapp, vorwärtsdrängend, zielbewußt, steht im Mittelpunkt. Der erste Satz gibt die Einführung und den Hintergrund. Im Gegensatz zur Szene selbst ist er lang und kompliziert, fast schwerfällig. Aber darin liegt Absicht. Eine ruhig erzählende Einführung wäre unmerklich in die eigentliche Handlung übergegangen. Hier aber staut sich alles: die einzelnen Teile der Vorgeschichte, der Wirt als Erzähler; der Ort: ein Dorf bei Jena; die Zeit: die Schlacht bei

Jena, die Niederlage der Preußen, die Besetzung des Dorfes durch die Franzosen; der Held: ein einzelner preußischer Reiter, — das alles wird gleichsam auf einen Blick gegeben. Was folgt, als dramatische Szene, ist als dramatische Spannung in diesem Satz vorbereitet. Im epischen Stil wäre er undenkbar, hier aber ist er die wirksamste Einführung. Laut vorgetragen, kommt seine scharfe Gliederung zur Geltung und der Anschein der Kompliziertheit und Schwerfälligkeit verschwindet, weil das dramatische Prinzip erst im gesprochenen Wort zum vollen Ausdruck kommen kann.

Beim modernen Roman spricht man oft von einem dramatischen Einschlag oder einer dramatischen Tendenz und meint damit ein beschleunigtes Tempo, einen Aufbau in Gegensätzen, Überraschungen und Krisen oder auch nur die Vorliebe des Verfassers für den Dialog und eine Komposition in „Szenen". Das Dramatische ist dann oft nur ein technisches Mittel, um das Interesse des ungeduldigen modernen Lesers festzuhalten. Bei der Kürze der Anekdote von Kleist kommt dieser Zweck nicht in Frage. Die dramatische Form entspringt hier der Eigenart der Kleistischen Phantasie und bringt sie am besten zum Ausdruck.

Kleists Phantasie entzündet sich am Widerspruch: der Realität stellt er die außergewöhnliche, extreme Tat entgegen. Seine Phantasie ist keine Märchenphantasie, die durch das Wunder einen Ausweg schafft, wo kein Ausweg mehr ist. Sie stützt sich im Gegenteil auf ein intuitives Verständnis für den außergewöhnlichen Menschen. Bedrängt von Feinden, würde der gewöhnliche Mensch entfliehen. Kleists preußischer Reiter aber fordert das Schicksal heraus. Seine Tat, die, von der Alltagswirklichkeit gesehen, phantastisch, ja unmöglich erscheinen mag — die Pointe der Anekdote — ist charakteristisch für Kleists

„Realismus". Nicht immer siegt der „Held" wie hier, oft geht er zugrunde, aber immer an seiner eigenen kühnen und außergewöhnlichen Tat im Kampf mit dem Durchschnitt. Dieser Kampf, dieser Widerspruch ist dramatisch und wird es umso mehr, je mehr das Milieu und die Personen selbst dem Alltag anzugehören scheinen. Der Wirt und der Reiter sprechen die Sprache des Volkes, mit Flüchen wird nicht gespart, des Reiters Manieren sind grob, seine Wünsche alltäglich. Das ist bewußter Realismus in viel höherem Maße als z.B. bei Hebel. Aber dahinter steckt ein weit stärkerer Formwille, als wir ihn sonst bei den Realisten finden.

Realistische Einzelheiten interessieren Kleist nur insofern, als sie seinen Helden unmittelbar charakterisieren und auf seine Tat vorbereiten. Die Gebärden, die Worte des Soldaten offenbaren seine Ruhe und Kaltblütigkeit, die Antworten des Wirts dessen Aufregung. Kein beschreibendes Wort wird sonst an den Wirt, die Lise oder die feindlichen Soldaten verschwendet. Auf Variation des Ausdrucks kommt es Kleist auch nicht an; die Gebärden des Soldaten werden z.B. fast immer mit „indem" eingeleitet. Aber merkwürdigerweise kommt uns diese Monotonie nicht störend zum Bewußtsein. Diese Seitenbemerkungen sind gleichsam mit halber Stimme zu lesen, und je weniger sie sprachlich auffallen, umso besser für die Konzentration auf die Hauptsache. Die Hauptsache aber ist das Erlebnis der Gefahr und das Erlebnis des verwegenen Mutes, nicht die Darstellung eines preußischen Reiters und seiner Abenteuer. In der Beschränkung und Beherrschung des Stofflichen ist Kleist ein Meister.

Man hat Kleist einen Expressionisten genannt, weil sich seine Realität nicht deckt mit der Wirklichkeit der Realisten, weil er andererseits, im Gegensatz zur Romantik, streng bei

der Sache bleibt und seine Phantasie den Stoff nur gleichsam
von innen her durchglüht und formt. Die kleine Anekdote ist
dafür ein gutes Beispiel. Was bleibt uns davon in Erinnerung,
was macht auf uns Eindruck? Nicht der Inhalt, der uns an sich
kaum interessiert, sondern — stärker noch als Gefahr und Mut
— das intensive Lebensgefühl, das dem vollen Erlebnis der
Gefahr und des Mutes zugrundeliegt und in der dramatisch-
erzählenden Form in eigenartiger Weise Vergangenheit und
Gegenwart, Erstaunen und Teilnahme mitreißend verbindet.
Eine Idee, wenn man will, aber nicht in der Reflexion gegeben,
sondern dargestellt als künstlerisch geformtes Erlebnis.

III. ROMANTISCHE DICHTUNGSFORMEN

Auch Kleists Anekdote, so persönlich sie geformt ist, hat noch eine stoffliche Beziehung zur Volksdichtung und weist Züge auf, die wir oft in der deutschen Volksdichtung finden: episodenhafte Kürze, Betonung der Handlung, Beschränkung auf das Notwendige in Schilderung und Reflexion, Vermeidung von Sentimentalität und Phantastik. Dieser Gleichartigkeit der Volksdichtung in Stoff und Form gegenüber steht die individuelle Eigenart des Dichters, der seinen Stoff erfindet oder so umgestaltet, daß er ganz sein Eigentum wird. Ohne die Sicherheit der volkstümlichen Tradition wächst freilich die Gefahr der Entfremdung seines Schaffens von seiner Umwelt. Sein Werk ist anspruchsvoller und setzt beim Leser mehr Bildung und künstlerisches Interesse voraus. Dafür gibt es aber das, was die Volksdichtung kaum geben kann: den Reiz des Individuellen in der Form und im Gehalt. Das künstlerische Erlebnis, das seiner Dichtung zugrunde liegt, ist komplizierter und weniger leicht zugänglich, dafür aber auch ungewöhnlich und geheimnisvoll. Die dichterische Form scheint manchmal auf den ersten Blick willkürlich, übertrieben, verspielt. Aber im Zusammenhang des Ganzen ist sie sinnvoll und gewinnt, so verstanden, einen besonderen Reiz. Wir wählen als erstes Beispiel und Gegenstück zum Volksmärchen Ludwig Tiecks [1] Märchennovelle „Der blonde Eckbert".

DER BLONDE ECKBERT

LUDWIG TIECK

In einer Gegend des Harzes wohnte ein Ritter, den man gewöhnlich nur den blonden Eckbert nannte. Er war ungefähr vierzig Jahr alt, kaum von mittler Größe, und kurze, hellblonde Haare lagen schlicht und dicht an seinem blassen, eingefallenen Gesichte. Er lebte sehr ruhig für sich und war niemals in den Fehden seiner Nachbarn verwickelt, auch sah man ihn nur selten außerhalb den Ringmauern seines kleinen Schlosses. Sein Weib liebte die Einsamkeit ebensosehr, und beide schienen sich von Herzen zu lieben, nur klagten sie gewöhnlich darüber, daß der Himmel ihre Ehe mit keinen Kindern segnen wolle.

Nur selten wurde Eckbert von Gästen besucht, und wenn es auch geschah, so wurde ihretwegen fast nichts in dem gewöhnlichen Gange des Lebens geändert, die Mäßigkeit wohnte dort, und die Sparsamkeit selbst schien alles anzuordnen. Eckbert war alsdann heiter und aufgeräumt, nur wenn er allein war, bemerkte man an ihm eine gewisse Verschlossenheit, eine stille, zurückhaltende Melancholie.

Niemand kam so häufig auf die Burg als Philipp Walter, ein Mann, dem sich Eckbert angeschlossen hatte, weil er an diesem ungefähr dieselbe Art zu denken fand, der auch er am meisten zugetan war. Dieser wohnte eigentlich in Franken, hielt sich aber oft über ein halbes Jahr in der Nähe von Eckberts Burg auf, sammelte Kräuter und Steine und beschäftigte sich damit, sie in Ordnung zu bringen; er lebte von einem kleinen Vermögen und war von niemand abhängig. Eckbert begleitete ihn oft auf seinen einsamen Spaziergängen, und mit jedem Jahre entspann sich zwischen ihnen eine innigere Freundschaft.

Es gibt Stunden, in denen es den Menschen ängstigt, wenn er vor seinem Freunde ein Geheimnis haben soll, was er bis dahin oft mit vieler Sorgfalt verborgen hat; die Seele fühlt dann einen unwiderstehlichen Trieb, sich ganz mitzuteilen, dem Freunde auch das Innerste aufzuschließen, damit er um so mehr unser Freund werde. In diesen Augenblicken geben sich die zarten Seelen einander zu erkennen, und zuweilen geschieht es wohl auch, daß einer vor der Bekanntschaft des andern zurückschreckt.

Es war schon im Herbst, als Eckbert an einem nebligen Abend mit seinem Freunde und seinem Weibe Berta um das Feuer eines Kamines saß. Die Flamme warf einen hellen Schein durch das Gemach und spielte oben an der Decke, die Nacht sah schwarz zu den Fenstern herein, und die Bäume draußen schüttelten sich vor nasser Kälte. Walter klagte über den weiten Rückweg, den er habe, und Eckbert schlug ihm vor, bei ihm zu bleiben, die halbe Nacht unter traulichen Gesprächen hinzubringen und dann in einem Gemache des Hauses bis am Morgen zu schlafen. Walter ging den Vorschlag ein, und nun ward Wein und die Abendmahlzeit hereingebracht, das Feuer durch Holz vermehrt und das Gespräch der Freunde heitrer und vertraulicher.

Als das Abendessen abgetragen war und sich die Knechte wieder entfernt hatten, nahm Eckbert die Hand Walters und sagte: „Freund, Ihr solltet Euch einmal von meiner Frau die Geschichte ihrer Jugend erzählen lassen, die seltsam genug ist." — „Gern", sagte Walter, und man setzte sich wieder um den Kamin.

Es war jetzt gerade Mitternacht, der Mond sah abwechselnd durch die vorüberflatternden Wolken. „Ihr müßt mich nicht für zudringlich halten," fing Berta an, „mein Mann sagt, daß

Ihr so edel denkt, daß es unrecht sei, Euch etwas zu verhehlen.
Nur haltet meine Erzählung für kein Märchen, so sonderbar
sie auch klingen mag.

„Ich bin in einem Dorfe geboren, mein Vater war ein armer
Hirte. Die Haushaltung bei meinen Eltern war nicht zum besten
bestellt, sie wußten sehr oft nicht, wo sie das Brot hernehmen
sollten. Was mich aber noch weit mehr jammerte, war, daß
mein Vater und meine Mutter sich oft über ihre Armut ent-
zweiten und einer dem andern dann bittere Vorwürfe machte.
Sonst hört' ich beständig von mir, daß ich ein einfältiges, dummes
Kind sei, das nicht das unbedeutendste Geschäft auszurichten
wisse, und wirklich war ich äußerst ungeschickt und unbeholfen,
ich ließ alles aus den Händen fallen, ich lernte weder nähen
noch spinnen, ich konnte nichts in der Wirtschaft helfen, nur die
Not meiner Eltern verstand ich sehr gut. Oft saß ich dann im
Winkel und füllte meine Vorstellungen damit an, wie ich ihnen
helfen wollte, wenn ich plötzlich reich würde, wie ich sie mit
Gold und Silber überschütten und mich an ihrem Erstaunen
laben möchte; dann sah ich Geister heraufschweben, die mir
unterirdische Schätze entdeckten oder mir kleine Kiesel gaben,
die sich in Edelsteine verwandelten, kurz, die wunderbarsten
Phantasien beschäftigten mich, und wenn ich nun aufstehn
mußte, um irgend etwas zu helfen oder zu tragen, so zeigte ich
mich noch viel ungeschickter, weil mir der Kopf von allen den
seltsamen Vorstellungen schwindelte.
Mein Vater war immer sehr ergrimmt auf mich, daß ich
eine so ganz unnütze Last des Hauswesens sei, er behandelte
mich daher oft ziemlich grausam, und es war selten, daß ich ein
freundliches Wort von ihm vernahm. So war ich ungefähr acht
Jahr alt geworden, und es wurden nun ernstliche Anstalten ge-

macht, daß ich etwas tun oder lernen sollte. Mein Vater glaubte, es wäre nur Eigensinn oder Trägheit von mir, um meine Tage in Müßiggang hinzubringen, genug, er setzte mir mit Drohungen unbeschreiblich zu; da diese aber doch nichts fruchteten, züchtigte er mich auf die grausamste Art, indem er sagte, daß diese Strafe mit jedem Tage wiederkehren sollte, weil ich doch nur ein unnützes Geschöpf sei.

Die ganze Nacht hindurch weint' ich herzlich, ich fühlte mich so außerordentlich verlassen, ich hatte ein solches Mitleid mit mir selber, daß ich zu sterben wünschte. Ich fürchtete den Anbruch des Tages, ich wußte durchaus nicht, was ich anfangen sollte; ich wünschte mir alle mögliche Geschicklichkeit und konnte gar nicht begreifen, warum ich einfältiger sei als die übrigen Kinder meiner Bekanntschaft. Ich war der Verzweiflung nahe.

Als der Tag graute, stand ich auf und öffnete, fast ohne daß ich es wußte, die Tür unsrer kleinen Hütte. Ich stand auf dem freien Felde, bald darauf war ich in einem Walde, in den der Tag kaum noch hineinblickte. Ich lief immerfort, ohne mich umzusehn, ich fühlte keine Müdigkeit, denn ich glaubte immer, mein Vater würde mich noch wieder einholen und, durch meine Flucht gereizt, mich noch grausamer behandeln.

Als ich aus dem Walde wieder heraustrat, stand die Sonne schon ziemlich hoch, ich sah jetzt etwas Dunkles vor mir liegen, welches ein dichter Nebel bedeckte. Bald mußte ich über Hügel klettern, bald durch einen zwischen Felsen gewundenen Weg gehn, und ich erriet nun, daß ich mich wohl in dem benachbarten Gebirge befinden müsse, worüber ich anfing, mich in der Einsamkeit zu fürchten. Denn ich hatte in der Ebene noch keine Berge gesehn, und das bloße Wort Gebirge, wenn ich davon hatte reden hören, war meinem kindischen Ohr ein fürchter-

licher Ton gewesen. Ich hatte nicht das Herz zurückzugehn,
meine Angst trieb mich vorwärts; oft sah ich mich erschrocken
um, wenn der Wind über mir weg durch die Bäume fuhr oder
ein ferner Holzschlag weit durch den stillen Morgen hintönte.
Als mir Köhler und Bergleute endlich begegneten und ich
eine fremde Aussprache hörte, wäre ich vor Entsetzen fast in
Ohnmacht gesunken.

Ich kam durch mehrere Dörfer und bettelte, weil ich jetzt
Hunger und Durst empfand, ich half mir so ziemlich mit meinen
Antworten durch, wenn ich gefragt wurde. — So war ich ungefähr vier Tage fortgewandert, als ich auf einen kleinen Fußsteig
geriet, der mich von der großen Straße immer mehr entfernte.
Die Felsen um mich her gewannen jetzt eine andre, weit selt-
samere Gestalt. Es waren Klippen, so aufeinander gepackt, daß
es das Ansehn hatte, als wenn sie der erste Windstoß durcheinander werfen würde. Ich wußte nicht, ob ich weitergehn sollte.
Ich hatte des Nachts immer im Walde geschlafen, denn es war
gerade zur schönsten Jahrszeit, oder in abgelegenen Schäfer-
hütten; hier traf ich aber gar keine menschliche Wohnung und
konnte auch nicht vermuten, in dieser Wildnis auf eine zu
stoßen; die Felsen wurden immer furchtbarer, ich mußte oft
dicht an schwindlichten Abgründen vorbeigehn, und endlich
hörte sogar der Weg unter meinen Füßen auf. Ich war ganz
trostlos, ich weinte und schrie, und in den Felsentälern hallte
meine Stimme auf eine schreckliche Art zurück. Nun brach die
Nacht herein, und ich suchte mir eine Moosstelle aus, um dort
zu ruhn. Ich konnte nicht schlafen; in der Nacht hörte ich die
seltsamsten Töne: bald hielt ich es für wilde Tiere, bald für den
Wind, der durch die Felsen klage, bald für fremde Vögel. Ich
betete, und ich schlief nur spät gegen Morgen ein.

Ich erwachte, als mir der Tag ins Gesicht schien. Vor mir war ein steiler Felsen, ich kletterte in der Hoffnung hinauf, von dort den Ausgang aus der Wildnis zu entdecken und vielleicht Wohnungen oder Menschen gewahr zu werden. Als ich aber oben stand, war alles, so weit nur mein Auge reichte, eben so wie um mich her, alles war mit einem nebligen Dufte überzogen, der Tag war grau und trübe, und keinen Baum, keine Wiese, selbst kein Gebüsch konnte mein Auge erspähn, einzelne Sträucher ausgenommen, die einsam und betrübt in engen Felsenritzen emporgeschossen waren. Es ist unbeschreiblich, welche Sehnsucht ich empfand, nur eines Menschen ansichtig zu werden, wäre es auch, daß ich mich vor ihm hätte fürchten müssen. Zugleich fühlte ich einen peinigenden Hunger; ich setzte mich nieder und beschloß zu sterben. Aber nach einiger Zeit trug die Lust zu leben dennoch den Sieg davon, ich raffte mich auf und ging unter Tränen, unter abgebrochenen Seufzern den ganzen Tag hindurch; am Ende war ich mir meiner kaum noch bewußt, ich war müde und erschöpft, ich wünschte kaum noch zu leben und fürchtete doch den Tod.

Gegen Abend schien die Gegend umher etwas freundlicher zu werden, meine Gedanken, meine Wünsche lebten wieder auf, die Lust zum Leben erwachte in allen meinen Adern. Ich glaubte jetzt, das Gesause einer Mühle aus der Ferne zu hören, ich verdoppelte meine Schritte, und wie wohl, wie leicht ward mir, als ich endlich wirklich die Grenzen der öden Felsen erreichte! Ich sah Wälder und Wiesen mit fernen, angenehmen Bergen wieder vor mir liegen. Mir war, als wenn ich aus der Hölle in ein Paradies getreten wäre, die Einsamkeit und meine Hilflosigkeit schienen mir nun gar nicht fürchterlich.

Statt der gehofften Mühle stieß ich auf einen Wasserfall, der meine Freude freilich um vieles minderte; ich schöpfte mit der Hand einen Trunk aus dem Bache, als mir plötzlich war,

als höre ich in einiger Entfernung ein leises Husten. Nie bin ich
so angenehm überrascht worden als in diesem Augenblick; ich
ging näher und ward an der Ecke des Waldes eine alte Frau
gewahr, die auszuruhen schien. Sie war fast ganz schwarz gekleidet, und eine schwarze Kappe bedeckte ihren Kopf und einen
großen Teil des Gesichtes, in der Hand hielt sie einen Krückenstock.

Ich näherte mich ihr und bat um ihre Hilfe; sie ließ mich
neben sich niedersitzen und gab mir Brot und etwas Wein.
Indem ich aß, sang sie mit kreischendem Ton ein geistliches Lied.
Als sie geendet hatte, sagte sie mir, ich möchte ihr folgen.

Ich war über diesen Antrag sehr erfreut, so wunderlich mir
auch die Stimme und das Wesen der Alten vorkam. Mit ihrem
Krückenstocke ging sie ziemlich behende, und bei jedem Schritte
verzog sie ihr Gesicht so, daß ich im Anfange darüber lachen
mußte. Die wilden Felsen traten immer weiter hinter uns zurück, wir gingen über eine angenehme Wiese und dann durch
einen ziemlich langen Wald. Als wir heraustraten, ging die
Sonne gerade unter, und ich werde den Anblick und die Empfindung dieses Abends nie vergessen. In das sanfteste Rot und
Gold war alles verschmolzen, die Bäume standen mit ihren Wip-
feln in der Abendröte, und über den Feldern lag der entzückende
Schein; die Wälder und die Blätter der Bäume standen still,
der reine Himmel sah aus wie ein aufgeschlossenes Paradies, und
das Rieseln der Quellen und von Zeit zu Zeit das Flüstern der
Bäume tönte durch die heitre Stille wie in wehmütiger Freude.
Meine junge Seele bekam jetzt zuerst eine Ahnung von der
Welt und ihren Begebenheiten. Ich vergaß mich und meine
Führerin, mein Geist und meine Augen schwärmten nur
zwischen den goldnen Wolken.

Wir stiegen nun einen Hügel hinan, der mit Birken bepflanzt

war, von oben sah man in ein grünes Tal voller Birken hinein, und unten mitten in den Bäumen lag eine kleine Hütte. Ein munteres Bellen kam uns entgegen, und bald sprang ein kleiner, behender Hund die Alte an und wedelte, dann kam er zu mir, besah mich von allen Seiten und kehrte mit freundlichen Gebärden zur Alten zurück.

Als wir vom Hügel hinuntergingen, hörte ich einen wunderbaren Gesang, der aus der Hütte zu kommen schien, wie von einem Vogel; es sang also:

> ,Waldeinsamkeit,
> Die mich erfreut,
> So morgen wie heut,
> In ewger Zeit!
> O wie mich freut
> Waldeinsamkeit!'

Diese wenigen Worte wurden beständig wiederholt; wenn ich es beschreiben soll, so war es fast, als wenn Waldhorn und Schalmeie ganz in der Ferne durcheinander spielen.

Meine Neugier war außerordentlich gespannt; ohne daß ich auf den Befehl der Alten wartete, trat ich mit in die Hütte. Die Dämmerung war schon eingebrochen, alles war ordentlich aufgeräumt, einige Becher standen auf einem Wandschranke, fremdartige Gefäße auf einem Tische, in einem glänzenden Käfig hing ein Vogel am Fenster, und er war es wirklich, der die Worte sang. — Die Alte keuchte und hustete, sie schien sich gar nicht wieder erholen zu können, bald streichelte sie den kleinen Hund, bald sprach sie mit dem Vogel, der ihr nur mit seinem gewöhnlichen Liede Antwort gab; übrigens tat sie gar nicht, als wenn ich zugegen wäre. Indem ich sie so betrachtete, überlief mich mancher Schauer, denn ihr Gesicht war in einer ewigen Bewegung, indem sie dazu wie vor Alter mit

dem Kopfe schüttelte, so daß ich durchaus nicht wissen konnte,
wie ihr eigentliches Aussehn beschaffen war.

Als sie sich erholt hatte, zündete sie Licht an, deckte einen
ganz kleinen Tisch und trug das Abendessen auf. Jetzt sah sie
sich nach mir um und hieß mir einen von den geflochtenen
Rohrstühlen nehmen. So saß ich ihr nun dicht gegenüber, und
das Licht stand zwischen uns. Sie faltete ihre knöchernen Hände
und betete laut, indem sie ihre Gesichtsverzerrungen machte,
so daß es mich beinahe wieder zum Lachen gebracht hätte; aber
ich nahm mich sehr in acht, um sie nicht zu erbosen.

Nach dem Abendessen betete sie wieder, und dann wies sie
mir in einer niedrigen und engen Kammer ein Bett an; sie schlief
in der Stube. Ich blieb nicht lange munter, ich war halb betäubt, aber in der Nacht wachte ich einigemal auf, und dann
hörte ich die Alte husten und mit dem Hunde sprechen und den
Vogel dazwischen, der im Traum zu sein schien und immer nur
einzelne Worte von seinem Liede sang. Das machte mit den
Birken, die vor dem Fenster rauschten, und mit dem Gesang
einer entfernten Nachtigall ein so wunderbares Gemisch, daß
es mir immer nicht war, als sei ich erwacht, sondern als fiele
ich nur in einen andern noch seltsamern Traum.

Am Morgen weckte mich die Alte und wies mich bald nachher
zur Arbeit an, ich mußte spinnen, und ich begriff es auch bald,
dabei hatte ich noch für den Hund und für den Vogel zu sorgen.
Ich lernte mich schnell in die Wirtschaft finden, und alle Gegenstände umher wurden mir bekannt; nun war mir, als müßte alles
so sein, ich dachte gar nicht mehr daran, daß die Alte etwas Seltsames an sich habe, daß die Wohnung abenteuerlich und von
allen Menschen entfernt liege, und daß an dem Vogel etwas
Außerordentliches sei. Seine Schönheit fiel mir zwar immer auf,
denn seine Federn glänzten mit allen möglichen Farben: das

schönste Hellblau und das brennendste Rot wechselten an seinem
Halse und Leibe, und wenn er sang, blähte er sich stolz auf, so
daß sich seine Federn noch prächtiger zeigten.

Oft ging die Alte aus und kam erst am Abend zurück, ich
ging ihr dann mit dem Hunde entgegen, und sie nannte mich
Kind und Tochter. Ich ward ihr endlich von Herzen gut, wie
sich unser Sinn denn an alles, besonders in der Kindheit, gewöhnt. In den Abendstunden lehrte sie mich lesen, ich fand
mich leicht in die Kunst, und es ward nachher in meiner Einsamkeit eine Quelle von unendlichem Vergnügen, denn sie hatte
einige alte, geschriebene Bücher, die wunderbare Geschichten
enthielten.

Die Erinnerung an meine damalige Lebensart ist mir noch bis
jetzt immer seltsam: von keinem menschlichen Geschöpfe besucht, nur in einem so kleiner Familienzirkel einheimisch, denn
der Hund und der Vogel machten denselben Eindruck auf mich,
den sonst nur längst gekannte Freunde hervorbringen. Ich habe
mich immer nicht wieder auf den seltsamen Namen des Hundes
besinnen können, so oft ich ihn auch damals nannte.

Vier Jahre hatte ich so mit der Alten gelebt, und ich mochte
ungefähr zwölf Jahr alt sein, als sie mir endlich mehr vertraute
und mir ein Geheimnis entdeckte. Der Vogel legte nämlich an
jedem Tage ein Ei, in dem sich eine Perle oder ein Edelstein befand. Ich hatte schon immer bemerkt, daß sie heimlich in dem
Käfige wirtschafte, mich aber nie genauer darum bekümmert.
Sie trug mir jetzt das Geschäft auf, in ihrer Abwesenheit diese
Eier zu nehmen und in den fremdartigen Gefäßen wohl zu verwahren. Sie ließ mir meine Nahrung zurück und blieb nun länger
aus, Wochen, Monate; mein Rädchen schnurrte, der Hund
bellte, der wunderbare Vogel sang, und dabei war alles so still

in der Gegend umher, daß ich mich in der ganzen Zeit keines Sturmwindes, keines Gewitters erinnere. Kein Mensch verirrte sich dorthin, kein Wild kam unserer Behausung nahe, ich war zufrieden und arbeitete mich von einem Tage zum andern hinüber. — Der Mensch wäre vielleicht recht glücklich, wenn er so ungestört sein Leben bis ans Ende fortführen könnte.

Aus dem wenigen, was ich las, bildete ich mir ganz wunderliche Vorstellungen von der Welt und den Menschen, alles war von mir und meiner Gesellschaft hergenommen; wenn von lustigen Leuten die Rede war, konnte ich sie mir nicht anders vorstellen wie den kleinen Spitz, prächtige Damen sahen immer wie der Vogel aus, alle alte Frauen wie meine wunderliche Alte. — Ich hatte auch von Liebe etwas gelesen und spielte nun in meiner Phantasie seltsame Geschichten mit mir selber. Ich dachte mir den schönsten Ritter von der Welt, ich schmückte ihn mit allen Vortrefflichkeiten aus, ohne eigentlich zu wissen, wie er nun nach allen meinen Bemühungen aussah: aber ich konnte ein rechtes Mitleid mit mir selber haben, wenn er mich nicht wiederliebte; dann sagte ich lange rührende Reden in Gedanken her, zuweilen auch wohl laut, um ihn nur zu gewinnen. — Ihr lächelt! Wir sind jetzt freilich alle über diese Zeit der Jugend hinüber.

Es war mir jetzt lieber, wenn ich allein war, denn alsdann war ich selbst die Gebieterin im Hause. Der Hund liebte mich sehr und tat alles, was ich wollte, der Vogel antwortete mir in seinem Liede auf alle meine Fragen, mein Rädchen drehte sich immer munter, und so fühlte ich im Grunde nie einen Wunsch nach Veränderung. Wenn die Alte von ihren langen Wanderungen zurückkam, lobte sie meine Aufmerksamkeit, sie sagte, daß ihre Haushaltung, seit ich dazu gehöre, weit ordentlicher ge-

führt werde, sie freute sich über mein Wachstum und mein ge-
sundes Aussehn, kurz, sie ging ganz mit mir wie mit einer Tochter um.

,Du bist brav, mein Kind!' sagte sie einst zu mir mit einem
schnarrenden Tone; ,wenn du so fortfährst, wird es dir auch
immer gut gehn: aber nie gedeiht es, wenn man von der rechten
Bahn abweicht, die Strafe folgt nach, wenn auch noch so spät.'
— Indem sie das sagte, achtete ich eben nicht sehr darauf, denn
ich war in allen meinen Bewegungen und meinem ganzen Wesen
sehr lebhaft; aber in der Nacht fiel es mir wieder ein, und ich
konnte nicht begreifen, was sie damit hatte sagen wollen. Ich
überlegte alle Worte genau, ich hatte wohl von Reichtümern
gelesen, und am Ende fiel mir ein, daß ihre Perlen und Edelsteine wohl etwas Kostbares sein könnten. Dieser Gedanke
wurde mir bald noch deutlicher. Aber was konnte sie mit der
rechten Bahn meinen? Ganz konnte ich den Sinn ihrer Worte
noch immer nicht fassen.

Ich war jetzt vierzehn Jahr alt, und es ist ein Unglück für
den Menschen, daß er seinen Verstand nur darum bekommt,
um die Unschuld seiner Seele zu verlieren. Ich begriff nämlich
wohl, daß es nur auf mich ankomme, in der Abwesenheit der
Alten den Vogel und die Kleinodien zu nehmen und damit die
Welt, von der ich gelesen hatte, aufzusuchen. Zugleich war es
mir dann vielleicht möglich, den überaus schönen Ritter anzutreffen, der mir immer noch im Gedächtnisse lag.

Im Anfange war dieser Gedanke nichts weiter als jeder andre
Gedanke, aber wenn ich so an meinem Rade saß, so kam er mir
immer wider Willen zurück, und ich verlor mich so in ihm, daß
ich mich schon herrlich geschmückt sah und Ritter und Prinzen
um mich her. Wenn ich mich so vergessen hatte, konnte ich
ordentlich betrübt werden, wenn ich wieder aufschaute und mich

in der kleinen Wohnung antraf. Übrigens, wenn ich meine Geschäfte tat, bekümmerte sich die Alte nicht weiter um mein Wesen.

An einem Tage ging meine Wirtin wieder fort und sagte mir, daß sie diesmal länger als gewöhnlich ausbleiben werde, ich solle ja auf alles ordentlich achtgeben und mir die Zeit nicht lang werden lassen. Ich nahm mit einer gewissen Bangigkeit von ihr Abschied, denn es war mir, als würde ich sie nicht wiedersehn. Ich sah ihr lange nach und wußte selbst nicht, warum ich so beängstigt war, es war fast, als wenn mein Vorhaben schon vor mir stände, ohne mich dessen deutlich bewußt zu sein.

Nie hab' ich des Hundes und des Vogels mit einer solchen Emsigkeit gepflegt, sie lagen mir näher am Herzen als sonst. Die Alte war schon einige Tage abwesend, als ich mit dem festen Vorsatze aufstand, mit dem Vogel die Hütte zu verlassen und die sogenannte Welt aufzusuchen. Es war mir enge und bedrängt zu Sinne, ich wünschte wieder dazubleiben, und doch war mir der Gedanke widerwärtig; es war ein seltsamer Kampf in meiner Seele, wie ein Streiten von zwei widerspenstigen Geistern in mir. In einem Augenblicke kam mir die ruhige Einsamkeit so schön vor, dann entzückte mich wieder die Vorstellung einer neuen Welt mit allen ihren wunderbaren Mannigfaltigkeiten.

Ich wußte nicht, was ich aus mir selber machen sollte, der Hund sprang mich unaufhörlich an, der Sonnenschein breitete sich munter über die Felder aus, die grünen Birken funkelten: ich hatte die Empfindung, als wenn ich etwas sehr Eiliges zu tun hätte, ich griff also den kleinen Hund, band ihn in der Stube fest und nahm dann den Käfig mit dem Vogel unter den Arm. Der Hund krümmte sich und winselte über diese ungewohnte Behandlung, er sah mich mit bittenden Augen an, aber ich fürchtete mich, ihn mit mir zu nehmen. Noch nahm ich eins von den Gefäßen, das mit Edelsteinen angefüllt war, und steckte es zu mir, die übrigen ließ ich stehn.

Der Vogel drehte den Kopf auf eine wunderliche Weise, als ich mit ihm zur Tür hinaustrat, der Hund strengte sich sehr an, mir nachzukommen, aber er mußte zurückbleiben.

Ich vermied den Weg nach den wilden Felsen und ging nach der entgegengesetzten Seite. Der Hund bellte und winselte immerfort, und es rührte mich recht inniglich; der Vogel wollte einigemal zu singen anfangen, aber da er getragen ward, mußte es ihm wohl unbequem fallen.

So wie ich weiterging, hörte ich das Bellen immer schwächer, und endlich hörte es ganz auf. Ich weinte und wäre beinahe wieder umgekehrt, aber die Sucht, etwas Neues zu sehn, trieb mich vorwärts.

Schon war ich über Berge und durch einige Wälder gekommen, als es Abend ward und ich in einem Dorfe einkehren mußte. Ich war sehr blöde, als ich in die Schenke trat; man wies mir eine Stube und ein Bett an, ich schlief ziemlich ruhig, nur daß ich von der Alten träumte, die mir drohte.

Meine Reise war ziemlich einförmig, aber je weiter ich ging, je mehr ängstigte mich die Vorstellung von der Alten und dem kleinen Hunde; ich dachte daran, daß er wahrscheinlich ohne meine Hilfe verhungern müsse, im Walde glaubt' ich oft, die Alte würde mir plötzlich entgegentreten. So legte ich unter Tränen und Seufzern den Weg zurück; so oft ich ruhte und den Käfig auf den Boden stellte, sang der Vogel sein wunderliches Lied, und ich erinnerte mich dabei recht lebhaft des schönen, verlassenen Aufenthalts. Wie die menschliche Natur vergeßlich ist, so glaubt' ich jetzt, meine vormalige Reise in der

Kindheit sei nicht so trübselig gewesen als meine jetzige, ich wünschte wieder in derselben Lage zu sein.

Ich hatte einige Edelsteine verkauft und kam nun nach einer Wanderschaft von vielen Tagen in einem Dorfe an. Schon beim Eintritt ward mir wundersam zumute, ich erschrak und wußte nicht worüber; aber bald erkannt' ich es, denn es war dasselbe Dorf, in welchem ich geboren war. Wie ward ich überrascht! wie liefen mir vor Freuden, wegen tausend seltsamer Erinnerungen, die Tränen von den Wangen! Vieles war verändert, es waren neue Häuser entstanden, andre, die man damals erst errichtet hatte, waren jetzt verfallen, ich traf auf Brandstellen; alles war weit kleiner, gedrängter, als ich erwartet hatte. Unendlich freute ich mich darauf, meine Eltern nun nach so manchen Jahren wiederzusehn; ich fand das kleine Haus, die wohlbekannte Schwelle, der Griff der Tür war noch ganz so wie damals, es war mir, als hätte ich sie nur gestern angelehnt; mein Herz klopfte ungestüm, ich öffnete sie hastig, — aber ganz fremde Gesichter saßen in der Stube umher und stierten mich an. Ich fragte nach dem Schäfer Martin, und man sagte mir, er sei schon vor drei Jahren mit seiner Frau gestorben. — Ich trat schnell zurück und ging laut weinend aus dem Dorfe hinaus.

Ich hatte es mir so schön gedacht, sie mit meinem Reichtume zu überraschen, durch den seltsamsten Zufall war das nun wirklich geworden, was ich in der Kindheit immer nur träumte, — und jetzt war alles umsonst, sie konnten sich nicht mit mir freuen, und das, worauf ich am meisten immer im Leben gehofft hatte, war für mich auf ewig verloren.

In einer angenehmen Stadt mietete ich mir ein kleines Haus mit einem Garten und nahm eine Aufwärterin zu mir. So wunderbar, als ich es vermutet hatte, kam mir die Welt nicht vor, aber ich vergaß die Alte und meinen ehemaligen Aufenthalt etwas mehr, und so lebte ich im ganzen recht zufrieden.

Der Vogel hatte schon seit lange nicht mehr gesungen, ich erschrak daher nicht wenig, als er in einer Nacht plötzlich wieder anfing, und zwar mit einem veränderten Liede. Er sang:

> ‚Waldeinsamkeit,
> Wie liegst du weit!
> O dich gereut
> Einst mit der Zeit.
> Ach, einzge Freud
> Waldeinsamkeit!‘

Ich konnte die Nacht hindurch nicht schlafen, alles fiel mir von neuem in die Gedanken, und mehr als jemals fühlt' ich, daß ich unrecht getan hatte. Als ich aufstand, war mir der Anblick des Vogels ordentlich zuwider, er sah immer nach mir hin, und seine Gegenwart ängstigte mich. Er hörte nun mit seinem Liede gar nicht wieder auf, und er sang es lauter und schallender, als er es sonst gewohnt gewesen war. Je mehr ich ihn betrachtete, je bänger machte er mich; ich öffnete endlich den Käfig, steckte die Hand hinein und faßte seinen Hals, herzhaft drückte ich die Finger zusammen, er sah mich bittend an, ich ließ los, aber er war schon gestorben. — Ich begrub ihn im Garten.

Jetzt wandelte mich oft eine Furcht vor meiner Aufwärterin an, ich dachte an mich selbst zurück und glaubte, daß sie mich auch einst berauben oder wohl gar ermorden könne. — Schon lange kannt' ich einen jungen Ritter, der mir überaus gefiel, ich gab ihm meine Hand, — und hiermit, Herr Walter, ist meine Geschichte geendigt."

„Ihr hättet sie damals sehen sollen," fiel Eckbert hastig ein, „ihre Jugend, ihre Schönheit, und welch einen unbeschreiblichen Reiz ihr ihre einsame Erziehung gegeben hatte. Sie kam mir vor wie ein Wunder, und ich liebte sie ganz über alles Maß. Ich hatte kein Vermögen, aber durch ihre Liebe kam ich in diesen Wohlstand, wir zogen hieher, und unsere Verbindung hat uns bis jetzt noch keinen Augenblick gereut."

„Aber über unser Schwatzen", fing Berta wieder an, „ist es schon tief in der Nacht geworden, wir wollen uns schlafen legen!"

Sie stand auf und ging nach ihrer Kammer, Walter wünschte ihr mit einem Handkusse eine gute Nacht und sagte: „Edle Frau, ich danke Euch; ich kann mir Euch recht vorstellen mit dem seltsamen Vogel, und wie Ihr den kleinen *Strohmian* füttert."

Auch Walter legte sich schlafen, nur Eckbert ging noch unruhig im Saale auf und ab. — „Ist der Mensch nicht ein Tor?" fing er endlich an; „ich bin erst die Veranlassung, daß meine Frau ihre Geschichte erzählt, und jetzt gereut mich diese Vertraulichkeit! — Wird er sie nicht mißbrauchen? Wird er sie nicht andern mitteilen? Wird er nicht vielleicht, denn das ist die Natur des Menschen, eine unselige Habsucht nach unsern Edelgesteinen empfinden und deswegen Plane anlegen und sich verstellen?"

Es fiel ihm ein, daß Walter nicht so herzlich von ihm Abschied genommen hatte, als es nach einer solchen Vertraulichkeit wohl natürlich gewesen wäre. Wenn die Seele erst einmal zum Argwohn gespannt ist, so trifft sie auch in allen Kleinigkeiten Bestätigungen an. Dann warf sich Eckbert wieder sein unedles Mißtrauen gegen seinen wackern Freund vor und konnte doch nicht davon zurückkehren. Er schlug sich die ganze Nacht mit diesen Vorstellungen herum und schlief nur wenig.

Berta war krank und konnte nicht zum Frühstück erscheinen, Walter schien sich nicht viel darum zu kümmern und verließ auch den Ritter ziemlich gleichgültig. Eckbert konnte sein Betragen nicht begreifen, er besuchte seine Gattin, sie lag in einer Fieberhitze und sagte, die Erzählung in der Nacht müsse sie auf diese Art gespannt haben.

Seit diesem Abend besuchte Walter nur selten die Burg seines Freundes, und wenn er auch kam, ging er nach einigen unbedeutenden Worten wieder weg. Eckbert ward durch dieses Betragen im äußersten Grade gepeinigt; er ließ sich zwar gegen Berta und Walter nichts davon merken, aber jeder mußte doch seine innerliche Unruhe an ihm gewahr werden.

Mit Bertas Krankheit ward es immer bedenklicher; der Arzt ward ängstlich: die Röte von ihren Wangen war verschwunden, und ihre Augen wurden immer glühender. — An einem Morgen ließ sie ihren Mann an ihr Bett rufen, die Mägde mußten sich entfernen.

„Lieber Mann," fing sie an, „ich muß dir etwas entdecken, das mich fast um meinen Verstand gebracht hat, das meine Gesundheit zerrüttet, so eine unbedeutende Kleinigkeit es auch an sich scheinen möchte. — Du weißt, daß ich mich immer nicht, so oft ich von meiner Kindheit sprach, trotz aller angewandten Mühe auf den Namen des kleinen Hundes besinnen konnte, mit welchem ich so lange umging. — An jenem Abend sagte Walter beim Abschiede plötzlich zu mir: ‚Ich kann mir Euch recht vorstellen, wie Ihr den kleinen *Strohmian* füttert.' — Ist das Zufall? Hat er den Namen erraten, weiß er ihn, und hat er ihn mit Vorsatz genannt? Und wie hängt dieser Mensch dann mit meinem Schicksale zusammen? — Zuweilen kämpfe ich mit mir, als ob ich mir diese Seltsamkeit nur einbilde, aber es ist gewiß, nur zu gewiß. — Ein gewaltiges Entsetzen befiel mich, als mir ein fremder Mensch so zu meinen Erinnerungen half. — Was sagst du, Eckbert?"

Eckbert sah seine leidende Gattin mit einem tiefen Gefühle

an, er schwieg und dachte bei sich nach, dann sagte er ihr einige
tröstende Worte und verließ sie. — In einem abgelegenen Gemache ging er in unbeschreiblicher Unruhe auf und ab. Walter
war seit vielen Jahren sein einziger Umgang gewesen, und doch
war dieser Mensch jetzt der einzige in der Welt, dessen Dasein
ihn drückte und peinigte. Es schien ihm, als würde ihm froh
und leicht sein, wenn nur dieses einzige Wesen aus seinem Wege
gerückt werden könnte. — Er nahm seine Armbrust, um sich
zu zerstreuen und auf die Jagd zu gehn.

Es war ein rauher, stürmischer Wintertag, tiefer Schnee lag
auf den Bergen und bog die Zweige der Bäume nieder. Er
streifte umher, der Schweiß stand ihm auf der Stirne, er traf
auf kein Wild, und das vermehrte seinen Unmut. Plötzlich sah
er etwas sich in der Ferne bewegen, es war Walter, der Moos
von den Bäumen sammelte; ohne zu wissen, was er tat, legte
er an, Walter sah sich um und drohte mit einer stummen Gebärde, aber indem flog der Bolzen ab, und Walter stürzte
nieder.

Eckbert fühlte sich leicht und beruhigt, und doch trieb ihn
ein Schauder nach seiner Burg zurück; er hatte einen großen
Weg zu machen, denn er war weit hinein in die Wälder verirrt.
— Als er ankam, war Berta schon gestorben; sie hatte vor
ihrem Tode noch viel von Walter und der Alten gesprochen.

Eckbert lebte nun eine lange Zeit in der größten Einsamkeit;
er war schon sonst immer schwermütig gewesen, weil ihn die
seltsame Geschichte seiner Gattin beunruhigte und er irgendeinen
unglücklichen Vorfall, der sich ereignen könnte, befürchtete:
aber jetzt war er ganz mit sich zerfallen. Die Ermordung seines
Freundes stand ihm unaufhörlich vor Augen, er lebte unter
ewigen innern Vorwürfen.

Um sich zu zerstreuen, begab er sich zuweilen nach der näch-

sten großen Stadt, wo er Gesellschaften und Feste besuchte.
Er wünschte durch irgendeinen Freund die Leere in seiner Seele
auszufüllen, und wenn er dann wieder an Walter zurückdachte,
so erschrak er vor dem Gedanken, einen Freund zu finden, denn
er war überzeugt, daß er nur unglücklich mit jedwedem Freunde
sein könne. Er hatte so lange mit Berta in einer schönen Ruhe
gelebt, die Freundschaft Walters hatte ihn so manches Jahr
hindurch beglückt, und jetzt waren beide so plötzlich dahingerafft, daß ihm sein Leben in manchen Augenblicken mehr wie
ein seltsames Märchen als wie ein wirklicher Lebenslauf erschien.

Ein junger Ritter, Hugo, schloß sich an den stillen, betrübten
Eckbert und schien eine wahrhafte Zuneigung gegen ihn zu
empfinden. Eckbert fand sich auf eine wunderbare Art überrascht, er kam der Freundschaft des Ritters um so schneller entgegen, je weniger er sie vermutet hatte. Beide waren nun häufig
beisammen, der Fremde erzeigte Eckbert alle möglichen Ge-
fälligkeiten, einer ritt fast nicht mehr ohne den andern aus; in
allen Gesellschaften trafen sie sich, kurz, sie schienen unzertrennlich.

Eckbert war immer nur auf kurze Augenblicke froh, denn
er fühlte es deutlich, daß ihn Hugo nur aus einem Irrtume liebe;
jener kannte ihn nicht, wußte seine Geschichte nicht, und er
fühlte wieder denselben Drang, sich ihm ganz mitzuteilen, damit
er versichert sein könne, ob jener auch wahrhaft sein Freund
sei. Dann hielten ihn wieder Bedenklichkeiten und die Furcht,
verabscheut zu werden, zurück. In manchen Stunden war er so
sehr von seiner Nichtswürdigkeit überzeugt, daß er glaubte,
kein Mensch, für den er nicht ein völliger Fremdling sei, könne
ihn seiner Achtung würdigen. Aber dennoch konnte er sich
nicht widerstehn; auf einem einsamen Spazierritte entdeckte er

seinem Freunde seine ganze Geschichte und fragte ihn dann, ob er wohl einen Mörder lieben könne. Hugo war gerührt und suchte ihn zu trösten, Eckbert folgte ihm mit leichterm Herzen zur Stadt.

Es schien aber seine Verdammnis zu sein, gerade in der Stunde des Vertrauens Argwohn zu schöpfen, denn kaum waren sie in den Saal getreten, als ihm beim Schein der vielen Lichter die Mienen seines Freundes nicht gefielen. Er glaubte ein hämisches Lächeln zu bemerken, es fiel ihm auf, daß er nur wenig mit ihm spreche, daß er mit den Anwesenden viel rede und seiner gar nicht zu achten scheine. Ein alter Ritter war in der Gesellschaft, der sich immer als den Gegner Eckberts gezeigt und sich oft nach seinem Reichtum und seiner Frau auf eine eigne Weise erkundigt hatte; zu diesem gesellte sich Hugo, und beide sprachen eine Zeitlang heimlich, indem sie nach Eckbert hindeuteten. Dieser sah jetzt seinen Argwohn bestätigt, er glaubte sich verraten, und eine schreckliche Wut bemeisterte sich seiner. Indem er noch immer hinstarrte, sah er plötzlich Walters Gesicht, alle seine Mienen, die ganze, ihm so wohlbekannte Gestalt; er sah noch immer hin und ward überzeugt, daß niemand als *Walter* mit dem Alten spreche. — Sein Entsetzen war unbeschreiblich, außer sich stürzte er hinaus, verließ noch in der Nacht die Stadt und kehrte nach vielen Irrwegen auf seine Burg zurück.

Wie ein unruhiger Geist eilte er jetzt von Gemach zu Gemach, kein Gedanke hielt ihm stand, er verfiel von entsetzlichen Vorstellungen auf noch entsetzlichere, und kein Schlaf kam in seine Augen. Oft dachte er, daß er wahnsinnig sei und sich nur selber durch seine Einbildung alles erschaffe; dann erinnerte er sich wieder der Züge Walters, und alles ward ihm immer mehr ein Rätsel. Er beschloß eine Reise zu machen, um seine

Vorstellungen wieder zu ordnen; den Gedanken an Freundschaft, den Wunsch nach Umgang hatte er nun auf ewig auf-
gegeben.

Er zog fort, ohne sich einen bestimmten Weg vorzusetzen,
ja er betrachtete die Gegenden nur wenig, die vor ihm lagen.
Als er im stärksten Trabe seines Pferdes einige Tage so fort-
geeilt war, sah er sich plötzlich in einem Gewinde von Felsen
verirrt, in denen sich nirgend ein Ausweg entdecken ließ. Endlich traf er auf einen alten Bauer, der ihm einen Pfad, einem
Wasserfall vorüber, zeigte: er wollte ihm zur Danksagung
einige Münzen geben, der Bauer aber schlug sie aus. — „Was
gilt's?" sagte Eckbert zu sich selber, „ich könnte mir wieder
einbilden, daß dies niemand anders als Walter sei", — und indem
sah er sich noch einmal um, und es war niemand anders als
Walter. — Eckbert spornte sein Roß, so schnell es nur laufen
konnte, durch Wiesen und Wälder, bis es erschöpft unter ihm
zusammenstürzte. Unbekümmert darüber setzte er nun seine
Reise zu Fuß fort.

Er stieg träumend einen Hügel hinan, es war, als wenn er ein
nahes, munteres Bellen vernahm, Birken säuselten dazwischen,
und er hörte mit wunderlichen Tönen ein Lied singen:

> „Waldeinsamkeit
> Mich wieder freut,
> Mir geschieht kein Leid,
> Hier wohnt kein Neid;
> Von neuem mich freut
> Waldeinsamkeit."

Jetzt war es um das Bewußtsein, um die Sinne Eckberts ge-
schehn, er konnte sich nicht aus dem Rätsel herausfinden, ob
er jetzt träume oder ehemals von einem Weibe Berta geträumt
habe; das Wunderbarste vermischte sich mit dem Gewöhn-

lichsten, die Welt um ihn her war verzaubert und er keines Gedankens, keiner Erinnerung mächtig.

Eine krummgebückte Alte schlich hustend mit einer Krücke den Hügel heran. — „Bringst du mir meinen Vogel? meine Perlen? meinen Hund?" schrie sie ihm entgegen. „Siehe, das Unrecht bestraft sich selbst: niemand als ich war dein Freund Walter, dein Hugo!"

"Gott im Himmel!" sagte Eckbert stille vor sich hin, „in welcher entsetzlichen Einsamkeit hab ich dann mein Leben hingebracht!"

„Und Berta war deine Schwester!"

Eckbert fiel zu Boden.

„Warum verließ sie mich tückisch? Sonst hätte sich alles gut und schön geendet, ihre Probezeit war ja schon vorüber. Sie war die Tochter eines Ritters, die er bei einem Hirten erziehen ließ, die Tochter deines Vaters."

„Warum hab' ich diesen schrecklichen Gedanken immer geahndet?" rief Eckbert aus.

„Weil du in früher Jugend deinen Vater einst davon erzählen hörtest: er durfte seiner Frau wegen diese Tochter nicht bei sich erziehen lassen, denn sie war von einem andern Weibe."

Eckbert lag wahnsinnig und verscheidend auf dem Boden; dumpf und verworren hörte er die Alte sprechen, den Hund bellen und den Vogel sein Lied wiederholen.

INTERPRETATION

„Der blonde Eckbert" ist eine Rahmenerzählung. Tieck benützt diese Form, um die Vergangenheit Bertas, umrahmt von Gegenwart und Zukunft, als in sich geschlossene Einheit darzustellen. Sie ist der beste Teil der Erzählung, das Muster eines romantischen Märchens. „Waldeinsamkeit" ist ihr Thema.

Das ist das Thema des Wundervogels, und sein Lied klingt, „als wenn Waldhorn und Schalmeie ganz in der Ferne durcheinander spielen". Berta, das verängstigte, phantasievolle Kind, bringt kaum ein menschliches Element in dieses Zauberreich der Natur, nur einen empfänglichen Sinn, in dem sich ihre geheimnisvolle Schönheit widerspiegelt. Auch im Volksmärchen spielt die Natur eine bedeutende Rolle. Aber sie bleibt Schauplatz und Mittel für die Märchenhandlung und wird nur knapp angedeutet. Bei Tieck dagegen wird die Schilderung der einsamen Waldnacht, der wilden Felsen, der heimlichen Waldwiese mit dem raunenden Quell Mittelpunkt und Selbstzweck. Auch die Alte mit ihrem geheimnisvollen Gesicht „in ewiger Bewegung" ist keine Märchenhexe. Sie ist eine Vision der Natur, alt wie die Berge, in ewiger Bewegung wie der Quell, unscheinbar wie die Erde, rätselhaft wie das Walddunkel. Die Phantasie, die sich im Volksmärchen in der Handlung offenbart, wird hier zur alles umfassenden *Stimmung*.

Dieser Stimmung zugrunde liegt das romantische Kunsterlebnis Tiecks, das Traum und Wirklichkeit ineinander schmilzt. Wir wissen nicht, wo die Wirklichkeit aufhört und der Traum beginnt. „Haltet meine Erzählung für kein Märchen, so sonderbar sie auch klingen mag", bittet Frau Berta; aber sie lebt selbst im Märchen. Um Mitternacht beginnt sie zu erzählen, es ist eine neblige Nacht und doch scheint der Mond durch die flatternden Wolken, „die Bäume schütteln sich vor nasser Kälte" draußen, und drinnen sitzt ein seit Jahren vertrauter Freund, der plötzlich mit einem einzigen Wort, dem Namen des kleinen Hundes Strohmian, eine gespenstische Macht über sie gewinnt und sie zu Tode ängstigt. Wir wissen nicht, was das alles bedeutet. Wir laufen mit dem Kind Berta durch das wilde Gebirge, empfinden ihre Angst und Verlassenheit und

genießen mit ihr den Schein der Abendsonne über dem fried-
lichen Tal, wo sie nun jahrelang leben wird. Die Sprache des
Dichters, farbiger, weicher als die Sprache des Volksmärchens,
aber fast ebenso einfach erzählend wie sie, schmiegt sich den
Dingen an und verhüllt sie zugleich, verwandelt sie in Rhythmus
und Klang. Aber noch immer fühlen wir festen Boden unter
den Füßen. Das Lied des Wundervogels bringt die erste Ahnung
einer zauberhaften Unwirklichkeit. Wie eine Zauberformel
geistert das Wort „Waldeinsamkeit" von nun an um uns, und
mit des Vogels kostbaren Eiern sind wir endgültig im Märchen.
Aber Bertas undankbare Flucht, wobei sie den kleinen Hund
grausam verhungern läßt und später den Vogel erwürgt, dessen
Lied sie anklagt, wirft uns aus der Märchenstimmung wieder
heraus. Ein Märchenheld ist nicht so grausam und undankbar.
Es scheint, als ob die Wirklichkeit nun über die Traumwelt
siegen würde. Berta heiratet, ihre Ehe ist ruhig und glücklich. Dann aber, da sie, ohne Absicht und Zwang, ihre Geschichte erzählt, von einem plötzlichen Impuls getrieben, ist
es, als ob sie damit die Zaubermächte selbst wieder heraufbe-
schwöre. Wir erleben kein Märchen mehr, aber auch keine
Wirklichkeit, sondern ein gespenstisches In- und Durcheinander
von beidem, das schließlich in Eckberts Wahnsinn gipfelt. Selbst
dann noch bleibt die „romantische Verwirrung" bestehen: ist
das, was er erlebt hat, schon Wahnsinn gewesen, oder hat es
ihn erst zum Wahnsinn geführt? Dieser Zwiespalt bleibt ungelöst und erhöht, rückblickend, die traumhafte Stimmung des
Ganzen.

Romantische Verwirrung [2]: Verwischung von klaren Kon-
turen; keine Bindung mehr an Realität oder ethische Gesetze;
Stimmung; geheimnisvolle Spannung ohne Lösung; wenig
Handlung, umso mehr Andeutung dunkler Mächte und ihrer

Wirkung; Symbolik, aber absichtlich nicht klar durchgeführt; auch in der Sprache ein wachsendes Übergewicht des Poetischen, des poetischen Rhythmus, der poetischen Phrase. Das alles finden wir in der Volksdichtung wenig. Ist es dem Dichter hier wirklich gelungen, eine echte Dichtung zu schaffen oder hat seine Phantasie, mit ihrer Befreiung von traditionellen Bindungen, auch die Form verloren, die künstlerisch notwendig ist?

Die Romantik gibt dem Dichter mehr individuelle Freiheit als irgend eine andere literarische Richtung. Je individueller er die Welt erlebt, umso „interessanter" wird sein Werk. Seine Phantasie ist nur an die konsequente Darstellung seiner Eigenart gebunden. Tiecks Eigenart liegt nun in der Verbindung von Wunderglauben und Märchenstimmung mit moderner psychologischer Beobachtung. Diese Verbindung erleben wir im „Blonden Eckbert". So phantastisch die Handlung scheint, sie paßt sich den Träumereien Bertas, den Ahnungen und Wahnvorstellungen des schwermütigen Eckbert an, ja sie scheint fast aus ihnen zu entspringen. Auf diese Charaktere selbst kommt es nicht an, sie bleiben unentwickelt und formlos. Aber was sie denken und fühlen, wird Gestalt in ihrem Schicksal. Und da sich auch im modernen Menschen Verstand und Träumerei wunderlich mischen, da wir vor allem der Natur gegenüber ein Gefühl der geheimnisvollen Abhängigkeit nicht loswerden, so gestaltet „Der blonde Eckbert" gerade in seiner gewollten „Verwirrung" ein Erlebnis, das dem modernen Menschen interessant und gemäß ist.

Dazu kommt der besondere Reiz der Tieckschen Sprache. Märchenhafte Einfachheit wechselt mit feinen psychologischen Andeutungen, eingehende Beschreibung mit knappen, fast allzu knappen, überraschenden Wendungen. Ein Beispiel dafür ist die bedeutsame Bemerkung Walters als Antwort auf Bertas

Erzählung: „ich kann mir Euch recht vorstellen mit dem seltsamen Vogel und wie Ihr den kleinen Strohmian füttert". In
ihrer Kürze und Einfachheit könnte sie fast übersehen werden;
aber als Kontrast zu der ausführlichen Phantastik von Bertas
Erzählung macht sie einen starken, unheimlichen Eindruck.
Oder die Bemerkung Eckberts am Schluß: „In welcher entsetzlichen Einsamkeit hab' ich dann mein Leben hingebracht!" Sie
spielt noch einmal auf das Grundthema des Ganzen an; sie ist
zugleich eine psychologische Beobachtung, ein Stimmungsträger und eine letzte phantastische Zerstörung der Wirklichkeit, die schon den Wahnsinn ankündigt. Im Gegensatz dazu
stehen die melodischen Sätze, in denen sich eine längere Beschreibung gleichsam poetisch kristallisiert: z.B. nach der einge-
henden Beschreibung von Bertas Leben bei der Alten: „mein
Rädchen schnurrte, der Hund bellte, der wunderbare Vogel
sang . . ." — das träumerisch-verzückte Lied des Vogels selbst
— oder, gegen den Schluß, der Satz: „das Wunderbarste vermischte sich mit dem Gewöhnlichsten, die Welt um ihn her
war verzaubert und er keines Gedankens, keiner Erinnerung
mehr fähig." In wenig Worten scheint hier der Geist des
Ganzen gefaßt und geformt.

Die eigenartige Begabung Tiecks ist aber auch eine Gefahr.
Aus der Verschmelzung von Märchenstimmung und psycho-
logischer Beobachtung erklärt sich die Bedeutungslosigkeit seiner
Charaktere. Um den Märchenton zu erhalten, darf er psy-
chologisch nicht zu scharf sehen und nicht in die Tiefe des Ein-
zelcharakters dringen. Wo er es doch versucht, entsteht sofort
ein Dualismus, der dem aesthetischen Genuß entgegenwirkt.
Daher wirkt die märchenhafte Jugend Bertas so einheitlich in
Form und Inhalt, während der Schluß in seiner Mischung von
Märchenwelt und Wahnsinn nicht befriedigt.

In der Menschengestaltung ist E. T. A. Hoffmann [3] dem Dichter des „Blonden Eckbert" überlegen. Eine ähnlich phantastische Anlage verbindet sich bei ihm mit einem starken Sinn für Realität und einem scharfen, ironischen Verstand. Als Beispiel seine Novelle „Ritter Gluck".

RITTER GLUCK

E. T. A. HOFFMANN

Der Spätherbst in Berlin hat gewöhnlich noch einige schöne Tage. Die Sonne tritt freundlich aus dem Gewölk hervor, und schnell verdampft die Nässe in der lauen Luft, welche durch die Straßen weht. Dann sieht man eine lange Reihe, buntgemischt — Elegants, Bürger mit der Hausfrau und den lieben Kleinen in Sonntagskleidern, Geistliche, Jüdinnen, Referendare, Freudenmädchen, Professoren, Putzmacherinnen, Tänzer, Offiziere usw. durch die Linden nach dem Tiergarten ziehen. Bald sind alle Plätze bei Klaus und Weber [4] besetzt; der Mohrrübenkaffee dampft, die Elegants zünden ihre Zigaros an, man spricht, man streitet über Krieg und Frieden, über die Schuhe der Madame Bethmann [5], ob sie neulich grau oder grün waren, über den geschlossenen Handelsstaat [6] und böse Groschen usw., bis alles in eine Arie aus Fanchon [7] zerfließt, womit eine verstimmte Harfe, ein paar nicht gestimmte Violinen, eine lungensüchtige Flöte und ein spasmatischer Fagott sich und die Zuhörer quälen. Dicht an dem Geländer, welches den Weberschen Bezirk von der Heerstraße trennt, stehen mehrere kleine runde Tische und Gartenstühle; hier atmet man freie Luft, beobachtet die Kommenden und Gehenden, ist entfernt von dem kakophonischen Getöse jenes vermaledeiten Orchesters: da setze ich mich hin, dem leichten Spiel meiner Phantasie mich überlassend, die mir befreundete Gestalten zuführt, mit denen ich über Wissenschaft, über Kunst, über alles, was dem Menschen am teuersten sein soll, spreche. Immer bunter und bunter wogt die Masse der Spaziergänger bei mir vorüber, aber nichts stört mich, nichts kann meine phantastische Gesellschaft verscheuchen. Nur das verwünschte Trio eines höchst niederträchtigen Walzers reißt mich aus der Traumwelt. Die kreischende Oberstimme der Violine und Flöte und des Fagotts schnarrenden Grundbaß allein höre ich; sie gehen auf und ab, fest aneinanderhaltend in Oktaven, die das Ohr zerschneiden, und unwillkürlich, wie jemand, den ein brennender Schmerz ergreift, ruf' ich aus:

„Welche rasende Musik! Die abscheulichen Oktaven!" — Neben mir murmelt es:

„Verwünschtes Schicksal! Schon wieder ein Oktavenjäger!"

Ich sehe auf und werde nun erst gewahr, daß, von mir unbemerkt, an demselben Tisch ein Mann Platz genommen hat, der seinen Blick starr auf mich richtet und von dem nun mein Auge nicht wieder loskommen kann.

Nie sah ich einen Kopf, nie eine Gestalt, die so schnell einen so tiefen Eindruck auf mich gemacht hätten. Eine sanft gebogene Nase schloß sich an eine breite, offene Stirn, mit merklichen Erhöhungen über den buschigen, halbgrauen Augenbrauen, unter denen die Augen mit beinahe wildem, jugendlichem Feuer (der Mann mochte über fünfzig sein) hervorblitzten. Das weichgeformte Kinn stand in seltsamem Kontrast mit dem geschlossenen Munde, und ein skurriles Lächeln, hervorgebracht durch das sonderbare Muskelspiel in den eingefallenen Wangen, schien sich aufzulehnen gegen den tiefen,

melancholischen Ernst, der auf der Stirn ruhte. Nur wenige
graue Löckchen lagen hinter den großen, vom Kopfe ab-
stehenden Ohren. Ein sehr weiter, moderner Überrock hüllte
die große hagere Gestalt ein. Sowie mein Blick auf den Mann
traf, schlug er die Augen nieder und setzte das Geschäft fort,
worin ihn mein Ausruf wahrscheinlich unterbrochen hatte. Er
schüttete nämlich aus verschiedenen kleinen Tüten mit sicht-
barem Wohlgefallen Tabak in eine vor ihm stehende große
Dose und feuchtete ihn mit rotem Wein aus einer Viertelsflasche
an. Die Musik hatte aufgehört; ich fühlte die Notwendigkeit
ihn anzureden.

„Es ist gut, daß die Musik schweigt", sagte ich; „das war
ja nicht auszuhalten."

Der Alte warf mir einen flüchtigen Blick zu und schüttete
die letzte Tüte aus.

„Es wäre besser, daß man gar nicht spielte!" nahm ich nochmals das Wort. „Sind Sie nicht meiner Meinung?"

„Ich bin gar keiner Meinung", sagte er. „Sie sind Musiker
und Kenner von Profession . . ."

„Sie irren; beides bin ich nicht. Ich lernte ehemals Klavier-
spielen und Generalbaß, wie eine Sache, die zur guten Erziehung
gehört, und da sagte man mir unter anderm, nichts mache einen
widrigern Effekt, als wenn der Baß mit der Oberstimme in
Oktaven fortschreite. Ich nahm das damals auf Autorität an und
habe es nachher immer bewährt gefunden."

„Wirklich?" fiel er mir ein, stand auf und schritt langsam
und bedächtig nach den Musikanten hin, indem er öfters, den
Blick in die Höhe gerichtet, mit flacher Hand an die Stirn
klopfte, wie jemand, der irgendeine Erinnerung wecken will.
Ich sah ihn mit den Musikanten sprechen, die er mit gebietender

Würde behandelte. Er kehrte zurück, und kaum hatte er sich gesetzt, als man die Ouvertüre der „Iphigenia in Aulis" zu spielen begann.

Mit halbgeschlossenen Augen, die verschränkten Arme auf den Tisch gestützt, hörte er das Andante; den linken Fuß leise bewegend, bezeichnete er das Eintreten der Stimmen: jetzt erhob er den Kopf — schnell warf er den Blick umher — die linke Hand, mit auseinandergespreizten Fingern, ruhte auf dem Tische, als greife er einen Akkord auf dem Flügel, die rechte Hand hob er in die Höhe: es war ein Kapellmeister, der dem Orchester das Eintreten des andern Tempos angibt — die rechte Hand fällt, und das Allegro beginnt! — Eine brennende Röte fliegt über die blassen Wangen: die Augenbrauen fahren zusammen auf der gerunzelten Stirn, eine innere Wut entflammt den wilden Blick mit einem Feuer, das mehr und mehr das Lächeln wegzehrt, das noch um den halbgeöffneten Mund schwebte. Nun lehnt er sich zurück, hinauf ziehen sich die Augenbrauen, das Muskelspiel auf den Wangen kehrt wieder, die Augen erglänzen, ein tiefer, innerer Schmerz löst sich auf in Wollust, die alle Fibern ergreift und krampfhaft erschüttert — tief aus der Brust zieht er den Atem, Tropfen stehen auf der Stirn; er deutet das Eintreten des Tutti und andere Hauptstellen an; seine rechte Hand verläßt den Takt nicht, mit der linken holt er sein Tuch hervor und fährt damit über das Gesicht. — So belebte er das Skelett, welches jene paar Violinen von der Ouvertüre gaben, mit Fleisch und Farben. Ich hörte die sanfte, schmelzende Klage, womit die Flöte emporsteigt, wenn der Sturm der Violinen und Bässe ausgetobt hat und der Donner der Pauken schweigt; ich hörte die leise anschlagenden Töne der Violoncelle, des Fagotts, die das Herz mit unnennbarer

Wehmut erfüllen: das Tutti kehrt wieder, wie ein Riese hehr und groß schreitet das Unisono fort, die dumpfe Klage erstirbt unter seinen zermalmenden Tritten. —

Die Ouvertüre war geendigt; der Mann ließ beide Arme herabsinken und saß mit geschlossenen Augen da, wie jemand, den eine übergroße Anstrengung entkräftet hat. Seine Flasche war leer: ich füllte sein Glas mit Burgunder, den ich unterdessen hatte geben lassen. Er seufzte tief auf, er schien aus einem Traume zu erwachen. Ich nötigte ihn zum Trinken; er tat es ohne Umstände, und indem er das volle Glas mit einem Zuge hinunterstürzte, rief er aus: „Ich bin mit der Aufführung zufrieden! das Orchester hielt sich brav!"

„Und doch" — nahm ich das Wort — „doch wurden nur schwache Umrisse eines mit lebendigen Farben ausgeführten Meisterwerkes gegeben."

„Urteile ich richtig? — Sie sind kein Berliner!"

„Ganz richtig; nur abwechselnd halte ich mich hier auf."

„Der Burgunder ist gut: aber es wird kalt."

„So lassen Sie uns ins Zimmer gehen und dort die Flasche leeren."

„Ein guter Vorschlag. — Ich kenne Sie nicht: dafür kennen Sie mich aber auch nicht. Wir wollen uns unsere Namen nicht abfragen; Namen sind zuweilen lästig. Ich trinke Burgunder, er kostet mich nichts, wir befinden uns wohl beieinander, und damit gut."

Er sagte dies alles mit gutmütiger Herzlichkeit. Wir waren ins Zimmer getreten; als er sich setzte, schlug er den Überrock auseinander, und ich bemerkte mit Verwunderung, daß er unter demselben eine gestickte Weste mit langen Schößen, schwarzsamtne Beinkleider und einen ganz kleinen silbernen Degen trug. Er knöpfte den Rock sorgfältig wieder zu.

„Warum fragten Sie mich, ob ich ein Berliner sei?" begann
ich.

„Weil ich in diesem Falle genötigt gewesen wäre, Sie zu verlassen."

„Das klingt rätselhaft."

„Nicht im mindesten, sobald ich Ihnen sage, daß ich — nun,
daß ich ein Komponist bin."

„Noch immer errate ich Sie nicht."

„So verzeihen Sie meinen Ausruf vorhin; denn ich sehe, Sie
verstehen sich ganz und gar nicht auf Berlin und auf Berliner."

Er stand auf und ging einige Male heftig auf und ab; dann
trat er ans Fenster und sang kaum vernehmlich den Chor der
Priesterinnen aus der „Iphigenia in Tauris", indem er dann
und wann bei dem Eintreten der Tutti an die Fensterscheiben
klopfte. Mit Verwundern bemerkte ich, daß er gewisse andere
Wendungen der Melodien nahm, die durch Kraft und Neu-
heit frappierten. Ich ließ ihn gewähren. Er hatte geendigt und
kehrte zurück zu seinem Sitz. Ganz ergriffen von des Mannes
sonderbarem Benehmen und den phantastischen Äußerungen
eines seltenen musikalischen Talents, schwieg ich. Nach einer
Weile fing er an:

„Haben Sie nie komponiert?"

„Ja; ich habe mich in der Kunst versucht: nur fand ich alles,
was ich, wie mich dünkte, in Augenblicken der Begeisterung geschrieben hatte, nachher matt und langweilig; da ließ ich's denn
bleiben."

„Sie haben unrecht getan; denn schon, daß Sie eigne Ver-
suche verwarfen, ist kein übles Zeichen Ihres Talents. Man
lernt Musik als Knabe, weil's Papa und Mama so haben wollen;
nun wird darauflos geklimpert und gegeigt: aber unvermerkt
wird der Sinn empfänglicher für Melodie. Vielleicht war das

halb vergessene Thema eines Liedchens, welches man nun anders sang, der erste eigne Gedanke, und dieser Embryo, mühsam genährt von fremden Kräften, genas zum Riesen, der alles um sich her aufzehrte und in sein Mark und Blut verwandelte! — Ha, wie ist es möglich, die tausenderlei Arten, wie man zum Komponieren kommt, auch nur anzudeuten! — Es ist eine breite Heerstraße, da tummeln sich alle herum und jauchzen und schreien: wir sind Geweihte! wir sind am Ziel! — Durchs elfenbeinerne Tor kommt man ins Reich der Träume; wenige sehen das Tor einmal, noch wenigere gehen durch! — Abenteuerlich sieht es hier aus. Tolle Gestalten schweben hin und her, aber sie haben Charakter — eine mehr wie die andere. Sie lassen sich auf der Heerstraße nicht sehen: nur hinter dem elfenbeinernen Tor sind sie zu finden. Es ist schwer, aus diesem Reiche zu kommen, wie vor Alzinens Burg versperren die Ungeheuer den Weg — es wirbelt — es dreht sich — viele verträumen den Traum im Reiche der Träume — sie zerfließen im Traum — sie werfen keinen Schatten mehr, sonst würden sie am Schatten gewahr werden den Strahl, der durch dies Reich fährt; aber nur wenige, erweckt aus dem Traume, steigen empor und schreiten durch das Reich der Träume — sie kommen zur Wahrheit — der höchste Moment ist da: die Berührung mit dem Ewigen, Unaussprechlichen! — Schaut die Sonne an, sie ist der Dreiklang, aus dem die Akkorde, Sternen gleich, herabschießen und euch mit Feuerfaden umspinnen. — Verpuppt im Feuer liegt ihr da, bis sich Psyche emporschwingt in die Sonne."

Bei den letzten Worten war er aufgesprungen, warf den Blick, warf die Hand in die Höhe. Dann setzte er sich wieder und leerte schnell das ihm eingeschenkte Glas. Es entstand eine Stille, die ich nicht unterbrechen mochte, um den außerordentlichen Mann nicht aus dem Geleise zu bringen. Endlich fuhr er beruhigter fort:

„Als ich im Reiche der Träume war, folterten mich tausend Schmerzen und Ängste! Nacht war's, und mich schreckten die grinsenden Larven der Ungeheuer, welche auf mich einstürmten und mich bald in den Abgrund des Meeres versenkten, bald hoch in die Lüfte emporhoben. Da fuhren Lichtstrahlen durch die Nacht, und die Lichtstrahlen waren Töne, welche mich umfingen mit lieblicher Klarheit. — Ich erwachte von meinen Schmerzen und sah ein großes, helles Auge, das blickte in eine Orgel, und wie es blickte, gingen Töne hervor und schimmerten und umschlangen sich in herrlichen Akkorden, wie ich sie nie gedacht hatte. Melodien strömten auf und nieder, und ich schwamm in diesem Strom und wollte untergehen; da blickte das Auge mich an und hielt mich empor über den brausenden Wellen. — Nacht wurde es wieder, da traten zwei Kolosse in glänzenden Harnischen auf mich zu: Grundton und Quinte! sie rissen mich empor, aber das Auge lächelte: ‚Ich weiß, was deine Brust mit Sehnsucht erfüllt; der sanfte, weiche Jüngling, Terz, wird unter die Kolosse treten; du wirst seine süße Stimme hören, mich wieder sehen, und meine Melodien werden dein sein.‘ "

Er hielt inne.

„Und Sie sahen das Auge wieder? "

„Ja, ich sah es wieder! — Jahrelang seufzt' ich im Reich der Träume — da — ja da! Ich saß in einem herrlichen Tal und hörte zu, wie die Blumen miteinander sangen. Nur eine Sonnenblume schwieg und neigte traurig den geschlossenen Kelch zur Erde. Unsichtbare Bande zogen mich hin zu ihr — sie hob ihr Haupt — der Kelch schloß sich auf, und aus ihm

strahlte mir das Auge entgegen. Nun zogen die Töne wie Lichtstrahlen aus meinem Haupte zu den Blumen, die begierig sie
einsogen. Größer und größer wurden der Sonnenblume Blätter
— Gluten strömten aus ihnen hervor — sie umflossen mich —
das Auge war verschwunden und ich im Kelche."

Bei den letzten Worten sprang er auf und eilte mit raschen,
jugendlichen Schritten zum Zimmer hinaus. Vergebens wartete
ich auf seine Zurückkunft: ich beschloß daher, nach der Stadt
zu gehen.

Schon war ich in der Nähe des Brandenburger Tores, als
ich in der Dunkelheit eine lange Figur hinschreiten sah und
alsbald meinen Sonderling wiedererkannte. Ich redete ihn an:
„Warum haben Sie mich so schnell verlassen?"

„Es wurde zu heiß, und der Euphon fing an zu klingen."

„Ich verstehe Sie nicht!"

„Desto besser."

„Desto schlimmer, denn ich möchte Sie gern ganz verstehen."

„Hören Sie denn nichts?"

„Nein."

— „Es ist vorüber! — Lassen Sie uns gehen. Ich liebe sonst
nicht eben die Gesellschaft; — aber — Sie komponieren nicht
— Sie sind kein Berliner."

„Ich kann nicht ergründen, was Sie so gegen die Berliner
einnimmt? Hier, wo die Kunst geachtet und in hohem Maße
ausgeübt wird, sollt' ich meinen, müßte einem Manne von Ihrem
künstlerischen Geiste wohl sein!"

„Sie irren! — Zu meiner Qual bin ich verdammt, hier wie
ein abgeschiedener Geist im öden Raume umherzuirren."

„Im öden Raume, hier, in Berlin?"

„Ja, öde ist's um mich her, denn kein verwandter Geist tritt
auf mich zu. Ich stehe allein."

„Aber die Künstler! die Komponisten!"

„Weg damit! Sie kritteln und kritteln — verfeinern alles bis zur feinsten Meßlichkeit; wühlen alles durch, um nur einen armseligen Gedanken zu finden; über dem Schwatzen von Kunst, von Kunstsinn, und was weiß ich — können sie nicht zum Schaffen kommen, und wird ihnen einmal so zumute, als wenn sie ein paar Gedanken ans Tageslicht befördern müßten: so zeigt die furchtbare Kälte ihre weite Entfernung von der Sonne — es ist lappländische Arbeit."

„Ihr Urteil scheint mir viel zu hart. Wenigstens müssen Sie die herrlichen Aufführungen im Theater befriedigen."

„Ich hatte es über mich gewonnen, einmal wieder ins Theater zu gehen, um meines jungen Freundes Oper zu hören — wie heißt sie gleich? — Ha, die ganze Welt ist in dieser Oper! Durch das bunte Gewühl geputzter Menschen ziehen die Geister des Orkus — alles hat hier Stimme und allmächtigen Klang — Teufel, ich meine ja ‚Don Juan‘ [8]! Aber nicht die Ouvertüre, welche prestissimo, ohne Sinn und Verstand abgesprudelt wurde, konnt' ich überstehen; und ich hatte mich bereitet dazu durch Fasten und Gebet, weil ich weiß, daß der Euphon von diesen Massen viel zu sehr bewegt wird und unrein anspricht!"

„Wenn ich auch eingestehen muß, daß Mozarts Meisterwerke größtenteils auf eine kaum erklärliche Weise hier vernachlässigt werden, so erfreuen sich doch Glucks Werke gewiß einer würdigen Darstellung."

„Meinen Sie? — Ich wollte einmal ‚Iphigenia in Tauris‘ [9] hören. Als ich ins Theater trete, höre ich, daß man die Ouvertüre der ‚Iphigenia in Aulis‘ [9] spielt. Hm — denke ich, ein Irrtum; man gibt *diese* ‚Iphigenia‘! Ich erstaune, als nun das Andante eintritt, womit die ‚Iphigenia in Tauris‘ anfängt, und

der Sturm folgt. Zwanzig Jahre liegen dazwischen! Die ganze
Wirkung, die ganze wohlberechnete Exposition des Trauerspiels
geht verloren. Ein stilles Meer — ein Sturm — die Griechen
werden ans Land geworfen, die Oper ist da! — Wie? hat der
Komponist die Ouvertüre ins Gelag hinein geschrieben, daß man
sie wie ein Trompeterstückchen abblasen kann, wie und wo man
will?"

„Ich gestehe den Mißgriff ein. Indessen, man tut doch alles,
um Glucks Werke zu heben."

„Ei ja!" sagte er kurz und lächelte dann bitter und immer
bitterer. Plötzlich fuhr er auf, und nichts vermochte ihn auf-
zuhalten. Er war im Augenblicke wie verschwunden, und mehrere Tage hintereinander suchte ich ihn im Tiergarten vergebens. — —

Einige Monate waren vergangen, als ich an einem kalten,
regnichten Abende mich in einem entfernten Teile der Stadt
verspätet hatte und nun nach meiner Wohnung in der Friedrichstraße eilte. Ich mußte bei dem Theater vorbei; die rauschende
Musik, Trompeten und Pauken erinnerten mich, daß gerade
Glucks „Armida" [9] gegeben wurde, und ich war im Begriff
hineinzugehen, als ein sonderbares Selbstgespräch, dicht an den
Fenstern, wo man fast jeden Ton des Orchesters hört, meine
Aufmerksamkeit erregte.

„Jetzt kommt der König — sie spielen den Marsch — o
paukt, paukt nur zu! — 's ist recht munter! ja ja, sie müssen
ihn heute elfmal machen — der Zug hat sonst nicht Zug genug.
— Ha ha — maestoso — schleppt euch, Kinderchen. — Sieh,
da bleibt ein Figurant mit der Schuhschleife hängen. — Richtig,
zum zwölftenmal! und immer auf die Dominante hinausgeschlagen. — O ihr ewigen Mächte, das endet nimmer! Jetzt
macht er sein Kompliment — Armida dankt ergebenst. — Noch

einmal? — Richtig, es fehlen noch zwei Soldaten! Jetzt wird
ins Rezitativ hineingepoltert. — Welcher böse Geist hat mich
hier festgebannt?"

„Der Bann ist gelöst", rief ich. „Kommen Sie!"

Ich faßte meinen Sonderling aus dem Tiergarten — denn
niemand anders war der Selbstredner — rasch beim Arm und
zog ihn mit mir fort. Er schien überrascht und folgte mir
schweigend. Schon waren wir in der Friedrichstraße, als er
plötzlich still stand.

„Ich kenne Sie", sagte er. „Sie waren im Tiergarten — wir
sprachen viel — ich habe Wein getrunken — habe mich erhitzt
— nachher klang der Euphon zwei Tage hindurch — ich habe
viel ausgestanden — es ist vorüber!"

„Ich freue mich, daß der Zufall Sie mir wieder zugeführt hat.
Lassen Sie uns näher miteinander bekannt werden. Nicht weit
von hier wohne ich; wie wär' es . . ."

„Ich kann und darf zu niemand gehen."

„Nein, Sie entkommen mir nicht; ich gehe mit Ihnen."

„So werden Sie noch ein paar hundert Schritte mit mir laufen
müssen. Aber Sie wollten ja ins Theater?"

„Ich wollte ‚Armida' hören, aber nun — "

„Sie sollen *jetzt* ‚Armida' hören! kommen Sie!"

Schweigend gingen wir die Friedrichstraße hinauf; rasch bog
er in eine Querstraße ein, und kaum vermochte ich ihm zu
folgen, so schnell lief er die Straße hinab, bis er endlich vor
einem unansehnlichen Hause still stand. Ziemlich lange hatte
er gepocht, als man endlich öffnete. Im Finstern tappend er-
reichten wir die Treppe und ein Zimmer im obern Stock, dessen
Türe mein Führer sorgfältig verschloß. Ich hörte noch eine
Türe öffnen; bald darauf trat er mit einem angezündeten Lichte
hinein, und der Anblick des sonderbar ausstaffierten Zimmers

überraschte mich nicht wenig. Altmodisch reich verzierte Stühle, eine Wanduhr mit vergoldetem Gehäuse und ein breiter, schwerfälliger Spiegel gaben dem Ganzen das düstere Ansehn verjährter Pracht. In der Mitte stand ein kleines Klavier, auf demselben ein großes Tintenfaß von Porzellan, und daneben lagen einige Bogen rastriertes Papier. Ein schärferer Blick auf diese Vorrichtung zum Komponieren überzeugte mich jedoch, daß seit langer Zeit nichts geschrieben sein mußte; denn ganz vergelbt war das Papier, und dickes Spinnengewebe überzog das Tintenfaß. Der Mann trat vor einen Schrank in der Ecke des Zimmers, den ich noch nicht bemerkt hatte, und als er den Vorhang wegzog, wurde ich eine Reihe schöngebundener Bücher gewahr mit goldnen Aufschriften: Orfeo, Armida, Alceste, Iphigenia usw., kurz, Glucks Meisterwerke sah ich beisammen stehen.

„Sie besitzen Glucks sämtliche Werke?" rief ich.

Er antwortete nicht, aber zum krampfhaften Lächeln verzog sich der Mund, und das Muskelspiel in den eingefallenen Backen verzerrte im Augenblick das Gesicht zur schauerlichen Maske. Starr den düstern Blick auf mich gerichtet, ergriff er eins der Bücher — es war „Armida" — und schritt feierlich zum Klavier hin. Ich öffnete es schnell und stellte den zusammengelegten Pult auf; er schien das gern zu sehen. Er schlug das Buch auf, und — wer schildert mein Erstaunen! — ich erblickte rastrierte Blätter, aber mit keiner Note beschrieben.

Er begann: „Jetzt werde ich die Ouvertüre spielen! Wenden Sie die Blätter um, und zur rechten Zeit!" Ich versprach das, und nun spielte er herrlich und meisterhaft, mit vollgriffigen Akkorden, das majestätische Tempo di Marcia, womit die Ouvertüre anhebt, fast ganz dem Original getreu: aber das Allegro war nur mit Glucks Hauptgedanken durchflochten. Er brachte so viele neue, geniale Wendungen hinein, daß mein Erstaunen immer wuchs. Vorzüglich waren seine Modulationen frappant, ohne grell zu werden, und er wußte den einfachen Hauptgedanken so viele melodiöse Melismen anzureihen, daß jene immer in neuer, verjüngter Gestalt wiederzukehren schienen. Sein Gesicht glühte; bald zogen sich die Augenbrauen zusammen, und ein lang verhaltener Zorn wollte gewaltsam losbrechen, bald schwamm das Auge in Tränen tiefer Wehmut. Zuweilen sang er, wenn beide Hände in künstlichen Melismen arbeiteten, das Thema mit einer angenehmen Tenorstimme; dann wußte er, auf ganz besondere Weise, mit der Stimme den dumpfen Ton der anschlagenden Pauke nachzuahmen. Ich wandte die Blätter fleißig um, indem ich seine Blicke verfolgte. Die Ouvertüre war geendet, und er fiel erschöpft mit geschlossenen Augen in den Lehnstuhl zurück. Bald raffte er sich aber wieder auf, und indem er hastig mehrere leere Blätter des Buchs umschlug, sagte er mit dumpfer Stimme:

„Alles dieses, mein Herr, habe ich geschrieben, als ich aus dem Reich der Träume kam. Aber ich verriet Unheiligen das Heilige, und eine eiskalte Hand faßte in dies glühende Herz! Es brach nicht; da wurde ich verdammt, zu wandeln unter den Unheiligen, wie ein abgeschiedener Geist — gestaltlos, damit mich niemand kenne, bis mich die Sonnenblume wieder emporhebt zu dem Ewigen. — Ha — jetzt lassen Sie uns Armidens Szene singen!"

Nun sang er die Schlußszene der „Armida" mit einem Ausdruck, der mein Innerstes durchdrang. Auch hier wich er merklich von dem eigentlichen Originale ab: aber seine veränderte Musik war die Glucksche Szene gleichsam in höherer Potenz. Alles, was Haß, Liebe, Verzweiflung, Raserei in den stärksten Zügen ausdrücken kann, faßte er gewaltig in Töne zusammen.

Seine Stimme schien die eines Jünglings, denn von tiefer Dumpfheit schwoll sie empor zur durchdringenden Stärke. Alle meine
Fibern zitterten — ich war außer mir. Als er geendet hatte,
warf ich mich ihm in die Arme und rief mit gepreßter Stimme:
„Was ist das? Wer sind Sie?"

Er stand auf und maß mich mit ernstem, durchdringendem
Blick; doch als ich weiter fragen wollte, war er mit dem Lichte
durch die Türe entwichen und hatte mich im Finstern gelassen.
Es hatte beinahe eine Viertelstunde gedauert; ich verzweifelte,
ihn wiederzusehen, und suchte, durch den Stand des Klaviers
orientiert, die Türe zu öffnen, als er plötzlich in einem ge-
stickten Galakleide, reicher Weste, den Degen an der Seite,
mit dem Lichte in der Hand hereintrat.

Ich erstarrte; feierlich kam er auf mich zu, faßte mich sanft
bei der Hand und sagte, sonderbar lächelnd: *„Ich bin der Ritter
Gluck!"*

INTERPRETATION

Worin besteht die eigenartige Anziehungskraft dieser kleinen
Novelle? Die Handlung ist einfach: ein Spaziergang nach dem
Tiergarten, eine zufällige Bekanntschaft, die ohne Folgen
bleibt, bis sie zufällig erneuert wird, um ohne Abschluß in einer
rätselvollen Überraschung zu enden. Zwischen den Personen
besteht wenig Beziehung. Einer, der Erzähler, beobachtet und
beschreibt den anderen, der ein seltsames Wesen ist. Er selbst
dagegen ist farblos und unwichtig. Dieser andere — wir erfahren wenig genug von ihm. Sein tägliches Leben, seine Vergangenheit, seine menschlichen Beziehungen, alles das, was
sonst die Persönlichkeit eines Menschen umreißt, bleibt uns
unbekannt. Wir werfen einen Blick auf sein Gesicht, das ruhelos ist, voller äußerer und innerer Kontraste. Unter dem weiten

Mantel entdecken wir die Kleidung einer längst vergangenen
Zeit. Er führt uns in ein Zimmer voll altmodischen Prunkes.
Er entführt uns die Lampe. Wir tasten in äußerem und innerem
Dunkel nach einem Ausweg: da gibt er sich zu erkennen. Aber
was er sagt, ist unmöglich, wir wissen noch ebenso wenig von
ihm wie vorher, und zu der Neugier gesellt sich das Grauen.
Stehen wir noch in der Wirklichkeit, in Berlin, in einer Querstraße der Friedrichstraße, oder auf der Schwelle der Geisterwelt? Die Frage bleibt ohne Antwort.

So wenig Anhaltspunkte und doch — vielleicht gerade deshalb — eine Spannung, die uns von Anfang bis zu Ende fesselt.
Da es nicht auf die Lösung einer verwickelten Handlung ankommt, sind Einzelheiten unwichtig. Es kommt nur auf die
Erkenntnis eines Charakters an, und da wir wenig von ihm
wissen, das wenige aber unsere Neugierde, unsere Teilnahme
im höchsten Grade erregt, wächst die Spannung und sucht Befriedigung in allem und jedem, womit der Dichter seinen Helden
umgibt. Die Spannung wird zur alles umfassenden Stimmung
in einem viel höheren Grade als bei Tieck, wo sie nicht in der
Eigenart des menschlichen Charakters verankert ist. Die Spannung bei Tieck bleibt weich, gefühlsbedingt, passiv vor den un-
faßbaren Gewalten der Natur und des Schicksals. Und die
Märchenatmosphäre macht sie gleichsam unpersönlich. Hier dagegen, wo das Geheimnis in einem Menschen gestaltet ist, wo
dieser Mensch in einer bekannten, nichts weniger als märchen-
haften Wirklichkeit steht, steigert sich die Spannung bis zur
Forderung nach Erkenntnis und durchdringt alles auf der Suche
nach einer Lösung.

Dieser aktiven Spannung, dieser Stimmung, die das Geheimnisvolle zugleich genießen und zerstören möchte, stellt Hoffmann in seinem Stil immer neue Aufgaben. Gleich anfangs,

wenn er den Auszug der Berliner zu Klaus und Weber beschreibt und Geistliche und Jüdinnen, Referendare und Freudenmädchen, Professoren und Putzmacherinnen, Tänzer und Offiziere paart, erregt er Spannung. Was will er damit? Wozu soll das führen? Man trinkt Kaffee, aber von Mohrrüben, man streitet über Dinge, die man nicht wissen kann, und schließlich zerfließt alles in einer Musik, die eigentlich gar nicht Musik sein kann, weil die Instrumente hoffnungslos unharmonisch gegeneinander klingen. Gegensätze über Gegensätze, ein satirisches Spiel mit der Wirklichkeit, das diese Wirklichkeit aber nur umso treffender charakterisiert.

Und nun die erste Äußerung des musikalischen und in sich gesammelten Menschen in diesem Durcheinander: ,,Welche rasende Musik! Die abscheulichen Oktaven!" Ein ehrlicher Ausruf, eine klare Kritik. Aber sofort folgt der Gegensatz: ,,neben mir murmelt es: ‚Verwünschtes Schicksal! Schon wieder ein Oktavenjäger!‘ " Was bedeutet das? Aus welcher Stimmung, welcher Geisteshaltung läßt sich dieser seltsame Gegenangriff erklären? Er stammt nicht von einem der Masse, auch nicht von einem Musikliebhaber. Mit ihm kündet sich ein Drittes an, die geheimnisvolle Welt des Künstlers, der nicht genießt, sondern schafft und dadurch von allen Nichtschaffenden geschieden ist und allein steht.

Der schaffende Künstler als die lebendige Verkörperung der Mächte, welche die anderen Menschen erst im Kunstwerk, in der geschaffenen Form kennen und erleben, steht im Zentrum von Hoffmanns Interesse. Warum aber hat er das Geheimnis, das einen solchen Menschen umgibt, phantastisch verzerrt, indem er ihn zugleich zu einem Wahnsinnigen machte? Diese Frage läßt sich dreifach beantworten: Hoffmann schrieb den ,,Ritter Gluck" auf Bestellung. Das Thema war ihm gestellt, einen begabten, aber geistesgestörten Musiker darzustellen, der sich einbildete, ein anderer zu sein, als er war. Dieses Thema reizte ihn, weil es ihm Gelegenheit bot, die „Nachtseite" im Menschen, das Rätsel des Irrationalen in grellen Gegensatz zur nüchternen Wirklichkeit zu stellen und dadurch eine zugleich unheimliche und satirische Stimmung zu erzeugen, die typisch romantische „Verwirrung" mit einem Einschlag der eigenen grotesken Phantastik. Das ist ihm meisterhaft gelungen. Der Augenblick z.B., wo der Unbekannte die Werke Glucks aufschlägt und wir nichts als weiße Blätter sehen, von denen er nun spielt, was er im Geiste vor sich sieht, während der Erzähler die Blätter umwendet, ist tragisch, gespenstisch und grotesk zugleich. Die Beschreibung, wie der Unbekannte den Chor der Priesterinnen aus der „Iphigenia in Tauris" an die Fensterscheiben der Gaststube trommelt, treibt den Gegensatz zwischen Phantasie und Wirklichkeit auf die Spitze, ebenso wie das Selbstgespräch des Unbekannten vor den Fenstern des Theaters Vision und Satire miteinander verschmilzt. Die Traumvisionen des Unbekannten enthalten das Künstlererlebnis der Musik, aber sie sind so phantastisch, daß sie zugleich enthüllen und hinter der Hülle des Wahnsinns verbergen. Damit rühren wir an den dritten und wichtigsten Grund, warum Hoffmann die Verbindung von Künstlertum und Wahnsinn wählte, um sein Kunsterlebnis zum Ausdruck zu bringen. In des Unbekannten, in Hoffmanns eigenen Worten: „. . . ich verriet Unheiligen das Heilige, und eine eiskalte Hand faßte in dies glühende Herz! Es brach nicht; da wurde ich verdammt, zu wandeln unter den Unheiligen wie ein abgeschiedener Geist — gestaltlos, damit mich niemand kenne . . ." Die Phantasie, die Illusion, der Wahnsinn werden hier zum Mittel, das letzte Geheimnis der Kunst vor Entweihung zu schützen.

Wir erleben die Kunst durch die Form. Das Formwerden selbst aber kann nur angedeutet, bestenfalls im Symbol erfaßt werden. Hoffmanns Kunsterlebnis, wie wir es aus seinen Werken kennen, war voll gegensätzlicher Spannungen. Sein Symbol ist daher der Wahnsinn, der schafft, aber auf Grund einer Illusion; der gestaltet, aber das Werk eines anderen; der sich selbst in einem anderen verliert. Dieses Thema kehrt in andern Werken Hoffmanns immer wieder: wir sind nicht, was wir sind, andere Geister leben in uns, wir sehnen uns nach einem anderen Körper, anderen Sinnen. Eine Faustische Sehnsucht lebt in ihm, aber er scheut sich, sie offen auszusprechen, verhüllt sie mit seiner romantisch-ironischen Phantasie.

Kaum ein anderer deutscher Romantiker besitzt so viel *Ironie* wie E. T. A. Hoffmann. Ironie ist intellektueller als Humor, setzt aber mehr Gefühl voraus als die Satire. Weil der Unbekannte von innerem Feuer verzehrt wird, ist er ironisch gegen die ihn umgebende kalte Wirklichkeit. Ironie beruht immer auf einer gefährlichen inneren Spannung. Weil er als Künstler einsam sein muß und sich doch nach menschlichen Beziehungen sehnt, ist er ironisch gegen die Mitlebenden. Ironie durchdringt die ganze kleine Novelle. Der jähe Wechsel aus einer banalen Situation zu höchster Begeisterung, das „bittere, sonderbare Lächeln", das wieder darauf folgt, die bilderreiche Sprache der Visionen und die knappen, verächtlichen Bemerkungen des Unbekannten, diese Gegensätze beruhen auf der ironischen Grundstimmung des Ganzen. Sie ist es auch, die der vorwärtsdrängenden Spannung des Ganzen künstlerisch entgegenwirkt, indem sie die Aufmerksamkeit des Lesers auf die Form konzentriert. Ironie ist vor allem ein formales Prinzip. Nehmen wir als Beispiel nur einige Sätze: „Er stand auf und maß mich mit ernstem, durchdringendem Blick; doch als ich weiter fragen wollte, war er mit dem Lichte durch die Tür entwichen . . ." Dieser Satz erhöht unsere Spannung. Der Gegensatz zwischen dem ersten und zweiten Teil, der bis in den Rhythmus und den Klang der Wörter reicht, macht uns aber zugleich aufmerksam auf das Theatralische des Auftritts und bereitet uns so, nicht sachlich, aber formal vor auf die überraschende theatralische Wendung des Schlusses. Oder: „Altmodisch reich verzierte Stühle, eine Wanduhr mit vergoldetem Gehäuse und ein breiter, schwerfälliger Spiegel gaben dem Ganzen das düstere Ansehn verjährter Pracht. In der Mitte stand ein kleines Klavier, auf demselben ein großes Tintenfaß . . ." Das kleine Klavier und das große, verstaubte Tintenfaß darauf passen in diese Pracht so wenig wie der Unbekannte in seinen Wahn von Größe und Ruhm. Seine Möbel stehen in ironischem Gegensatz zu seinem Schicksal. Bei ihrem Anblick wird unsere vorwärtsdrängende Spannung gehemmt von einem Gefühl grotesker Tragik.

Von allen Romantikern verdient wohl Hoffmann am meisten die Bezeichnung „interessant". Sein Ritter Gluck ist interessant. Nicht nur was gesagt wird, sondern wie es gesagt wird, verrät immer von neuem Eigenart, Witz, Laune, eben das, was eine Dichtung wohl nicht groß, aber interessant macht. Hinter der Dichtung ahnen wir überall den sensitiven, sprühenden Geist des Dichters, und es ist vielleicht ihr größter Reiz, daß ihre verhüllende Form dünn und durchsichtig ist, nicht Selbstzweck, sondern Symbol und Ausdruck seines Wesens. Kein größerer Gegensatz zur Volksdichtung ist denkbar.

In allen Dichtungen E. T. A. Hoffmanns steckt eine Rastlosigkeit des Intellekts, eine Erregtheit der Phantasie, denen keine in sich ruhende geschlossene Form ganz gerecht werden kann.

Mit Absicht ist daher der Schluß des „Ritter Gluck" eine Frage, ein Rätsel. Diese „offene Form" [10] ist beliebt bei allen Romantikern, allen subjektiven Dichtern. Sie dient der Stimmung, die ihnen wichtiger ist als die Handlung, und erhöht das Interesse des Lesers für den Dichter selbst. Die Dichtung aber verliert dadurch trotz allen Reizes jene Selbständigkeit gegenüber Mensch und Welt, die für die klassische Kunst charakteristisch ist.

Selten gelingt es, eine „geschlossene", in sich ruhende Form zu schaffen und sie mit dem Geiste feiner Ironie, mit dem Feuer einer sprühenden, durch und durch individuellen Phantasie zu erfüllen. Gottfried Keller [11] ist es gelungen. Sein „Tanzlegendchen" ist dafür ein einzigartiges Beispiel.

DAS TANZLEGENDCHEN

GOTTFRIED KELLER

> „Du Jungfrau Israel, du sollst noch
> fröhlich pauken, und herausgehen an
> den Tanz. — Alsdann werden die
> Jungfrauen fröhlich am Reigen sein,
> dazu die junge Mannschaft, und die
> Alten miteinander." — Jeremia 31,
> 4, [13]

Nach der Aufzeichnung des heiligen Gregorius war Musa die Tänzerin unter den Heiligen. Guter Leute Kind, war sie ein anmutvolles Jungfräulein, welches der Mutter Gottes fleißig diente, nur von *einer* Leidenschaft bewegt, nämlich von einer unbezwinglichen Tanzlust, dermaßen, daß, wenn das Kind nicht betete, es unfehlbar tanzte. Und zwar auf jegliche Weise.

Musa tanzte mit ihren Gespielinnen, mit Kindern, mit den Jünglingen und auch allein; sie tanzte in ihrem Kämmerchen, im Saale, in den Gärten und auf den Wiesen, und selbst wenn sie zum Altare ging, so war es mehr ein liebliches Tanzen als ein Gehen, und auf den glatten Marmorplatten vor der Kirchentüre versäumte sie nie, schnell ein Tänzchen zu probieren.

Ja, eines Tages, als sie sich allein in der Kirche befand, konnte sie sich nicht enthalten, vor dem Altar einige Figuren auszuführen und gewissermaßen der Jungfrau Maria ein niedliches Gebet vorzutanzen. Sie vergaß sich dabei so sehr, daß sie bloß zu träumen wähnte, als sie sah, wie ein ältlicher, aber schöner Herr ihr entgegentanzte und ihre Figuren so gewandt ergänzte, daß beide zusammen den kunstgerechtesten Tanz begingen. Der Herr trug ein purpurnes Königskleid, eine goldene Krone auf dem Kopf und einen glänzend schwarzen, gelockten Bart, welcher vom Silberreif der Jahre wie von einem fernen Sternenschein überhaucht war. Dazu ertönte eine Musik vom Chore her, weil ein halbes Dutzend kleiner Engel auf der Brüstung desselben stand oder saß, die dicken runden Beinchen darüber hinunterhängen ließ und die verschiedenen Instrumente handhabte oder blies. Dabei waren die Knirpse ganz gemütlich und praktisch und ließen sich die Notenhefte von ebensoviel steinernen Engelsbildern halten, welche sich als Zierat auf dem Chorgeländer fanden; nur der Kleinste, ein pausbäckiger Pfeifenbläser, machte eine Ausnahme, indem er die Beine übereinanderschlug und das Notenblatt mit den rosigen Zehen zu halten wußte. Auch war der am eifrigsten: die übrigen baumelten mit den Füßen, dehnten, bald dieser, bald jener, knisternd die Schwungfedern aus, daß die Farben derselben schimmerten wie Taubenhälse, und neckten einander während des Spieles.

Über alles dies sich zu wundern, fand Musa nicht Zeit, bis

der Tanz beendigt war, der ziemlich lang dauerte; denn der lustige Herr schien sich dabei so wohl zu gefallen als die Jungfrau, welche im Himmel herumzuspringen meinte. Allein als die Musik aufhörte und Musa hochaufatmend dastand, fing sie erst an, sich ordentlich zu fürchten, und sah erstaunt auf den Alten, der weder keuchte noch warm hatte und nun zu reden begann. Er gab sich als David, den königlichen Ahnherrn der Jungfrau Maria, zu erkennen und als deren Abgesandten. Und er fragte sie, ob sie wohl Lust hätte, die ewige Seligkeit in einem unaufhörlichen Freudentanze zu verbringen, einem Tanze, gegen welchen der soeben beendigte ein trübseliges Schleichen zu nennen sei?

Worauf sie sogleich erwiderte, sie wüßte sich nichts Besseres zu wünschen! Worauf der selige König David wiederum sagte: So habe sie nichts anderes zu tun, als während ihrer irdischen Lebenstage aller Lust und allem Tanze zu entsagen und sich lediglich der Buße und den geistlichen Übungen zu weihen, und zwar ohne Wanken und ohne allen Rückfall.

Diese Bedingung machte das Jungfräulein stutzig, und sie sagte: Also gänzlich müßte sie auf das Tanzen verzichten? Und sie zweifelte, ob denn auch im Himmel wirklich getanzt würde? Denn alles habe seine Zeit; dieser Erdboden schiene ihr gut und zweckdienlich, um darauf zu tanzen, folglich würde der Himmel wohl andere Eigenschaften haben, ansonst ja der Tod ein überflüssiges Ding wäre.

Allein David setzte ihr auseinander, wie sehr sie in dieser Beziehung im Irrtum sei, und bewies ihr durch viele Bibelstellen sowie durch sein eigenes Beispiel, daß das Tanzen allerdings eine geheiligte Beschäftigung für Selige sei. Jetzt aber erfordere es einen raschen Entschluß, ja oder nein, ob sie durch zeitliche Entsagung zur ewigen Freude eingehen wolle oder nicht; wolle sie nicht, so gehe er weiter; denn man habe im Himmel noch einige Tänzerinnen vonnöten.

Musa stand noch immer zweifelhaft und unschlüssig und spielte ängstlich mit den Fingerspitzen am Munde; es schien ihr zu hart, von Stund an nicht mehr zu tanzen um eines unbekannten Lohnes willen.

Da winkte David, und plötzlich spielte die Musik einige Takte einer so unerhört glückseligen, überirdischen Tanzweise, daß dem Mädchen die Seele im Leibe hüpfte und alle Glieder zuckten; aber sie vermochte nicht eines zum Tanze zu regen, und sie merkte, daß ihr Leib viel zu schwer und starr sei für diese Weise. Voll Sehnsucht schlug sie ihre Hand in diejenige des Königs und gelobte das, was er begehrte.

Auf einmal war er nicht mehr zu sehen, und die musizierenden Engel rauschten, flatterten und drängten sich durch ein offenes Kirchenfenster davon, nachdem sie in mutwilliger Kinderweise ihre zusammengerollten Notenblätter den geduldigen Steinengeln um die Backen geschlagen hatten, daß es klatschte.

Aber Musa ging andächtigen Schrittes nach Hause, jene himmlische Melodie im Ohr tragend, und ließ sich ein grobes Gewand anfertigen, legte alle Zierkleidung ab und zog jenes an. Zugleich baute sie sich im Hintergrunde des Gartens ihrer Eltern, wo ein dichter Schatten von Bäumen lagerte, eine Zelle, machte ein Bettchen von Moos darin und lebte dort von nun an abgeschieden von ihren Hausgenossen als eine Büßerin und Heilige. Alle Zeit brachte sie im Gebete zu, und öfter schlug sie sich mit einer Geißel; aber ihre härteste Bußübung bestand darin, die Glieder still und steif zu halten; sobald nur ein Ton erklang, das Zwitschern eines Vogels oder das Rauschen der Blätter in der Luft, so zuckten ihre Füße und meinten, sie müßten tanzen.

Als dies unwillkürliche Zucken sich nicht verlieren wollte, welches sie zuweilen, ehe sie sich dessen versah, zu einem kleinen Sprung verleitete, ließ sie sich die feinen Füßchen mit einer leichten Kette zusammenschmieden. Ihre Verwandten und Freunde wunderten sich über die Umwandlung Tag und Nacht, freuten sich über den Besitz einer solchen Heiligen und hüteten die Einsiedelei unter den Bäumen wie einen Augapfel. Viele kamen, Rat und Fürbitte zu holen. Vorzüglich brachte man junge Mädchen zu ihr, welche etwas unbeholfen auf den Füßen waren, da man bemerkt hatte, daß alle, welche sie berührt, alsobald leichten und anmutvollen Ganges wurden.

So brachte sie drei Jahre in ihrer Klause zu; aber gegen das Ende des dritten Jahres war Musa fast so dünn und durchsichtig wie ein Sommerwölklein geworden. Sie lag beständig auf ihrem Bettchen von Moos und schaute voll Sehnsucht in den Himmel, und sie glaubte schon die goldenen Sohlen der Seligen durch das Blau hindurch tanzen und schleifen zu sehen.

An einem rauhen Herbsttage endlich hieß es, die Heilige liege im Sterben. Sie hatte sich das dunkle Bußkleid ausziehen und mit blendend weißen Hochzeitsgewändern bekleiden lassen. So lag sie mit gefalteten Händen und erwartete lächelnd die Todesstunde. Der ganze Garten war mit andächtigen Menschen angefüllt, die Lüfte rauschten, und die Blätter der Bäume sanken von allen Seiten hernieder. Aber unversehens wandelte sich das Wehen des Windes in Musik, in allen Baumkronen schien dieselbe zu spielen, und als die Leute emporsahen, siehe, da waren alle Zweige mit jungem Grün bekleidet, die Myrten und Granaten blühten und dufteten, der Boden bedeckte sich mit Blumen, und ein rosenfarbiger Schein lagerte sich auf die weiße zarte Gestalt der Sterbenden.

In diesem Augenblicke gab sie ihren Geist auf, die Kette an

ihren Füßen sprang mit einem hellen Klange entzwei, der Himmel tat sich auf weit in der Runde, voll unendlichen Glanzes, und jedermann konnte hineinsehen. Da sah man viel tausend schöne Jungfern und junge Herren im höchsten Schein, tanzend im unabsehbaren Reigen. Ein herrlicher König fuhr auf einer Wolke, auf deren Rand eine kleine Extramusik von sechs Engelchen stand, ein wenig gegen die Erde und empfing die Gestalt der seligen Musa vor den Augen aller Anwesenden, die den Garten füllten. Man sah noch, wie sie in den offenen Himmel sprang und augenblicklich tanzend sich in den tönenden und leuchtenden Reihen verlor.

Im Himmel war eben hoher Festtag; an Festtagen aber war es, was zwar vom heiligen Gregor von Nyssa bestritten, von demjenigen von Nazianz aber aufrechtgehalten wird, Sitte, die neun Musen, die sonst in der Hölle saßen, einzuladen und in den Himmel zu lassen, daß sie da Aushilfe leisteten. Sie bekamen gute Zehrung, mußten aber nach verrichteter Sache wieder an den andern Ort gehen.

Als nun die Tänze und Gesänge und alle Zeremonien zu Ende und die himmlischen Heerscharen sich zu Tische setzten, da wurde Musa an den Tisch gebracht, an welchem die neun Musen bedient wurden. Sie saßen fast verschüchtert zusammengedrängt und blickten mit den feurigen schwarzen oder tiefblauen Augen um sich. Die emsige Martha aus dem Evangelium sorgte in eigener Person für sie, hatte ihre schönste Küchenschürze umgebunden und einen zierlichen kleinen Rußfleck an dem weißen Kinn und nötigte den Musen alles Gute freundlich auf. Aber erst, als Musa und auch die heilige Cäcilia und noch andere kunsterfahrene Frauen herbeikamen und die scheuen Pierinnen heiter begrüßten und sich zu ihnen gesellten, da tauten sie auf, wurden zutraulich, und es entfaltete sich ein anmutig fröhliches Dasein in dem Frauenkreise. Musa saß neben Terpsichore, und Cäcilia zwischen Polyhymnien und Euterpen, und alle hielten sich bei den Händen. Nun kamen auch die kleinen Musikbübchen und schmeichelten den schönen Frauen, um von den glänzenden Früchten zu bekommen, die auf dem ambrosischen Tische strahlten. König David selbst kam und brachte einen goldenen Becher, aus dem alle tranken, daß holde Freude sie erwärmte; er ging wohlgefällig um den Tisch herum, nicht ohne der lieblichen Erato einen Augenblick das Kinn zu streicheln im Vorbeigehen. Als es dergestalt hoch herging an dem Musentisch, erschien sogar Unsere liebe Frau in all ihrer Schönheit und Güte, setzte sich auf ein Stündchen zu den Musen und küßte die hehre Urania unter ihrem Sternenkranze zärtlich auf den Mund, als sie ihr beim Abschiede zuflüsterte, sie werde nicht ruhen, bis die Musen für immer im Paradiese bleiben könnten.

Es ist freilich nicht so gekommen. Um sich für die erwiesene Güte und Freundlichkeit dankbar zu erweisen und ihren guten Willen zu zeigen, ratschlagten die Musen untereinander und übten in einem abgelegenen Winkel der Unterwelt einen Lobgesang ein, dem sie die Form der im Himmel üblichen feierlichen Choräle zu geben suchten. Sie teilten sich in zwei Hälften von je vier Stimmen, über welche Urania eine Art Oberstimme führte, und brachten so eine merkwürdige Vokalmusik zuwege.

Als nun der nächste Festtag im Himmel gefeiert wurde und die Musen wieder ihren Dienst taten, nahmen sie einen für ihr Vorhaben günstig scheinenden Augenblick wahr, stellten sich zusammen auf und begannen sänftlich ihren Gesang, der bald gar mächtig anschwellte. Aber in diesen Räumen klang er so düster, ja fast trotzig und rauh, und dabei so sehnsuchtsschwer und klagend, daß erst eine erschrockene Stille waltete, dann aber

alles Volk von Erdenleid und Heimweh ergriffen wurde und
in ein allgemeines Weinen ausbrach.

Ein unendliches Seufzen rauschte durch die Himmel, bestürzt eilten alle Ältesten und Propheten herbei, indessen die
Musen in ihrer guten Meinung immer lauter und melancho-
lischer sangen und das ganze Paradies mit allen Erzvätern,
Ältesten und Propheten, alles, was je auf grüner Wiese gegangen oder gelegen, außer Fassung geriet. Endlich aber kam
die allerhöchste Trinität selber heran, um zum Rechten zu
sehen und die eifrigen Musen mit einem lang hinrollenden
Donnerschlage zum Schweigen zu bringen.

Da kehrten Ruhe und Gleichmut in den Himmel zurück;
aber die armen neun Schwestern mußten ihn verlassen und
durften ihn seither nicht wieder betreten.

INTERPRETATION

Ein Gedicht in einer uns unbekannten Sprache kann uns durch
Rhythmus und Wortmelodie einen künstlerischen Eindruck
machen, ohne daß wir den Inhalt kennen. In der Prosa ist diese
Selbstgenügsamkeit der Form selten; im „Tanzlegendchen"
aber ist sie erreicht. Ohne die Bedeutung der Worte zu kennen,
empfinden wir die Schönheit einer Wortfolge wie: „Der Herr
trug ein purpurnes Königskleid, eine goldene Krone auf dem
Kopf und einen glänzend schwarzen, gelockten Bart, welcher
vom Silberreif der Jahre wie von einem fernen Sternenschein
überhaucht war." Oder die fröhliche Bewegtheit des folgenden
Satzes: „die übrigen (Engel) baumelten mit den Füßen,
dehnten, bald dieser, bald jener knisternd die Schwungfedern
aus, daß die Farben derselben schimmerten wie Taubenhälse,
und neckten einander während des Spieles." Diese Beispiele

lassen sich beliebig vermehren. Jeder Satz dieser kleinen Dichtung ist ein in sich geschlossenes kleines Wortkunstwerk, jede Satzfolge ist kompositorisch ein Ganzes, jeder Abschnitt ruht melodisch und rhythmisch in sich, und das Ganze ist stilistisch und kompositorisch harmonisch und geschlossen wie eine musikalische Komposition. In wenig Dichtungen kommt uns die Form als künstlerischer Wert so unmittelbar zum Bewußtsein und befriedigt uns so vollkommen.

Der Tanz ist das Hauptmotiv dieser kleinen Dichtung. Wie der Tanz die Körperschwere zu überwinden scheint, so überwindet Kellers phantasievolle Sprache alle stoffliche Schwere.

Der Inhalt ist märchenhaft, aus einem alten Legendenbuch übernommen. Aber von einer Volksdichtung kann hier nicht die Rede sein. Keller hat den einfachen Stoff durch die Form bis in den Kern verwandelt. Was die Legende ausmacht, die Bekehrung und das irdische Leiden der Heiligen, wofür sie ihren himmlischen Lohn findet, und der moralische Sinn des Ganzen, die Sündhaftigkeit des irdischen Tanzes ist bei Keller von allem Ernst und aller Schwere befreit. Musa gibt das Tanzen auf Erden auf, nicht weil es eine Sünde ist, sondern weil es an Leichtigkeit und Schönheit mit dem himmlischen Tanze sich nicht vergleichen läßt. Drei Jahre lebt sie freiwillig gefesselt und ihr Körper vergeht unter der harten Behandlung. Aber die Kellersche Sprache läßt uns kaum etwas ahnen von der Geduld und dem Leiden dieser langen Zeit. Die Beschreibung liest sich im Gegenteil fast wie ein Spiel: ihr Bettchen von Moos, die leichte Kette, die ihre Füße am Tanzen hindert, wenn das Zwitschern der Vögel sie lockt, die Freude ihrer Verwandten und Freunde über ihre Heiligkeit, die Wunder, die sie unwillkürlich vollbringt, schließlich ihr Körper, so dünn und durchsichtig wie ein Sommerwölkchen, und die goldenen Sohlen der

Seligen, die durch das Himmelsblau tanzen und schleifen, das alles stimmt uns heiter und erwartungsvoll, nicht mitleidig und traurig. Es endet in Musas Tod. Aber sogar der Tod hat hier seine Schrecken verloren. Im Gegenteil: sein Kommen verwandelt den rauhen Herbsttag in blühenden Frühling, das Wehen des Herbstwindes wird zu Musik, und der Tod ist darin nur ein „heller Klang", mit dem die Kette zerspringt, die Musa noch an die Erde bindet. Selbst ihre Himmelfahrt ist wie ein übermütiges Spiel, und sie springt in den offenen Himmel, in den himmlischen Tanz mitten hinein. —

Wäre das das Ende des „Tanzlegendchens", so käme uns dieses Spielen mit Selbstüberwindung, Leiden und Tod vielleicht etwas dünn und künstlich vor, so anmutig und phantasievoll es ausgeführt ist. Die Schwerelosigkeit verliert ihren Wert, wenn sie nicht im Gegensatz zu etwas Ernstem, Dunklem als leicht und hell empfunden werden kann. Deshalb führt Keller nun die neun Musen ein. „Sie saßen fast verschüchtert zusammengedrängt und blickten mit den feurigen schwarzen oder tiefblauen Augen um sich." Musa, die leichte, fröhliche, findet in dem Gesang der neun Musen eine dunkle, tiefe Resonanz. Es ist ein eigenartiges Bild: in diesem tanzenden, springenden Himmel, wo die heilige Martha einen zierlichen Rußfleck am Kinn trägt, „Unsere liebe Frau" heimlich protegiert und zärtlich küßt, und die Englein schmeicheln und betteln, in diesem irdisch leichtlebigen, heiter blauen Himmel steht die dunkle, ernste Gruppe der Musen mit ihrem sehnsuchtsschweren Gesang wie eine unheildrohende Gewitterwolke. Sie singen; „ein unendliches Seufzen rauschte durch die Himmel" — fast wie ein schwerer Gewitterregen — und die allerhöchste Trinität mit einem lang dahinrollenden Donnerschlag bringt alsbald alles zu Ende. Der Himmel ist wieder blau.

Dem Humor des ersten Teils, der in der Gesellschaft der Englein und Heiligen auch im Himmel weiter waltet und sich immer von neuem entzündet an der unvergleichlichen Bildhaftigkeit der Kellerschen Sprache, begegnet hier die Ironie. Das beinahe peinliche Gefühl, womit wir das Benehmen und die Behandlung der Musen empfinden, liegt in der Absicht des Dichters. Nur so kann er die heitere Illusion zerbrechen, die er selbst geschaffen hat, die er uns voll genießen ließ, und die er nun als Illusion entlarven will. Denn allem Spiel zugrunde liegt bei Keller ein tiefer Ernst, ja ein strenges Gefühl ethischer Verantwortlichkeit. Diese Zweiheit führt bei ihm aber nicht wie bei E. T. A. Hoffmann zu unheimlicher Spannung. Je wahrer und stärker der Ernst, umso höher und weiter schwingt sich die Kellersche Phantasie. Aber sie entkommt ihm nicht, er beherrscht und befruchtet sie, und sie führt zuletzt zu ihm zurück. Wenn wir mit den armen neun Schwestern den blauen, tanzenden Himmel verlassen, kennen wir seine Begrenztheit. Mit leiser Ironie besinnen wir uns auf unsere Menschlichkeit mit ihrer Sehnsucht und Disharmonie und empfinden die heitere kleine Dichtung als was sie ist: eine künstlerisch vollkommene Illusion.

IV. DAS DICHTERISCHE ERLEBNIS DER WIRKLICHKEIT

POETISCHER REALISMUS

Die Freiheit des Dichters ist umso größer, je deutlicher sich das Reich seiner Phantasie unterscheidet von der uns allen bekannten Wirklichkeit. Die Phantasie wird dann selbst zum Erlebnis als Stimmung und Spannung, als Illusion und Geheimnis, und wir folgen dem Dichter, wohin er uns auch führt, solange er die Intensität des Miterlebens zu erhalten versteht. Demgegenüber steht das dichterische Erlebnis der Wirklichkeit. Auch dabei spielt natürlich die Phantasie eine wichtige Rolle. Erst durch sie wird die Wirklichkeit zur Dichtung. Aber es besteht trotzdem ein tiefer Unterschied: der Dichter durchdringt die Wirklichkeit, das äußere, sichtbare Leben mit seinem Geist, anstatt ihnen eine selbst erschaffene Welt gegenüberzustellen. Es kommt ihm nicht mehr auf die Darstellung seiner Eigenart, seines Innenlebens allein und auf Kosten der übrigen Wirklichkeit an, sondern darauf, sein Innenleben mit der Welt in eine fruchtbare Beziehung zu setzen. Wie im Leben selbst das Gleichgewicht zwischen den Ansprüchen der Welt und des eigenen Ich immer von neuem gesucht und erkämpft werden muß, so sucht nun der Dichter nach einem künstlerischen Gleichgewicht der beiden Kräfte. In ihrem Gegenspiel, ihren Konflikten und Versöhnungen, ihrer notwendigen Verbundenheit findet die Phantasie auch jetzt noch weiten Spielraum; aber sie bleibt immer an die möglichen und wesentlichen Erfahrungen der Wirklichkeit gebunden.

Wir nennen diese Einstellung zur Kunst und zum Leben *Realismus*. Aber wie das Gleichgewicht zwischen Ich und Welt immer labil ist und sich bald nach der Seite des Ichs, bald nach der Seite der Wirklichkeit verschiebt, so enthält auch die realistische Dichtung romantische oder naturalistische Elemente und Tendenzen.

Der Realismus, der auf den „Sturm und Drang" [1] des späteren achtzehnten und die Romantik des frühen neunzehnten Jahrhunderts folgte und schon in der sogenannten Klassik zu spüren ist, macht das erlebende Ich zum Mittelpunkt der Dichtung. Goethe [2] z.B. hat in seinen Jugendwerken, „Werthers Leiden" und dem „Urfaust",[3] fast ausschließlich seinem Innenleben Ausdruck und Gestalt gegeben. Trotzdem spürt man aber auch in ihnen schon den Willen, die Wirklichkeit zu begreifen und ihr gerecht zu werden. Wenn Werther sich tötet, wenn Faust sich dem Teufel verschreibt, so geschieht das nicht so sehr, weil sie sich von der Wirklichkeit abwenden, als weil sie die Wirklichkeit nicht bezwingen, sich nicht zu eigen machen können. Die Macht der Wirklichkeit wird hier gleichsam negativ ausgesprochen. In beschränktem Umfang aber empfand der junge Goethe auch den positiven Einfluß der Wirklichkeit: die Natur, die Kinder, die einfachen, naturnahen Menschen standen ihm nahe und wurden Teil seiner Dichtung. Die Gesellschaft dagegen, die Politik, die einseitige Berufsarbeit waren ihm verhaßt. Vor ihnen flüchtete er sich in die Freiheit der eigenen Seele. In seinen späteren Werken aber läßt Goethe die Ansprüche der Welt und des Lebens in allen ihren Formen voll zur Geltung kommen. Nun interessiert ihn, wie sich das Ich unter allen möglichen Einflüssen und Erfahrungen behauptet und entwickelt. Aber auch jetzt stellt er niemals die Wirklichkeit um ihrer selbst willen dar. Nur was ihm wesentlich scheint für den Werdegang seines Helden, und was zugleich nicht nur einmal, sondern immer und überall wahr und möglich ist, ist für ihn von Interesse.

Man hat diese Einstellung *poetischen Realismus* genannt; denn ein Weltbild, das alles Zufällige ausschaltet und nur das Sinnvolle gelten läßt in der Beziehung von Mensch und Welt, ist eine dichterische Umgestaltung der Wirklichkeit. In diesem auswählenden und ordnenden Sinne, eher als in der freien Erfindung oder in dem Aufstöbern des Besonderen, betätigt sich die Goethische Phantasie. —

Der erste Entwurf von Goethes Roman „Wilhelm Meisters Lehrjahre" [4] ist ein Jugendwerk. Die endgültige Form des Romans ist erst viele Jahre später entstanden. Der Jugendentwurf macht den jungen Wilhelm Meister zum Dichter und Schauspieler, der auf der Bühne, in der Welt der Dichtung Befreiung und Befriedigung sucht und findet gegenüber der Welt des Alltags und ihrer kleinlichen Enge. Im Roman selbst aber verliert Wilhelm die Illusion, die Bühne sei die für ihn bestimmte Welt, und findet erst im regen Anteil am tätigen Leben des Bürgers wahre Befriedigung. Wilhelm Meister bleibt dabei derselbe: ein junger, liebenswürdiger, nachdenklicher Mensch, der aus allem, was ihm begegnet, Menschen und Dingen, aufnimmt, was ihm gemäß ist, und sich so in natürlicher, ungewollter Weise entwickelt und vom Instinkt zum bewußten Grundsatz, vom dunklen Wollen zum klaren Wissen und Streben fortschreitet.

Wilhelm Meister stammt aus einem Kaufmannshaus. Sein Vater ist wohlhabend, seine Kindheit ist geschützt und glücklich. Früh regt sich seine Phantasie und sucht Ausdruck im

Puppenspiel, das der nüchterne Vater mißachtet, die phantasie-
und gemütvolle Mutter aber heimlich fördert. Vom Puppenspiel
ist es nicht weit zu eigenen Aufführungen Wilhelms und seiner
Spielkameraden und von ihnen kein großer Schritt zum Theater selbst. Die Bühne, das Leben der Schauspieler erscheint
Wilhelm in einem idealen Licht. Ein Schauspieler ist kein gewöhnlicher Mensch. Durch ihn spricht die Kunst, er ist ihr
Gefäß und als solches selbst edel und bedeutungsvoll. Die Liebe
zu der jungen Schauspielerin Marianne entflammt ihn ganz.
Nun will er selbst Schauspieler werden. Stellung, Vermögen,
Elternhaus, alles will er opfern. Da, im Augenblick der höchsten
Begeisterung, entdeckt er, daß ihn Marianne mit einem andern
betrügt. Das Luftschloß der Zukunft stürzt zusammen, was er
anbetete, muß ihm verächtlich scheinen, er verliert mit seinem
Ideal den Glauben an sich selbst, seine ganze Existenz ist er-
schüttert. Er wird sehr krank und erholt sich nur langsam. Das
Feuer seiner Leidenschaft scheint ausgebrannt, er beugt sich
unter des Vaters Willen und beschließt, Kaufmann zu werden.

Als er dem Vater gefestigt und kräftig genug erscheint, wird
er auf Reisen geschickt, um alte Schulden einzutreiben und
allein in der Fremde Menschen- und Sachkenntnis zu lernen.
Die Reise wirkt erlösend auf sein erstarrtes Innenleben. Er
fängt wieder an, Anteil an allem zu nehmen, was ihm begegnet,
und eine leise Freude am Dasein, eine heimliche Hoffnung für
die Zukunft erwachen in ihm. Die Wirklichkeit, die neu und
reizvoll ist, lockt ihn in anderer Weise als früher. Er gibt sich
ihr nicht mehr hemmungslos hin, er idealisiert sie nicht mehr.
Er nimmt sie auf mit allen Sinnen, mit Geist und Herz, ohne
seine Freiheit an sie zu verlieren. In dieser Stimmung trifft er
von neuem mit dem Theater, dem Schauspielerleben zusammen.

In *einem* Kapitel gibt Goethe diesem neuen Eindruck Gestalt. Jedes Kapitel im „Wilhelm Meister" ist an sich eine Einheit, nicht so sehr durch die Abgeschlossenheit der Handlung als dadurch, daß es einen inneren Fortschritt in Wilhelms Entwicklung bedeutet, und daß es in der eigenen Struktur abgeschlossen und einheitlich ist. Dieses Kapitel aber liest sich fast wie eine kleine Dichtung für sich. Wilhelm tritt ein in eine neue Welt, damit fängt es an, und es schließt, als diese Welt aufhört, ihm neu zu sein, als er — mit Mignons Befreiung — Verantwortung auf sich lädt, handelnd eingreift und damit selbst Teil dieser neuen Wirklichkeit wird.

Diese Wirklichkeit ist dreifach gegliedert. Auf der untersten Stufe stehen die Seiltänzer, die belustigen, das Auge erfreuen, eine gewisse Spannung erregen, ohne menschlich zu interessieren. Auf der zweiten Stufe stehen die Schauspieler, Laertes und Philine. Sie erregen zugleich Spannung und Teilnahme. Ihr Benehmen ist anders, ungebundener, liebenswürdiger, leichtsinniger als das Benehmen der Bürger. Die Unsicherheit ihrer Existenz, das Lockere, Ungefestigte ihres Wesens, das wohl für ihre Kunst notwendig ist und sich aus ihr nährt, läßt sie frei erscheinen, wenn alle anderen an Besitz und Stellung, Umgebung und Beruf gebunden sind. Aber diese Freiheit, die nicht aus ihrer Überlegenheit sondern aus ihrem Anderssein erwächst, so reizvoll sie ist, muß Wilhelm enttäuschen, denn er sucht nach in sich ruhender, zuverlässiger Menschlichkeit. Da begegnet ihm Mignon. Sie steht auf der dritten Stufe. Mit den Seiltänzern verbindet sie ihre erlernte Geschicklichkeit und ihre angeborene Anmut, mit den Schauspielern ihre Unberechenbarkeit. Aber während sich hinter der Tändelei und Schauspielerei Philinens nur eine ungezügelte Weiblichkeit verbirgt, ahnen wir hinter Mignons Benehmen ein Geheimnis, ein Wesen, das größer und edler ist als seine Umgebung, ja, als alles, was nach menschlichen Ordnungen und Gesetzen lebt. Bei Philine, bei Laertes schildert Goethe bezeichnenderweise nur den schlanken Wuchs, die Kleidung, die Bewegung und den Gesichtsausdruck. Das Gesicht selbst wird nicht beschrieben. Es ist nicht wichtig, denn diese Menschen sind nicht so sehr Individuen als Beispiele ihres Standes. Mignons schöne und geheimnisvolle Züge dagegen fesseln Wilhelm, sodaß er alles andere darüber vergißt. Sie ist nur ein Kind, ihr Ausdruck ist kindlich, ihre Sprache ist unbeholfen. Philine ist witzig, Laertes denkt nach und hat etwas zu sagen; Mignon aber wirkt nur durch ihr Dasein. Ihr Dasein ist gleichsam die Verkörperung der Kunst, nach der Wilhelm sich immer sehnte, der Kunst als etwas Höherem und Wunderbarem gegenüber der alltäglichen Wirklichkeit.

Dieses Kapitel führt also eine Reihe verschiedener Charaktere ein und bringt Wilhelm in Beziehung zu allen. Trotzdem besteht keine Häufung, keine Verwirrung. Im Gegenteil, die miteinander kaum in Berührung stehenden Gruppen schließen sich um Wilhelm zu einem zwanglosen und doch sinnvollen Ganzen zusammen. Wie wird das erreicht? Einmal durch Goethes Meisterschaft, alles überflüssige Beiwerk auszulassen, dafür aber allem, was gesagt wird, Charakter und Bedeutung zu geben. Ausgelassen wird z.B. alle eingehende Beschreibung der Örtlichkeit: ein Gasthaus in einer kleinen Stadt, eine Mühle, ein Jägerhaus, das genügt. Dadurch konzentriert sich unser Interesse auf die Charaktere selbst. Auch die Natur, die für den jungen Goethe so viel bedeutete, wird hier nur kurz angedeutet: ein Wald, eine Quelle, ein paar schöne, alte Bäume, eine Wiese voll Blumen, Sonnenschein. Das genügt als Hintergrund für Philinens anmutige Spielereien, für Wilhelms leichtherzige Teilnahme. Auf logische Verknüpfung aller Nebenhandlungen kommt es Goethe auch nicht an: Philine trifft z.B. immer Arme, denen sie schenken muß aus der Freigebigkeit ihres leichtsinnigen Herzens. Gesellschaft findet sich ein und verschwindet, ohne daß wir über ihr Kommen und Gehen näheren Aufschluß erhalten. Wir vermissen das nicht, denn die Absicht des Dichters, damit eine neue Wendung im Gespräch, eine neue Seite eines Charakters anzudeuten, ist erreicht. — Außerdem aber besteht das ganze Kapitel aus Handlung. Jede Person wird handelnd eingeführt, vielleicht mit Ausnahme Mignons, die durch ihre Erscheinung wirken soll. Aber auch sie löst Handlung aus, an der sie, passiv, teilnimmt. Die Handlung ist aber an sich bedeutungslos. Sie besteht aus Spazierfahrten, Seiltänzerstückchen, Tanz und Spiel, wieder mit Ausnahme der bedeutungsvollen Handlung, die sich mit Mignon verknüpft. Daher lenkt die Handlung nicht ab. Sie verschmilzt in unserer Erinnerung mit dem Hintergrund zu einer harmonischen unkomplizierten Wirklichkeit, gerade alltäglich genug, um uns nicht aufzuregen und doch reizvoll und überraschend genug, um uns nicht zu langweilen. In dieser Wirklichkeit bewegen sich die Personen zwanglos und natürlich; wir begegnen ihnen, werden mit ihnen bekannt, und ihr Charakter prägt sich uns ein fast ohne unser Wissen. Zug um Zug offenbart sich fast zufällig, bis Wilhelm dann in ein paar nachdenklichen Sätzen den Eindruck zusammenfaßt. Erst dann kommt er auch uns ganz zum Bewußtsein, und wir entdecken nun auf einmal mit erhöhtem Interesse die jeder Person, jeder Handlung zugrundeliegende Absicht des Dichters. So entfaltet sich das Ganze ohne eigentliche Spannung in einer Atmosphäre heiterer Gelassenheit, die nur durch Mignon die künstlerisch notwendige, dunklere und tiefere Note erhält. —

Die Goethische Sprache hat im „Wilhelm Meister" viel von

der intensiven Farbigkeit und dem mitreißenden Rhythmus der
Jugendwerke verloren. Sie schildert mit epischer Ruhe. Man
wird sich der starken Konzentriertheit auf das Wesentliche
kaum bewußt, weil alles mit einer deutlichen Freude am Einzelnen, am Beschreiben selbst, am Gespräch erfüllt ist. Es ist
eine natürliche, fast alltägliche Sprache, die jeden gesuchten
Vergleich, jede außergewöhnliche Wendung vermeidet. Auch
hierin zeigt sich deutlich der Wille des Dichters, das eigene Ich
nicht in den Vordergrund zu stellen. Die Sprache ist dazu da,
das Gesagte so klar und einfach wie möglich auszusprechen.
Gerade in dieser bewußten Sprachdisziplin liegt aber der Reiz
des Goethischen Stils. Er erinnert darin an die Sprachkultur der
französischen Klassiker, die auch in der Einfachheit und Klarheit einen hohen sprachlichen Wert erblickten. Bei aller Einfachheit wird seine Sprache aber niemals eintönig. Er vermeidet
das Abstrakte. Auch die Gedanken Wilhelms — und der Gedankenreichtum des „Wilhelm Meister" ist vielleicht sein höchster Wert — knüpfen immer an die Handlung, die Erfahrung
an und führen zu ihr zurück.

Der Rhythmus der Handlung lebt auch im Stil. Bei den
Tändeleien Philinens wird er leichter, graziöser und enthält
manchmal einen Ton leiser Ironie. Bei den Gesprächen wird er
belebt durch die verschiedene Ausdrucksweise der Sprechenden.
Bei der Mißhandlung Mignons und Wilhelms Eingreifen stei-
gert er sich zu dramatischer Kraft. Aber nirgends geht diese
Verschiedenheit so weit, den einheitlich ruhigen Fluß zu stören.
Aus jedem Spiel, so fesselnd es ist, aus jedem Gespräch, aus
jeder Handlung trägt uns die Sprache ruhig fließend weiter
und faßt alles Einzelne zusammen, um die große Absicht des
Romans, die Entfaltung eines Menschen, einheitlich und als
Ganzes darzustellen.

WILHELM MEISTERS LEHRJAHRE
(II, 4)

JOHANN WOLFGANG VON GOETHE

Als er [Wilhelm] in einem Wirtshause auf dem Markte abtrat, ging es darin sehr lustig, wenigstens sehr lebhaft zu. Eine
große Gesellschaft Seiltänzer, Springer und Gaukler, die einen
starken Mann bei sich hatten, waren mit Weib und Kindern ein-
gezogen und machten, indem sie sich auf eine öffentliche
Erscheinung bereiteten, einen Unfug über den andern. Bald
stritten sie mit dem Wirte, bald unter sich selbst, und wenn ihr
Zank unleidlich war, so waren die Äußerungen ihres Ver-
gnügens ganz und gar unerträglich. Unschlüssig, ob er gehen
oder bleiben sollte, stand er unter dem Tore und sah den Ar-
beitern zu, die auf dem Platze ein Gerüst aufzuschlagen an-
fingen.

Ein Mädchen, das Rosen und andere Blumen herumtrug,
bot ihm ihren Korb dar, und er kaufte sich einen schönen Strauß,
den er mit Liebhaberei anders band und mit Zufriedenheit betrachtete, als das Fenster eines, an der Seite des Platzes stehenden, andern Gasthauses sich auftat und ein wohlgebildetes
Frauenzimmer sich an demselben zeigte. Er konnte ungeachtet
der Entfernung bemerken, daß eine angenehme Heiterkeit ihr
Gesicht belebte. Ihre blonden Haare fielen nachlässig aufgelöst
um ihren Nacken; sie schien sich nach dem Fremden umzu-
sehen. Einige Zeit darauf trat ein Knabe, der eine Frisierschürze
umgegürtet und ein weißes Jäckchen anhatte, aus der Türe
jenes Hauses, ging auf Wilhelmen zu, begrüßte ihn und sagte:
Das Frauenzimmer am Fenster läßt Sie fragen, ob Sie ihr nicht
einen Teil der schönen Blumen abtreten wollen? — Sie stehn

ihr alle zu Diensten, versetzte Wilhelm, indem er dem leichten Boten das Bukett überreichte und zugleich der Schönen ein Kompliment machte, welches sie mit einem freundlichen Gegengruß erwiderte und sich vom Fenster zurückzog.

Nachdenkend über dieses artige Abenteuer, ging er nach seinem Zimmer die Treppe hinauf, als ein junges Geschöpf ihm entgegensprang, das seine Aufmerksamkeit auf sich zog. Ein kurzes seidnes Westchen mit geschlitzten spanischen Ärmeln, knappe, lange Beinkleider mit Puffen standen dem Kinde gar artig. Lange schwarze Haare waren in Locken und Zöpfen um den Kopf gekräuselt und gewunden. Er sah die Gestalt mit Verwunderung an und konnte nicht mit sich einig werden, ob er sie für einen Knaben oder für ein Mädchen erklären sollte. Doch entschied er sich bald für das letzte und hielt sie auf, da sie bei ihm vorbeikam, bot ihr einen guten Tag und fragte sie, wem sie angehöre; ob er schon leicht sehen konnte, daß sie ein Glied der springenden und tanzenden Gesellschaft sein müsse. Mit einem scharfen, schwarzen Seitenblick sah sie ihn an, indem sie sich von ihm losmachte und in die Küche lief, ohne zu antworten.

Als er die Treppe hinaufkam, fand er auf dem weiten Vorsaale zwei Mannspersonen, die sich im Fechten übten oder vielmehr ihre Geschicklichkeit aneinander zu versuchen schienen. Der eine war offenbar von der Gesellschaft, die sich im Hause befand, der andere hatte ein weniger wildes Ansehn. Wilhelm sah ihnen zu und hatte Ursache, sie beide zu bewundern; und als nicht lange darauf der schwarzbärtige nervige Streiter den Kampfplatz verließ, bot der andere, mit vieler Artigkeit, Wilhelmen das Rapier an.

Wenn Sie einen Schüler, versetzte dieser, in die Lehre nehmen wollen, so bin ich wohl zufrieden, mit Ihnen einige Gänge zu wagen. Sie fochten zusammen, und obgleich der Fremde dem Ankömmling weit überlegen war, so war er doch höflich genug, zu versichern, daß alles nur auf Übung ankomme; und wirklich hatte Wilhelm auch gezeigt, daß er früher von einem guten und gründlichen deutschen Fechtmeister unterrichtet worden war.

Ihre Unterhaltung ward durch das Getöse unterbrochen, mit welchem die bunte Gesellschaft aus dem Wirtshause auszog, um die Stadt von ihrem Schauspiel zu benachrichtigen und auf ihre Künste begierig zu machen. Einem Tambour folgte der Entrepreneur zu Pferde, hinter ihm eine Tänzerin auf einem ähnlichen Gerippe, die ein Kind vor sich hielt, das mit Bändern und Flintern wohl herausgeputzt war. Darauf kam die übrige Truppe zu Fuß, wovon einige auf ihren Schultern Kinder, in abenteuerlichen Stellungen, leicht und bequem dahertrugen, unter denen die junge, schwarzköpfige, düstere Gestalt Wilhelms Aufmerksamkeit aufs neue erregte.

Pagliasso lief unter der andringenden Menge drollig hin und her und teilte mit sehr begreiflichen Späßen, indem er bald ein Mädchen küßte, bald einen Knaben pritschte, seine Zettel aus und erweckte unter dem Volke eine unüberwindliche Begierde, ihn näher kennen zu lernen.

In den gedruckten Anzeigen waren die mannigfaltigen Künste der Gesellschaft, besonders eines Monsieur Narciß und der Demoiselle Landrinette herausgestrichen, welche beide, als Hauptpersonen, die Klugheit gehabt hatten, sich von dem Zuge zu enthalten, sich dadurch ein vornehmeres Ansehn zu geben und größre Neugier zu erwecken.

Während des Zuges hatte sich auch die schöne Nachbarin wieder am Fenster sehen lassen, und Wilhelm hatte nicht verfehlt, sich bei seinem Gesellschafter nach ihr zu erkundigen.

Dieser, den wir einstweilen Laertes nennen wollen, erbot sich, Wilhelmen zu ihr hinüberzubegleiten. Ich und das Frauenzimmer, sagte er lächelnd, sind ein paar Trümmer einer Schauspielergesellschaft, die vor kurzem hier scheiterte. Die Anmut des Orts hat uns bewogen, einige Zeit hier zu bleiben und unsre wenige gesammelte Barschaft in Ruhe zu verzehren, indes ein Freund ausgezogen ist, ein Unterkommen für sich und uns zu suchen.

Laertes begleitete sogleich seinen neuen Bekannten zu Philinens Türe, wo er ihn einen Augenblick stehen ließ, um in einem benachbarten Laden Zuckerwerk zu holen. Sie werden mir es gewiß danken, sagte er, indem er zurückkam, daß ich Ihnen diese artige Bekanntschaft verschaffe.

Das Frauenzimmer kam ihnen auf ein paar leichten Pantöffelchen mit hohen Absätzen aus der Stube entgegengetreten. Sie hatte eine schwarze Mantille über ein weißes Negligé geworfen, das, eben weil es nicht ganz reinlich war, ihr ein häusliches und bequemes Ansehn gab; ihr kurzes Röckchen ließ die niedlichsten Füße von der Welt sehen.

Sein Sie mir willkommen! rief sie Wilhelmen zu, und nehmen Sie meinen Dank für die schönen Blumen. Sie führte ihn mit der einen Hand ins Zimmer, indem sie mit der andern den Strauß an die Brust drückte. Als sie sich niedergesetzt hatten und in gleichgültigen Gesprächen begriffen waren, denen sie eine reizende Wendung zu geben wußte, schüttete ihr Laertes gebrannte Mandeln in den Schoß, von denen sie sogleich zu naschen anfing. Sehn Sie, welch ein Kind dieser junge Mensch ist! rief sie aus; er wird Sie überreden wollen, daß ich eine große Freundin von solchen Näschereien sei, und *er* ist's, der nicht leben kann, ohne irgend etwas Leckeres zu genießen.

Lassen Sie uns nur gestehn, versetzte Laertes, daß wir hierin,

wie in mehrerem, einander gern Gesellschaft leisten. Zum Beispiel, sagte er, es ist heute ein schöner Tag; ich dächte, wir führen
spazieren und nähmen unser Mittagsmahl auf der Mühle. ——
Recht gern, sagte Philine, wir müssen userm neuen Bekannten
eine kleine Veränderung machen. Laertes sprang fort, denn er
ging niemals, und Wilhelm wollte einen Augenblick nach Hause,
um seine Haare, die von der Reise noch verworren aussahen, in
Ordnung bringen zu lassen. Das können Sie hier! sagte sie,
rief ihren kleinen Diener, nötigte Wilhelmen auf die artigste
Weise, seinen Rock auszuziehn, ihren Pudermantel anzulegen
und sich in ihrer Gegenwart frisieren zu lassen. Man muß ja
keine Zeit versäumen, sagte sie; man weiß nicht, wie lange man
beisammenbleibt.

Der Knabe, mehr trotzig und unwillig als ungeschickt, benahm sich nicht zum besten, raufte Wilhelmen und schien so
bald nicht fertig werden zu wollen. Philine verwies ihm einigemal seine Unart, stieß ihn endlich ungeduldig hinweg und jagte
ihn zur Türe hinaus. Nun übernahm sie selbst die Bemühung
und kräuselte die Haare unsers Freundes mit großer Leichtigkeit und Zierlichkeit, ob sie gleich auch nicht zu eilen schien und
bald dieses bald jenes an ihrer Arbeit auszusetzen hatte, indem
sie nicht vermeiden konnte, mit ihren Knieen die seinigen zu
berühren und Strauß und Busen so nahe an seine Lippen zu
bringen, daß er mehr als einmal in Versuchung gesetzt ward,
einen Kuß daraufzudrücken.

Als Wilhelm mit einem kleinen Pudermesser seine Stirne ge-
reinigt hatte, sagte sie zu ihm: Stecken Sie es ein und gedenken
Sie meiner dabei. Es war ein artiges Messer; der Griff von ein-
gelegtem Stahl zeigte die freundlichen Worte: Gedenke mein.
Wilhelm steckte es zu sich, dankte ihr und bat um die Erlaubnis,
ihr ein kleines Gegengeschenk machen zu dürfen.

Nun war man fertig geworden. Laertes hatte die Kutsche gebracht, und nun begann eine sehr lustige Fahrt. Philine warf jedem Armen, der sie anbettelte, etwas zum Schlage hinaus, indem sie ihm zugleich ein munteres und freundliches Wort zurief.

Sie waren kaum auf der Mühle angekommen und hatten ein Essen bestellt, als eine Musik vor dem Hause sich hören ließ. Es waren Bergleute, die zu Zither und Triangel mit lebhaften und grellen Stimmen verschiedene artige Lieder vortrugen. Es dauerte nicht lange, so hatte eine herbeiströmende Menge einen Kreis um sie geschlossen, und die Gesellschaft nickte ihnen ihren Beifall aus den Fenstern zu. Als sie diese Aufmerksamkeit gesehen, erweiterten sie ihren Kreis und schienen sich zu ihrem wichtigsten Stückchen vorzubereiten. Nach einer Pause trat ein Bergmann mit einer Hacke hervor und stellte, indes die andern eine ernsthafte Melodie spielten, die Handlung des Schürfens vor.

Es währte nicht lange, so trat ein Bauer aus der Menge und gab jenem pantomimisch drohend zu verstehen, daß er sich von hier hinwegbegeben solle. Die Gesellschaft war darüber verwundert und erkannte erst den in einen Bauer verkleideten Bergmann, als er den Mund auftat und in einer Art von Rezitativ den andern schalt, daß er wage, auf seinem Acker zu hantieren. Jener kam nicht aus der Fassung, sondern fing an, den Landmann zu belehren, daß er recht habe, hier einzuschlagen, und gab ihm dabei die ersten Begriffe vom Bergbau. Der Bauer, der die fremde Terminologie nicht verstand, tat allerlei alberne Fragen, worüber die Zuschauer, die sich klüger fühlten, ein herzliches Gelächter aufschlugen. Der Bergmann suchte ihn zu berichten und bewies ihm den Vorteil, der zuletzt auch auf ihn fließe, wenn die unterirdischen Schätze des Landes herausgewühlt würden. Der Bauer, der jenem zuerst mit Schlägen gedroht hatte, ließ sich nach und nach besänftigen, und sie schieden als gute Freunde voneinander; besonders aber zog sich der Bergmann auf die honorabelste Art aus diesem Streite.

Wir haben, sagte Wilhelm bei Tische, an diesem kleinen Dialog das lebhafteste Beispiel, wie nützlich allen Ständen das Theater sein könnte, wie vielen Vorteil der Staat selbst daraus ziehen müßte, wenn man die Handlungen, Gewerbe und Unternehmungen der Menschen von ihrer guten, lobenswürdigen Seite und in dem Gesichtspunkte auf das Theater brächte, aus welchem sie der Staat selbst ehren und schützen muß. Jetzt stellen wir nur die lächerliche Seite der Menschen dar; der Lustspieldichter ist gleichsam nur ein hämischer Kontrolleur, der auf die Fehler seiner Mitbürger überall ein wachsames Auge hat und froh zu sein scheint, wenn er ihnen eins anhängen kann. Sollte es nicht eine angenehme und würdige Arbeit für einen Staatsmann sein, den natürlichen, wechselseitigen Einfluß aller Stände zu überschauen und einen Dichter, der Humor genug hätte, bei seinen Arbeiten zu leiten? Ich bin überzeugt, es könnten auf diesem Wege manche sehr unterhaltende, zugleich nützliche und lustige Stücke ersonnen werden.

Soviel ich, sagte Laertes, überall wo ich herumgeschwärmt bin, habe bemerken können, weiß man nur zu verbieten, zu hindern und abzulehnen; selten aber zu gebieten, zu befördern und zu belohnen. Man läßt alles in der Welt gehn, bis es schädlich wird; dann zürnt man und schlägt drein.

Laßt mir den Staat und die Staatsleute weg, sagte Philine, ich kann mir sie nicht anders als in Perücken vorstellen, und eine Perücke, es mag sie aufhaben wer da will, erregt in meinen Fingern eine krampfhafte Bewegung; ich möchte sie gleich dem ehrwürdigen Herrn herunternehmen, in der Stube herumspringen und den Kahlkopf auslachen.

Mit einigen lebhaften Gesängen, welche sie sehr schön vortrug, schnitt Philine das Gespräch ab und trieb zu einer schnellen Rückfahrt, damit man die Künste der Seiltänzer am Abende zu sehen nicht versäumen möchte. Drollig bis zur Ausgelassenheit, setzte sie ihre Freigebigkeit gegen die Armen auf dem Heimwege fort, indem sie zuletzt, da ihr und ihren Reisegefährten das Geld ausging, einem Mädchen ihren Strohhut und einem alten Weibe ihr Halstuch zum Schlage hinauswarf.

Philine lud beide Begleiter zu sich in ihre Wohnung, weil man, wie sie sagte, aus ihren Fenstern das öffentliche Schauspiel besser als im andern Wirtshause sehen könne.

Als sie ankamen, fanden sie das Gerüst aufgeschlagen und den Hintergrund mit aufgehängten Teppichen geziert. Die Schwungbretter waren schon gelegt, das Schlappseil an die Pfosten befestigt und das straffe Seil über die Böcke gezogen. Der Platz war ziemlich mit Volk gefüllt, und die Fenster mit Zuschauern einiger Art besetzt.

Pagliaß bereitete erst die Versammlung mit einigen Albernheiten, worüber die Zuschauer immer zu lachen pflegen, zur Aufmerksamkeit und guten Laune vor. Einige Kinder, deren Körper die seltsamsten Verrenkungen darstellten, erregten bald Verwunderung, bald Grausen, und Wilhelm konnte sich des tiefen Mitleidens nicht enthalten, als er das Kind, an dem er beim ersten Anblicke teilgenommen, mit einiger Mühe die sonderbaren Stellungen hervorbringen sah. Doch bald erregten die lustigen Springer ein lebhaftes Vergnügen, wenn sie erst einzeln, dann hintereinander und zuletzt alle zusammen sich vorwärts und rückwärts in der Luft überschlugen. Ein lautes Händeklatschen und Jauchzen erscholl aus der ganzen Versammlung.

Nun aber ward die Aufmerksamkeit auf einen andern Gegenstand gewendet. Die Kinder, eins nach dem andern, mußten das Seil betreten, und zwar die Lehrlinge zuerst, damit sie durch ihre Übungen das Schauspiel verlängerten und die Schwierigkeit der Kunst ins Licht setzten. Es zeigten sich auch einige Männer und erwachsene Frauenspersonen mit ziemlicher Geschicklichkeit; allein es war noch nicht Monsieur Narciß, noch nicht Demoiselle Landrinette.

Endlich traten auch diese aus einer Art von Zelt, hinter aufgespannten roten Vorhängen hervor und erfüllten durch ihre angenehme Gestalt und zierlichen Putz die bisher glücklich genährte Hoffnung der Zuschauer. Er, ein munteres Bürschchen von mittlerer Größe, schwarzen Augen und einem starken Haarzopf, sie, nicht minder wohl und kräftig gebildet; beide zeigten sich nacheinander auf dem Seile mit leichten Bewegungen, Sprüngen und seltsamen Posituren. Ihre Leichtigkeit, seine Verwegenheit, die Genauigkeit, womit beide ihre Kunststücke ausführten, erhöhten mit jedem Schritt und Sprung das allgemeine Vergnügen. Der Anstand, womit sie sich betrugen, die anscheinenden Bemühungen der andern um sie gaben ihnen das Ansehn, als wenn sie Herr und Meister der ganzen Truppe wären, und jedermann hielt sie des Ranges wert.

Die Begeisterung des Volkes teilte sich den Zuschauern an den Fenstern mit, die Damen sahen unverwandt nach Narcissen, die Herren nach Landrinetten. Das Volk jauchzte, und das feinere Publikum enthielt sich nicht des Klatschens; kaum daß man noch über Pagliassen lachte. Wenige nur schlichen sich weg, als einige von der Truppe, um Geld zu sammeln, sich mit zinnernen Tellern durch die Menge drängten.

Sie haben ihre Sache, dünkt mich, gut gemacht, sagte Wilhelm zu Philinen, die bei ihm am Fenster lag; ich bewundere ihren Verstand, womit sie auch geringe Kunststückchen, nach und nach und zur rechten Zeit angebracht, gelten zu machen wußten, und wie sie aus der Ungeschicklichkeit ihrer Kinder und aus der Virtuosität ihrer Besten ein Ganzes zusammenzuarbeiten, das erst unsre Aufmerksamkeit erregte und dann uns auf das angenehmste unterhielt.

Das Volk hatte sich nach und nach verlaufen, und der Platz war leer geworden, indes Philine und Laertes über die Gestalt und die Geschicklichkeit Narcissens und Landrinettens in Streit gerieten und sich wechselsweise neckten. Wilhelm sah das wunderbare Kind auf der Straße bei andern spielenden Kindern stehen, machte Philinen darauf aufmerksam, die sogleich, nach ihrer lebhaften Art, dem Kinde rief und winkte, und da es nicht kommen wollte, singend die Treppe hinunterklapperte und es heraufführte.

Hier ist das Rätsel, rief sie, als sie das Kind zur Türe hereinzog. Es blieb am Eingange stehen, eben als wenn es gleich wieder hinausschlüpfen wollte, legte die rechte Hand vor die Brust, die linke vor die Stirn und bückte sich tief. Fürchte dich nicht, liebe Kleine, sagte Wilhelm, indem er auf sie losging. Sie sah ihn mit unsicherm Blick an und trat einige Schritte näher.

Wie nennest du dich? fragte er. — Sie heißen mich Mignon. — Wieviel Jahre hast du? — Es hat sie niemand gezählt. — Wer war dein Vater? — Der große Teufel ist tot.

Nun, das ist wunderlich genug! rief Philine aus. Man fragte sie noch einiges; sie brachte ihre Antworten in einem gebrochnen Deutsch und mit einer sonderbar feierlichen Art vor; dabei legte sie jedesmal die Hände an Brust und Haupt und neigte sich tief.

Wilhelm konnte sie nicht genug ansehen. Seine Augen und sein Herz wurden unwiderstehlich von dem geheimnisvollen Zustande dieses Wesens angezogen. Er schätzte sie zwölf bis

dreizehn Jahre; ihr Körper war gut gebaut, nur daß ihre
Glieder einen stärkern Wuchs versprachen, oder einen zurück-
gehaltenen ankündigten. Ihre Bildung war nicht regelmäßig,
aber auffallend; ihre Stirne geheimnisvoll, ihre Nase außerordentlich schön, und der Mund, ob er schon für ihr Alter zu
sehr geschlossen schien und sie manchmal mit den Lippen nach
einer Seite zuckte, noch immer treuherzig und reizend genug.
Ihre bräunliche Gesichtsfarbe konnte man durch die Schminke
kaum erkennen. Diese Gestalt prägte sich Wilhelmen sehr tief
ein; er sah sie noch immer an, schwieg und vergaß der Gegenwärtigen über seinen Betrachtungen. Philine weckte ihn aus
seinem Halbtraume, indem sie dem Kinde etwas übrig geblie-
benes Zuckerwerk reichte und ihm ein Zeichen gab, sich zu
entfernen. Es machte seinen Bückling, wie oben, und fuhr
blitzschnell zur Türe hinaus.

Als die Zeit nunmehr herbeikam, daß unsre neuen Bekannten
sich für diesen Abend trennen sollten, redeten sie vorher noch
eine Spazierfahrt auf den morgenden Tag ab. Sie wollten abermals an einem andern Orte, auf einem benachbarten Jäger-
hause, ihr Mittagsmahl einnehmen. Wilhelm sprach diesen
Abend noch manches zu Philinens Lobe, worauf Laertes nur
kurz und leichtsinnig antwortete.

Den andern Morgen, als sie sich abermals eine Stunde im
Fechten geübt hatten, gingen sie nach Philinens Gasthofe, vor
welchem sie die bestellte Kutsche schon hatten anfahren sehen.
Aber wie verwundert war Wilhelm, als die Kutsche verschwunden, und wie noch mehr, als Philine nicht zu Hause
anzutreffen war. Sie hatte sich, so erzählte man, mit ein paar
Fremden, die diesen Morgen angekommen waren, in den Wagen
gesetzt und war mit ihnen davongefahren. Unser Freund, der
sich in ihrer Gesellschaft eine angenehme Unterhaltung ver-

sprochen hatte, konnte seinen Verdruß nicht verbergen. Dagegen lachte Laertes und rief: So gefällt sie mir! Das sieht ihr ganz ähnlich! Lassen Sie uns nur gerade nach dem Jagdhause gehen; sie mag sein, wo sie will, wir wollen ihretwegen unsere Promenade nicht versäumen.

Als Wilhelm unterwegs diese Inkonsequenz des Betragens zu tadeln fortfuhr, sagte Laertes: Ich kann nicht inkonsequent finden, wenn jemand seinem Charakter treu bleibt. Wenn sie sich etwas vornimmt oder jemandem etwas verspricht, so geschieht es nur unter der stillschweigenden Bedingung, daß es ihr auch bequem sein werde, den Vorsatz auszuführen oder ihr Versprechen zu halten. Sie verschenkt gern, aber man muß immer bereit sein, ihr das Geschenkte wiederzugeben.

Dies ist ein seltsamer Charakter, versetzte Wilhelm.

Nichts weniger als seltsam, nur daß sie keine Heuchlerin ist. Ich liebe sie deswegen, ja ich bin ihr Freund, weil sie mir das Geschlecht so rein darstellt, das ich zu hassen so viel Ursache habe. Sie ist mir die wahre Eva, die Stamm-Mutter des weiblichen Geschlechts; so sind alle, nur wollen sie es nicht Wort haben.

Unter mancherlei Gesprächen, in welchen Laertes seinen Haß gegen das weibliche Geschlecht sehr lebhaft ausdrückte, ohne jedoch die Ursache davon anzugeben, waren sie in den Wald gekommen, in welchen Wilhelm sehr verstimmt eintrat, weil die Äußerungen des Laertes ihm die Erinnerung an sein Verhältnis zu Mariannen wieder lebendig gemacht hatten. Sie fanden nicht weit von einer beschatteten Quelle, unter herrlichen alten Bäumen, Philinen allein an einem steinernen Tische sitzen. Sie sang ihnen ein lustiges Liedchen entgegen, und als Laertes nach ihrer Gesellschaft fragte, rief sie aus: Ich habe sie schön angeführt; ich habe sie zum besten gehabt, wie sie es verdienten. Schon unterwegs setzte ich ihre Freigebigkeit auf die Probe, und da ich bemerkte, daß sie von den kargen Näschern waren, nahm ich mir gleich vor, sie zu bestrafen. Nach unsrer Ankunft fragten sie den Kellner, was zu haben sei, der mit der gewöhnlichen Geläufigkeit seiner Zunge alles, was da war, und mehr als da war, hererzählte. Ich sah ihre Verlegenheit, sie blickten einander an, stotterten und fragten nach dem Preise. Was bedenken Sie sich lange, rief ich aus, die Tafel ist das Geschäft eines Frauenzimmers, lassen Sie mich dafür sorgen. Ich fing darauf an, ein unsinniges Mittagmahl zu bestellen, wozu noch manches durch Boten aus der Nachbarschaft geholt werden sollte. Der Kellner, den ich durch ein paar schiefe Mäuler zum Vertrauten gemacht hatte, half mir endlich, und so haben wir sie durch die Vorstellung eines herrlichen Gastmahls dergestalt geängstigt, daß sie sich kurz und gut zu einem Spaziergange in den Wald entschlossen, von dem sie wohl schwerlich zurückkommen werden. Ich habe eine Viertelstunde auf meine eigene Hand gelacht und werde lachen, so oft ich an die Gesichter denke. Bei Tische erinnerte sich Laertes an ähnliche Fälle; sie kamen in den Gang, lustige Geschichten, Mißverständnisse und Prellereien zu erzählen.

Ein junger Mann von ihrer Bekanntschaft aus der Stadt kam mit einem Buche durch den Wald geschlichen, setzte sich zu ihnen und rühmte den schönen Platz. Er machte sie auf das Rieseln der Quelle, auf die Bewegung der Zweige, auf die einfallenden Lichter und auf den Gesang der Vögel aufmerksam. Philine sang ein Liedchen vom Kuckuck, welches dem Ankömmling nicht zu behagen schien; er empfahl sich bald.

Wenn ich nur nichts mehr von Natur und Naturszenen hören sollte, rief Philine aus, als er weg war; es ist nichts unerträglicher, als sich das Vergnügen vorrechnen zu lassen, das man genießt. Wenn schön Wetter ist, geht man spazieren, wie man tanzt, wenn aufgespielt wird. Wer mag aber nur einen Augenblick an die Musik, wer ans schöne Wetter denken? Der Tänzer interessiert uns, nicht die Violine, und in ein Paar schöne schwarze Augen zu sehen, tut einem Paar blauen Augen gar zu wohl. Was sollen dagegen Quellen und Brunnen und alte morsche Linden! Sie sah, indem sie so sprach, Wilhelmen, der ihr gegenübersaß, mit einem Blick in die Augen, dem er nicht wehren konnte, wenigstens bis an die Türe seines Herzens vorzudringen.

Sie haben recht, versetzte er mit einiger Verlegenheit, der Mensch ist dem Menschen das Interessanteste und sollte ihn vielleicht ganz allein interessieren. Alles andere, was uns umgibt, ist entweder nur Element, in dem wir leben, oder Werkzeug, dessen wir uns bedienen. Je mehr wir uns dabei aufhalten, je mehr wir darauf merken und teil daran nehmen, desto schwächer wird das Gefühl unseres eignen Wertes und das Gefühl der Gesellschaft. Die Menschen, die einen großen Wert auf Gärten, Gebäude, Kleider, Schmuck oder irgendein Besitztum legen, sind weniger gesellig und gefällig; sie verlieren die Menschen aus den Augen, welche zu erfreuen und zu versammeln nur sehr wenigen glückt. Sehn wir es nicht auch auf dem Theater? Ein guter Schauspieler macht uns bald eine elende, unschickliche Dekoration vergessen, dahingegen das schönste Theater den Mangel an guten Schauspielern erst recht fühlbar macht.

Nach Tische setzte Philine sich in das beschattete hohe Gras. Ihre beiden Freunde mußten ihr Blumen in Menge herbeischaffen. Sie wand sich einen vollen Kranz und setzte ihn auf; sie sah unglaublich reizend aus. Die Blumen reichten noch zu einem andern hin; auch den flocht sie, indem sich beide Männer neben sie setzten. Als er unter allerlei Scherz und Anspielungen

fertig geworden war, drückte sie ihn Wilhelmen mit der größten
Anmut aufs Haupt und rückte ihn mehr als einmal anders, bis
er recht zu sitzen schien. Und ich werde, wie es scheint, leer
ausgehen, sagte Laertes.

Mitnichten, versetzte Philine. Ihr sollt Euch keineswegs beklagen. Sie nahm *ihren* Kranz vom Haupte und setzte ihn
Laertes auf.

Wären wir Nebenbuhler, sagte dieser, so würden wir sehr
heftig streiten können, welchen von beiden du am meisten
begünstigst.

Da wärt ihr rechte Toren, versetzte sie, indem sie sich zu ihm
hinüberbog und ihm den Mund zum Kuß reichte, sich aber
sogleich umwendete, ihren Arm um Wilhelmen schlang und
einen lebhaften Kuß auf seine Lippen drückte. Welcher schmeckt
am besten? fragte sie neckisch.

Wunderlich! rief Laertes. Es scheint, als wenn so etwas
niemals nach Wermut schmecken könne.

So wenig, sagte Philine, als irgendeine Gabe, die jemand
ohne Neid und Eigensinn genießt. Nun hätte ich, rief sie aus,
noch Lust, eine Stunde zu tanzen, und dann müssen wir wohl
wieder nach unsern Springern sehen.

Man ging nach dem Hause und fand Musik daselbst. Philine,
die eine gute Tänzerin war, belebte ihre beiden Gesellschafter.
Wilhelm war nicht ungeschickt, allein es fehlte ihm an einer
künstlichen Übung. Seine beiden Freunde nahmen sich vor, ihn
zu unterrichten.

Man verspätete sich. Die Seiltänzer hatten ihre Künste schon
zu produzieren angefangen. Auf dem Platze hatten sich viele
Zuschauer eingefunden, doch war unsern Freunden, als sie
ausstiegen, ein Getümmel merkwürdig, das eine große Anzahl
Menschen nach dem Tore des Gasthofes, in welchem Wilhelm

eingekehrt war, hingezogen hatte. Wilhelm sprang hinüber, um
zu sehen, was es sei, und mit Entsetzen erblickte er, als er sich
durchs Volk drängte, den Herrn der Seiltänzergesellschaft, der
das interessante Kind bei den Haaren aus dem Hause zu schleppen
bemüht war und mit einem Peitschenstiel unbarmherzig auf
den kleinen Körper losschlug.

Wilhelm fuhr wie ein Blitz auf den Mann zu und faßte ihn
bei der Brust. Laß das Kind los! schrie er wie ein Rasender,
oder einer von uns bleibt hier auf der Stelle. Er faßte zugleich
den Kerl mit einer Gewalt, die nur der Zorn geben kann, bei
der Kehle, daß dieser zu ersticken glaubte, das Kind losließ und
sich gegen den Angreifenden zu verteidigen suchte. Einige Leute,
die mit dem Kinde Mitleiden fühlten, aber Streit anzufangen
nicht gewagt hatten, fielen dem Seiltänzer sogleich in die Arme,
entwaffneten ihn und drohten ihm mit vielen Schimpfreden.
Dieser, der sich jetzt nur auf die Waffen seines Mundes re-
duziert sah, fing gräßlich zu drohen und zu fluchen an: die
faule, unnütze Kreatur wolle ihre Schuldigkeit nicht tun; sie
verweigere, den Eiertanz zu tanzen, den er dem Publiko ver-
sprochen habe; er wolle sie totschlagen, und es solle ihn niemand
daran hindern. Er suchte sich loszumachen, um das Kind, das
sich unter der Menge verkrochen hatte, aufzusuchen. Wilhelm
hielt ihn zurück und rief: Du sollst nicht eher dieses Geschöpf
weder sehen noch berühren, bis du vor Gericht Rechenschaft
gibst, wo du es gestohlen hast; ich werde dich aufs Äußerste
treiben; du sollst mir nicht entgehen. Diese Rede, welche Wilhelm in der Hitze, ohne Gedanken und Absicht, aus einem
dunklen Gefühl oder, wenn man will, aus Inspiration ausgesprochen hatte, brachte den wütenden Menschen auf einmal zur
Ruhe. Er rief: Was hab' ich mit der unnützen Kreatur zu
schaffen! Zahlen Sie mir, was mich ihre Kleider kosten, und

Sie mögen sie behalten; wir wollen diesen Abend noch einig werden. Er eilte darauf, die unterbrochene Vorstellung fortzusetzen und die Unruhe des Publikums durch einige bedeutende Kunststücke zu befriedigen.

Wilhelm suchte nunmehr, da es stille geworden war, nach dem Kinde, das sich aber nirgends fand. Einige wollten es auf dem Boden, andere auf den Dächern der benachbarten Häuser gesehen haben. Nachdem man es allerorten gesucht hatte, mußte man sich beruhigen und abwarten, ob es nicht von selbst wieder herbeikommen wolle.

Indes war Narciß nach Hause gekommen, welchen Wilhelm über die Schicksale und die Herkunft des Kindes befragte. Dieser wußte nichts davon, denn er war nicht lange bei der Gesellschaft; erzählte dagegen mit großer Leichtigkeit und vielem Leichtsinne seine eigenen Schicksale. Als ihm Wilhelm zu dem großen Beifall Glück wünschte, dessen er sich zu erfreuen hatte, äußerte er sich sehr gleichgültig darüber. Wir sind gewohnt, sagte er, daß man über uns lacht und unsre Künste bewundert; aber wir werden durch den außerordentlichen Beifall um nichts gebessert. Der Entrepreneur zahlt uns und mag sehen, wie er zurechtkommt. Er beurlaubte sich darauf und wollte sich eilig entfernen.

Auf die Frage, wo er so schnell hinwolle, lächelte der junge Mensch und gestand, daß seine Figur und Talente ihm einen solidern Beifall zugezogen, als der des großen Publikums sei. Er habe von einigen Frauenzimmern Botschaft erhalten, die sehr eifrig verlangten, ihn näher kennen zu lernen, und er fürchte, mit den Besuchen, die er abzulegen habe, vor Mitternacht kaum fertig zu werden. Er fuhr fort, mit der größten Aufrichtigkeit seine Abenteuer zu erzählen, und hätte die Namen, Straßen und Häuser angezeigt, wenn nicht Wilhelm eine solche Indiskretion abgelehnt und ihn höflich entlassen hätte.

Laertes hatte indessen Landrinetten unterhalten und versicherte, sie sei vollkommen würdig, ein Weib zu sein und zu bleiben.

Nun ging die Unterhandlung mit dem Entrepreneur wegen des Kindes an, das unserm Freunde für dreißig Taler überlassen wurde, gegen welche der schwarzbärtige heftige Italiener seine Ansprüche völlig abtrat, von der Herkunft des Kindes aber weiter nichts bekennen wollte, als daß er solches nach dem Tode seines Bruders, den man wegen seiner außerordentlichen Geschicklichkeit den großen Teufel genannt, zu sich genommen habe.

Der andere Morgen ging meist mit Aufsuchen des Kindes hin. Vergebens durchkroch man alle Winkel des Hauses und der Nachbarschaft; es war verschwunden, und man fürchtete, es möchte in ein Wasser gesprungen sein oder sich sonst ein Leids angetan haben.

Philinens Reize konnten die Unruhe unsers Freundes nicht ableiten. Er brachte einen traurigen, nachdenklichen Tag zu. Auch des Abends, da Springer und Tänzer alle ihre Kräfte aufboten, um sich dem Publiko aufs beste zu empfehlen, konnte sein Gemüt nicht erheitert und zerstreut werden.

Durch den Zulauf aus benachbarten Ortschaften hatte die Anzahl der Menschen außerordentlich zugenommen, und so wälzte sich auch der Schneeball des Beifalls zu einer ungeheuren Größe. Der Sprung über die Degen und durch das Faß mit papiernen Böden machte eine große Sensation. Der starke Mann ließ zum allgemeinen Grausen, Entsetzen und Erstaunen, indem er sich mit dem Kopf und den Füßen auf ein paar auseinandergeschobene Stühle legte, auf seinen hohlschwebenden Leib einen Amboß heben und auf demselben von einigen wackern Schmiedegesellen ein Hufeisen fertigschmieden.

Auch war die sogenannte Herkules-Stärke — da eine Reihe Männer, auf den Schultern einer ersten Reihe stehend, abermals Frauen und Jünglinge trägt, so daß zuletzt eine lebendige Pyramide entsteht, deren Spitze ein Kind, auf den Kopf gestellt, als Knopf und Wetterfahne ziert — in diesen Gegenden noch nie gesehen worden und endigte würdig das ganze Schauspiel. Narciß und Landrinette ließen sich in Tragsesseln auf den Schultern der übrigen durch die vornehmsten Straßen der Stadt unter lautem Freudengeschrei des Volks tragen. Man warf ihnen Bänder, Blumensträuße und seidene Tücher zu und drängte sich, sie ins Gesicht zu fassen. Jedermann schien glücklich zu sein, sie anzusehn und von ihnen eines Blicks gewürdigt zu werden.

Welcher Schauspieler, welcher Schriftsteller, ja welcher Mensch überhaupt würde sich nicht auf dem Gipfel seiner Wünsche sehen, wenn er durch irgendein edles Wort oder eine gute Tat einen so allgemeinen Eindruck hervorbrächte? Welche köstliche Empfindung müßte es sein, wenn man gute, edle, der Menschheit würdige Gefühle ebenso schnell durch einen elektrischen Schlag ausbreiten, ein solches Entzücken unter dem Volke erregen könnte, als diese Leute durch ihre körperliche Geschicklichkeit getan haben; wenn man der Menge das Mitgefühl alles Menschlichen geben, wenn man sie mit der Vorstellung des Glücks und Unglücks, der Weisheit und Torheit, ja des Unsinns und der Albernheit entzünden, erschüttern und ihr stockendes Innere in freie, lebhafte und reine Bewegung setzen könnte! So sprach unser Freund, und da weder Philine noch Laertes gestimmt schienen, einen solchen Diskurs fortzusetzen, unterhielt er sich allein mit diesen Lieblingsbetrachtungen, als er bis spät in die Nacht um die Stadt spazierte und seinen alten Wunsch, das Gute, Edle, Große durch das Schauspiel zu versinnlichen, wieder einmal mit aller Lebhaftigkeit und aller Freiheit einer losgebundenen Einbildungskraft verfolgte.

„Es ist einmal gegen mich bemerkt worden, daß ich nur das Kleine bilde und daß meine Menschen stets gewöhnliche Menschen seien." So beginnt Stifter [5] seine Vorrede zu der Novellensammlung „Bunte Steine". Er lehnt diesen Vorwurf nicht ab, im Gegenteil, er nimmt ihn an und erklärt ihn als einen Vorzug: „Das Wehen der Luft, das Rieseln des Wassers, das Wachsen der Getreide, das Wogen des Meeres, das Grünen der Erde, das Glänzen des Himmels, das Schimmern der Gestirne halte ich für groß . . . Ein ganzes Leben voll Gerechtigkeit, Einfachheit, Bezwingung seiner selbst, Verstandesgemäßheit, Wirksamkeit in seinem Kreise, Bewunderung des Schönen, verbunden mit einem heiteren, gelassenen Streben, halte ich für groß . . ." — Die Natur und der Mensch, nicht als Ausnahmen sondern als Norm und tägliche Erfahrung, sind der Gegenstand von Stifters Kunst. Nicht wie Goethe macht er das Schicksal eines Menschen zum Zentrum der Dichtung, sondern Mensch und Natur sind ihm gleich wichtig. Der Mensch lebt in der Natur, erlebt die Natur; die Natur erzeugt, erhält und empfängt ihn wieder nach seinem Tode. Mensch und Natur sind eine Einheit. Und über beiden waltet die Gottheit. Als Ausdruck ihres Willens sind sie geheimnisvoll und schön; ihr Wille aber offenbart sich am klarsten in einer stillen, ruhigen Entwicklung, wo auch das Kleinste seine Bedeutung erhält und das Große sich harmonisch mit dem Kleinen verbindet.

Diese Weltanschauung muß in der Dichtung zur epischen

Darstellung führen. Stifter hat nichts geschrieben, was nicht ganz von diesem epischen Geiste durchdrungen wäre. Wir geben als Beispiel die Erzählung „Bergkristall" aus der Sammlung „Bunte Steine". Auch in der gekürzten Form kommt darin die Stiftersche Epik voll zur Geltung.

BERGKRISTALL *

ADALBERT STIFTER

In den hohen Gebirgen unseres Vaterlandes steht ein Dörfchen mit einem kleinen, aber sehr spitzigen Kirchturme, der mit seiner roten Farbe, mit welcher die Schindeln bemalt sind, aus dem Grün vieler Obstbäume hervorragt und wegen derselben roten Farbe in dem duftigen und blauen Dämmern der Berge weithin ersichtlich ist. Gegen Mittag sieht man von dem Dorfe einen Schneeberg, der mit seinen glänzenden Hörnern fast oberhalb der Hausdächer zu sein scheint, aber in der Tat doch nicht so nahe ist. Er sieht das ganze Jahr, Sommer und Winter, mit seinen vorstehenden Felsen und mit seinen weißen Flächen in das Tal herab. Als das auffallendste, was sie in ihrer Umgebung haben, ist der Berg der Gegenstand der Betrachtung der Bewohner, und er ist der Mittelpunkt vieler Geschichten geworden. Es lebt kein Mann und Greis in dem Dorfe, der nicht von den Zacken und Spitzen des Berges, von seinen Eisspalten und Höhlen, von seinen Wassern etwas zu erzählen wüßte, was er entweder selbst erfahren oder von einem andern erzählen gehört hat.

Das Dörflein heißt Gschaid und der Schneeberg, der auf seine Häuser herabschaut, heißt Gars.

* Aus „Bunte Steine"; gekürzt.

Jenseits dieses Berges und mit Gschaid durch einen Höhenweg verbunden liegt ein viel schöneres und blühenderes Tal.
Es hat an seinem Eingange einen stattlichen Marktflecken
Millsdorf. Die Bewohner sind viel wohlhabender als die in
Gschaid, und obwohl nur drei Wegstunden zwischen den
beiden Tälern liegen, was für die an große Entfernungen ge-
wöhnten und Mühseligkeiten liebenden Gebirgsbewohner eine
unbedeutende Kleinigkeit ist, so sind doch Sitten und Gewohn-
heiten in den beiden Tälern so verschieden, selbst der äußere
Anblick derselben ist so ungleich, als ob eine große Anzahl
Meilen zwischen ihnen läge. Das ist in Gebirgen sehr oft der
Fall und hängt nicht nur von der verschiedenen Lage der
Täler gegen die Sonne ab, die sie oft mehr oder weniger be-
günstigt, sondern auch von dem Geiste der Bewohner, der durch
gewisse Beschäftigungen nach dieser oder jener Richtung gezogen wird. Darin stimmen aber alle überein, daß sie an Herkömmlichkeit und Väterweise hängen, großen Verkehr leicht
entbehren, ihr Tal außerordentlich lieben und ohne dasselbe
kaum leben können.

Es vergehen oft Monate, oft fast ein Jahr, ehe ein Bewohner
von Gschaid in das jenseitige Tal hinüberkommt. Die Millsdorfer halten es ebenso.

Unter den Gewerben des Dorfes, welche bestimmt sind, den
Bedarf des Tales zu decken, ist auch das eines Schusters. Der
Schuster ist, ehe er sein Gewerbe ausgeübt hat, ein Gemsenwildschütze gewesen und hat überhaupt in seiner Jugend, wie die
Gschaider sagen, nicht gut getan. Er war in der Schule immer
einer der besten Schüler gewesen, hatte dann von seinem Vater
das Handwerk gelernt, ist auf Wanderung gegangen und ist
endlich wieder zurückgekehrt. Statt, wie es sich für einen Gewerbsmann geziemt und wie sein Vater es Zeitlebens getan,

einen schwarzen Hut zu tragen, tat er einen grünen auf, steckte
noch alle bestehenden Federn darauf und stolzierte mit ihm und
mit dem kürzesten Lodenrocke, den es im Tale gab, herum.
Er war auf allen Tanzplätzen und Kegelbahnen zu sehen.
Wenn ihm jemand eine gute Lehre gab, so pfiff er ein Liedlein.
Er ging auf alle Jagden, die in der Gegend abgehalten wurden,
und hatte sich den Namen eines guten Schützen erworben. Er
ging aber auch manchmal allein mit seiner Doppelbüchse und
mit Steigeisen fort, und einmal sagte man, daß er eine schwere
Wunde im Kopfe erhalten habe.

In Millsdorf war ein Färber, welcher mit vielen Leuten und
sogar, was im Tale etwas Unerhörtes war, mit Maschinen
arbeitete. Außerdem besaß er noch eine ausgebreitete Feldwirtschaft. Zu der Tochter dieses reichen Färbers ging der Schuster
über das Gebirge, um sie zu gewinnen. Sie war wegen ihrer
Schönheit weit und breit berühmt, aber auch wegen ihrer Sittsamkeit und Häuslichkeit belobt. Dennoch, hieß es, soll der
Schuster ihre Aufmerksamkeit erregt haben. Der Färber ließ
ihn nicht in sein Haus kommen; und hatte die schöne Tochter
schon früher keine öffentlichen Plätze und Lustbarkeiten besucht und war selten außer dem Hause ihrer Eltern zu sehen
gewesen, so ging sie jetzt schon gar nirgends mehr hin als
in die Kirche oder in ihrem Garten oder in den Räumen des
Hauses herum.

Einige Zeit nach dem Tode seiner Eltern, durch welchen ihm
das Haus derselben zugefallen war, das er nun allein bewohnte,
änderte sich der Schuster gänzlich. So wie er früher getollt
hatte, so saß er jetzt in seiner Stube und hämmerte Tag und
Nacht an seinen Sohlen. Wirklich brachte er es jetzt auch
dahin, daß nicht nur das ganze Dorf Gschaid bei ihm arbeiten
ließ, daß das ganze Tal bei ihm arbeiten ließ, und daß endlich

sogar Einzelne von Millsdorf und anderen Tälern hereinkamen
und sich ihre Fußbekleidungen von dem Schuster in Gschaid
machen ließen.

Er richtete das Haus sehr schön zusammen, und in dem
Warengewölbe glänzten auf den Brettern die Schuhe, Bundstiefel und Stiefel; und wenn am Sonntage die ganze Bevölkerung des Tales hereinkam und man bei den vier Linden des
Platzes stand, ging man gerne zu dem Schusterhause hin und
sah durch die Gläser in die Warenstube, wo die Käufer und
Besteller waren.

Wenn die schöne Färberstochter von Millsdorf auch nicht
aus der Eltern Hause kam, wenn sie auch weder Freunde noch
Verwandte besuchte, so konnte es der Schuster von Gschaid doch
so machen, daß sie ihn von ferne sah, wenn sie in die Kirche
ging, wenn sie in dem Garten war, und wenn sie aus den Fenstern ihres Zimmers auf die Matten blickte. Wegen dieses unaus-
gesetzten Sehens hatte es die Färberin durch langes, inständiges
und ausdauerndes Flehen für ihre Tochter dahin gebracht, daß
der halsstarrige Färber nachgab und daß der Schuster, weil er
denn nun doch besser geworden, die schöne, reiche Millsdorferin
als Eheweib nach Gschaid führte.

Weil die Bewohner von Gschaid so selten aus ihrem Tale
kommen und nicht einmal oft nach Millsdorf hinüber gehen,
von dem sie durch Bergrücken und durch Sitten geschieden
sind, so geschah es, daß die schöne Färberstochter, als sie
Schusterin von Gschaid geworden war, doch immer von allen
Gschaidern als Fremde angesehen wurde, und wenn man ihr
auch nichts Übles antat, ja wenn man sie ihres schönen Wesens
und ihrer Sitten wegen sogar liebte, doch immer etwas vorhanden war, das wie Scheu oder, wenn man will, wie Rücksicht
aussah. Es war so, ließ sich nicht abstellen und wurde durch die

bessere Tracht und durch das erleichterte häusliche Leben der Schusterin noch vermehrt.

Sie hatte ihrem Manne nach dem ersten Jahre einen Sohn und in einigen Jahren darauf ein Töchterlein geboren. Sie glaubte aber, daß er die Kinder nicht so liebe, wie sie sich vorstellte, daß es sein solle, und wie sie sich bewußt war, daß sie dieselben liebe; denn sein Angesicht war meistens ernsthaft und mit seinen Arbeiten beschäftigt. Er spielte und tändelte selten mit den Kindern und sprach stets ruhig mit ihnen, gleichsam so, wie man mit Erwachsenen spricht.

In der ersten Zeit der Ehe kam die Färberin öfter nach Gschaid und die jungen Eheleute besuchten auch Millsdorf zuweilen. Als aber die Kinder auf der Welt waren, war die Sache anders geworden. Da das Alter und die Gesundheit der Großmutter öftere Fahrten nicht mehr möglich machte, kamen die Kinder jetzt zur Großmutter. Die Mutter brachte sie selber öfter in einem Wagen, öfter aber wurden sie, da sie noch im zarten Alter waren, eingemummt einer Magd mitgegeben, die sie in einem Fuhrwerke über die Höhe brachte. Als sie aber größer waren, gingen sie zu Fuße entweder mit der Mutter oder mit einer Magd nach Millsdorf, ja, da der Knabe geschickt, stark und klug geworden war, ließ man ihn allein den bekannten Weg gehen, und wenn es sehr schön war und er bat, erlaubte man auch, daß ihn die kleine Schwester begleite. Dies ist bei den Gschaidern gebräuchlich, weil sie an starkes Fußgehen gewöhnt sind und die Eltern überhaupt, namentlich aber ein Mann wie der Schuster, es gerne sehen und eine Freude daran haben, wenn ihre Kinder tüchtig werden.

So geschah es, daß die zwei Kinder den Weg über die Höhe öfter zurücklegten als die übrigen Dörfler zusammen genommen, und da schon ihre Mutter in Gschaid immer gewissermaßen wie eine Fremde behandelt wurde, so wurden durch diesen Umstand auch die Kinder fremd; sie waren kaum Gschaider und gehörten halb nach Millsdorf hinüber. —

Einmal am Tage vor Weihnachten, da die erste Morgendämmerung in dem Tale von Gschaid in Helle übergegangen war, sagte die Schusterfrau zu ihren Kindern:

„Weil ein so angenehmer Tag ist, weil es so lange nicht geregnet hat und die Wege fest sind, und weil es auch der Vater gestern unter der Bedingung erlaubt hat, wenn der heutige Tag dazu geeignet ist, so dürft ihr zur Großmutter nach Millsdorf gehen. Aber ihr müßt den Vater noch vorher fragen."

Die Kinder, welche noch in ihren Nachtkleidern da standen, liefen in die Nebenstube, in welcher der Vater mit einem Kunden sprach, und baten um die Wiederholung der gestrigen Erlaubnis, weil ein so schöner Tag sei. Sie wurde ihnen erteilt, und sie liefen wieder zur Mutter zurück.

Die Schusterfrau zog nun das Mädchen mit dichten, gut verwahrenden Kleidern an. Der Knabe begann sich selbst anzukleiden und stand viel früher fertig da. Dann sagte die Mutter: „Konrad, gib mir wohl acht: weil ich dir das Mädchen mitgehen lasse, so müßt ihr bei Zeiten fortgehen, ihr müßt an keinem Platze stehen bleiben, und wenn ihr bei der Großmutter gegessen habt, so müßt ihr gleich wieder umkehren und nach Hause trachten; denn die Tage sind jetzt sehr kurz, und die Sonne geht bald unter."

„Ich weiß es schon, Mutter", sagte Konrad.

„Und siehe gut auf Sanna, daß sie nicht fällt oder sich erhitzt."

„Ja, Mutter."

„So, Gott behüte euch, und geht noch zum Vater und sagt,

daß ihr jetzt fortgeht." Von der Mutter mit einem Kreuze gesegnet, hüpften die Kinder fröhlich auf die Gasse.

In dem ganzen Tale war kein Schnee, die größeren Berge waren damit bedeckt, die kleineren standen in dem Mantel ihrer Tannenwälder und im Fahlrot ihrer entblößten Zweige unbeschneit und ruhig da. Der Boden war noch nicht gefroren. Gegen die Grenzen der Wiesen zu war ein Gebirgsbach, über welchen ein hoher Steg führte. Die Kinder gingen über den Steg, liefen durch die Gründe fort und näherten sich immer mehr den Waldungen. Als sie in die höheren Wälder hinaufgekommen waren, zeigten sich die langen Furchen des Fahrweges nicht mehr weich, wie es unten im Tale der Fall gewesen war, sondern sie waren fest und zwar nicht aus Trockenheit, sondern, wie die Kinder sich bald überzeugten, weil sie gefroren waren. Als sie nach Verlauf einer Stunde auf der Höhe angekommen waren, war der Boden bereits so hart, daß er klang und Schollen wie Steine hatte.

Abermal nach einer Stunde wichen die dunkeln Wälder zu beiden Seiten zurück, Birken und Gebüschgruppen empfingen sie, geleiteten sie weiter, und nach kurzem liefen die Kinder auf den Wiesen in das Millsdorfer Tal hinab.

Die Großmutter hatte sie kommen sehen, war ihnen entgegengegangen, nahm Sanna bei den erfrorenen Händchen und führte sie in die Stube. Sie nahm ihnen die wärmeren Kleider ab, sie ließ im Ofen nachlegen und fragte sie, wie es ihnen im Herübergehen gegangen sei.

Als sie hierauf die Antwort erhalten hatte, sagte sie: „Es freut mich gar sehr, daß ihr wieder gekommen seid. Aber heute müßt ihr bald fort, der Tag ist kurz, und es wird auch kälter. Am Morgen war es in Millsdorf nicht gefroren."

„In Gschaid auch nicht", sagte der Knabe.

„Siehst du, darum müßt ihr euch sputen, daß euch gegen Abend nicht zu kalt wird", antwortete die Großmutter.

Hierauf fragte sie, was die Mutter mache, was der Vater mache, und ob nichts Besonderes in Gschaid geschehen sei.

Nach diesen Fragen bekümmerte sie sich um das Essen, sorgte, daß es früher bereitet wurde als gewöhnlich und richtete selber den Kindern kleine Leckerbissen zusammen. Dann wurde der Färber gerufen, die Kinder bekamen an dem Tische aufgedeckt wie große Personen und aßen nun mit Großvater und Großmutter, und die letztere legte ihnen hierbei besonders Gutes vor. Nach dem Essen streichelte sie Sannas unterdessen sehr rot gewordene Wangen.

Hierauf ging sie geschäftig hin und her und steckte das Kalbfellränzchen des Knaben voll und steckte ihm noch allerlei in die Taschen. Auch in die Täschchen von Sanna tat sie allerlei Dinge. Sie gab jedem ein Stück Brot, es auf dem Wege zu verzehren, und in dem Ränzchen, sagte sie, seien noch zwei Weißbrote, wenn etwa der Hunger zu groß würde.

„Für die Mutter habe ich einen gut gebrannten Kaffee mitgegeben," sagte sie, „und in dem Fläschchen befindet sich auch ein schwarzer Kaffeeaufguß, ein besserer, als die Mutter bei euch gewöhnlich macht. Er ist eine wahre Arznei, so kräftig, daß nur ein Schlückchen den Magen so wärmt, daß es den Körper in den kältesten Wintertagen nicht frieren kann."

Da sie noch ein Weilchen mit den Kindern geredet hatte, sagte sie, daß sie gehen sollten.

„Habe acht, Sanna," sagte sie, „daß du nicht frierst, erhitze dich nicht. Kommt etwa gegen Abend ein Wind, da müßt ihr langsamer gehen. Grüßet Vater und Mutter und sagt, sie sollen recht glückliche Feiertage haben."

Die Großmutter küßte beide Kinder auf die Wangen und schob sie durch die Tür hinaus. Nichtsdestoweniger ging sie aber auch selber mit, geleitete sie durch den Garten, ließ sie durch das Hinterpförtchen hinaus, schloß wieder und ging in das Haus zurück.

Die Kinder gingen durch die Millsdorfer Felder und wendeten sich gegen die Wiesen hinan. Als sie auf den Anhöhen gingen, wo zerstreute Bäume und Gebüschgruppen standen, fielen äußerst langsam einzelne Schneeflocken.

„Siehst du, Sanna," sagte der Knabe, „ich habe es gleich gedacht, daß wir Schnee bekommen. Weißt du, da wir von Hause weggingen, sahen wir die Sonne, die so blutrot war wie eine Lampe bei dem heiligen Grabe, und jetzt ist nichts mehr von ihr zu erblicken, und nur der graue Nebel ist über den Baumwipfeln oben. Das bedeutet allemal Schnee."

Die Kinder gingen freudiger fort, und Sanna war recht froh, wenn sie mit dem dunkeln Ärmel ihres Röckchens eine der fallenden Flocken auffangen konnte, und wenn dieselbe recht lange nicht auf dem Ärmel zerfloß. Sie gingen nunmehr in den dicken Wald hinein, der den größten Teil ihrer noch bevorstehenden Wanderung einnahm.

Das erste, was die Kinder sahen, als sie die Waldung betraten, war, daß der gefrorene Boden sich grau zeigte, als ob er mit Mehl besät wäre, daß die Fahne manches dünnen Halmes des am Wege hin und zwischen den Bäumen stehenden dürren Grases mit Flocken beschwert war, und daß auf den verschiedenen grünen Zweigen der Tannen und Fichten, die sich wie Hände öffneten, schon weiße Flämmchen saßen.

„Schneit es denn jetzt beim Vater zu Hause auch?" fragte Sanna.

„Freilich," antwortete der Knabe, „es wird auch kälter,

und du wirst sehen, daß morgen der ganze Teich gefroren ist."

„Ja, Konrad", sagte das Mädchen.

Es verdoppelte beinahe seine kleinen Schritte, um mit denen des dahinschreitenden Knaben gleich bleiben zu können.

Sie gingen nun rüstig in den Windungen fort, jetzt von Abend nach Morgen, jetzt von Morgen nach Abend. Es war so stille, daß sich nicht ein Ästchen oder Zweig rührte, und die Schneeflocken fielen stets reichlicher, sodaß der ganze Boden schon weiß war, und daß auf dem Hute und den Kleidern des Knaben sowie auf denen des Mädchens der Schnee lag.

Von den Vögeln, deren doch manche zuweilen auch im Winter in dem Walde hin und her fliegen, und von denen die Kinder im Herübergehen sogar mehrere zwitschern gehört hatten, war nichts zu vernehmen, sie sahen auch keine auf irgend einem Zweige sitzen oder fliegen, und der ganze Wald war gleichsam ausgestorben.

Weil nur die bloßen Fußstapfen der Kinder hinter ihnen blieben, und weil vor ihnen der Schnee rein und unverletzt war, so war daraus zu erkennen, daß sie die einzigen waren, die heute über die Höhe gingen.

Ihre Freude wuchs noch immer. Denn die Flocken fielen stets dichter. Von der Härte des Weges oder gar von Furchen war nichts zu empfinden, der Weg war vom Schnee überall gleich weich und war überhaupt nur daran zu erkennen, daß er als ein gleichmäßiger weißer Streifen in dem Walde fort lief. Auf allen Zweigen lag schon die schöne weiße Hülle.

Der von der Großmutter vorausgesagte Wind war noch immer nicht gekommen; aber dafür wurde der Schneefall nach und nach so dicht, daß auch nicht mehr die nächsten Bäume

zu erkennen waren, sondern daß sie wie neblige Säcke in der
Luft standen.

Die Kinder duckten die Köpfe dichter in ihre Kleider und
gingen fort. Sanna nahm den Riemen, an welchem Konrad die
Kalbfelltasche um die Schulter hängen hatte, mit den Händchen,
hielt sich daran, und so gingen sie ihres Weges.

Die hinter ihnen liegenden Fußstapfen waren jetzt nicht
mehr lange sichtbar; denn die ungemeine Fülle des herabfal-
lenden Schnees deckte sie bald zu, daß sie verschwanden. Sie
gingen sehr schleunig, und der Weg führte noch immer aufwärts.

Nach langer Zeit war noch immer die Höhe nicht erreicht,
von wo der Weg gegen die Gschaider Seite sich hinunter
wenden mußte.

Endlich kamen die Kinder in eine Gegend, in welcher keine
Bäume standen.

„Ich sehe keine Bäume mehr", sagte Sanna.

„Vielleicht ist nur der Weg so breit, daß wir sie wegen des
Schneiens nicht sehen können", antwortete der Knabe.

„Ja, Konrad", sagte das Mädchen.

Nach einer Weile blieb der Knabe stehen und sagte: „Ich
sehe selber keine Bäume mehr, wir müssen aus dem Walde
gekommen sein, auch geht der Weg immer bergan. Wir wollen
ein wenig stehen bleiben und herum sehen, vielleicht erblicken
wir etwas."

Aber sie erblickten nichts. Sie sahen durch einen trüben Raum
in den Himmel. Auf der Erde sahen sie nur einen runden Fleck
Weiß und dann nichts mehr.

„Weißt du, Sanna," sagte der Knabe, „wir sind auf dem
Grase, auf welches ich dich oft im Sommer heraufgeführt habe,

wo wir saßen und wo die schönen Kräuterbüschel wachsen.
Wir werden da jetzt gleich rechts hinabgehen!"

„Ja, Konrad."

„Der Tag ist kurz, wie die Großmutter gesagt hat und wie
du auch wissen wirst, wir müssen uns daher sputen."

„Ja, Konrad", sagte das Mädchen.

„Warte ein wenig, ich will dich besser einrichten", erwiderte
der Knabe.

Er nahm seinen Hut ab, setzte ihn Sanna auf das Haupt und
befestigte ihn mit den beiden Händchen unter ihrem Kinn. Das
Tüchlein, welches sie um hatte, schützte sie zu wenig, während
auf seinem Haupte eine solche Menge dichter Locken waren,
daß noch lange Schnee darauf fallen konnte, ehe Nässe und
Kälte durchzudringen vermochten. Dann zog er sein Pelzjäckchen aus und zog dasselbe über die Ärmelein der Schwester.
Um seine eigenen Schultern und Arme, die jetzt das bloße
Hemd zeigten, band er das kleinere Tüchlein, das Sanna über
der Brust und das größere, das sie über die Schultern gehabt
hatte. Das sei für ihn genug, dachte er, wenn er nur stark auf-
trete, werde ihn nicht frieren.

Er nahm das Mädchen bei der Hand, und so gingen sie jetzt
fort. Sie gingen nun mit der Unablässigkeit und Kraft, die
Kinder und Tiere haben, weil sie nicht wissen, wieviel ihnen
beschieden ist, und wann ihr Vorrat erschöpft ist.

Aber wie sie gingen, so konnten sie nicht merken, ob sie
über den Berg hinabkämen oder nicht. Sie hatten gleich rechts
nach abwärts gebogen, allein sie kamen wieder in Richtungen,
die bergan führten. Sie erklommen Höhen, die sich unter ihren
Füßen steiler gestalteten, als sie dachten, und was sie für abwärts hielten, war wieder eben, oder es war eine Höhlung, oder
es ging immer gedehnt fort.

„Wo sind wir denn, Konrad?" fragte das Mädchen.

„Ich weiß es nicht", antwortete er. „Wenn ich nur mit diesen meinen Augen etwas zu erblicken imstande wäre, daß ich mich danach richten könnte."

Aber es war rings um sie nichts als das blendende Weiß.

„Warte, Sanna," sagte der Knabe, „wir wollen ein wenig stehen bleiben und horchen, ob wir nicht etwas hören können, was sich im Tale meldet, sei es nun ein Hund oder eine Glocke oder die Mühle, oder sei es ein Ruf, der sich hören läßt, hören müssen wir etwas, und dann werden wir wissen, wohin wir zu gehen haben."

Sie blieben nun stehen, aber sie hörten nichts. Sie blieben noch ein wenig länger stehen, aber es meldete sich nichts. Es war nicht ein einziger Laut, auch nicht der leiseste, außer ihrem Atem zu vernehmen, ja in der Stille, die herrschte, war es, als sollten sie den Schnee hören, der auf ihre Wimpern fiel. Die Voraussage der Großmutter hatte sich noch immer nicht erfüllt, der Wind war nicht gekommen, ja, was in diesen Gegenden selten ist, nicht das leiseste Lüftchen rührte sich an dem ganzen Himmel.

Nachdem sie lange gewartet hatten, gingen sie wieder fort.

„Es tut auch nichts, Sanna," sagte der Knabe, „sei nur nicht verzagt, folge mir, ich werde dich doch noch hinüber führen. — Wenn nur das Schneien aufhörte!"

Sie war nicht verzagt, sondern hob die Füßchen, so gut es gehen wollte, und folgte ihm. Er führte sie in dem weißen, lichten, regsamen, undurchsichtigen Raume fort.

Nach einer Weile sahen sie Felsen. Sie hoben sich dunkel und undeutlich aus dem weißen und undurchsichtigen Lichte empor. Sie stiegen wie eine Mauer hinauf und waren ganz gerade, sodaß kaum ein Schnee an ihrer Seite haften konnte.

Die Kinder gingen weiter, sie mußten zwischen die Felsen hinein und unter ihnen fort. Die Felsen ließen sie nicht rechts und nicht links ausweichen und führten sie in einem engen Wege dahin. Nach einiger Zeit verloren sie dieselben wieder und konnten sie nicht mehr erblicken. Es war wieder nichts um sie als das Weiß. Es schien eine große Lichtfülle zu sein, und doch konnte man nicht drei Schritte vor sich sehen. Alles war, wenn man so sagen darf, in eine einzige weiße Finsternis gehüllt.

„Mir tun die Augen weh", sagte Sanna.

„Schaue nicht auf den Schnee," antwortete der Knabe, „sondern in die Wolken. Mir tun sie schon lange weh; aber es tut nichts, ich muß doch auf den Schnee schauen, weil ich auf den Weg zu achten habe. Fürchte dich nur nicht, ich führe dich doch hinunter nach Gschaid."

„Ja, Konrad."

Sie gingen wieder fort. Aber wie sie auch gehen mochten, wie sie sich auch wenden mochten, es wollte kein Anfang zum Hinabwärtsgehen kommen. Sie merkten auch, daß ihr Fuß, wo er tiefer durch den jungen Schnee einsank, nicht erdigen Boden unter sich empfand, sondern etwas anderes, das wie älter gefrorener Schnee war. Wenn sie stehen blieben, war alles still, unermeßlich still. Wenn sie gingen, hörten sie das Rascheln ihrer Füße, sonst nichts; denn die Hüllen des Himmels sanken ohne Laut hernieder und so reich, daß man den Schnee hätte wachsen sehen können. Sie selbst waren so bedeckt, daß sie sich von dem allgemeinen Weiß nicht hervorhoben und sich, wenn sie um ein paar Schritte getrennt worden wären, nicht mehr gesehen hätten.

Eine Wohltat war es, daß der Schnee so trocken war wie Sand, sodaß er von ihren Füßen und den Bundschühlein und

Strümpfen daran leicht abglitt und abrieselte, ohne Ballen und Nässe zu machen.

Endlich gelangten sie wieder zu Gegenständen.

Es waren riesenhaft große, sehr durcheinander liegende Trümmer, die mit Schnee bedeckt waren. Sie gingen ganz hinzu, die Dinge anzublicken.

Es war Eis — lauter Eis.

„Da muß recht viel Wasser gewesen sein, weil so viel Eis ist", sagte Sanna.

„Nein, das ist von keinem Wasser," antwortete der Bruder, „das ist das Eis des Berges, das immer oben ist."

„Ja, Konrad", sagte Sanna.

„Wir sind jetzt bis zu dem Eise gekommen," sagte der Knabe, „wir sind auf dem Berge, Sanna, weißt du, den man von unserm Garten aus im Sonnenscheine so weiß sieht. Erinnerst du dich noch, wie wir oft nachmittags in dem Garten saßen, wie es recht schön war, wie die Bienen um uns summten, die Linden dufteten und die Sonne von dem Himmel schien?"

„Ja, Konrad, ich erinnere mich."

„Da sahen wir auch den Berg. Wir sahen, wie er so blau war, so blau wie das sanfte Firmament; wir sahen den Schnee, der oben ist, wenn auch bei uns Sommer war, eine Hitze herrschte und die Getreide reif wurden."

„Ja, Konrad."

„Und unten, wo der Schnee aufhört, da sieht man allerlei Farben, wenn man genau schaut, grün, blau, weißlich — das ist das Eis, das unten nur so klein ausschaut, weil man sehr weit entfernt ist, und das, wie der Vater sagte, nicht weggeht bis an das Ende der Welt. Und da habe ich oft gesehen, daß unterhalb des Eises die blaue Farbe noch weiter geht, das werden

Steine sein, dachte ich, oder es wird Eis und Weidegrund sein, und dann fangen die Wälder an, die gehen herab und immer weiter herab, man sieht auch allerlei Felsen in ihnen, dann folgen die Wiesen, die schon grün sind, und dann die grünen Laubwälder, und dann kommen unsere Wiesen und Felder, die in dem Tale von Gschaid sind. Siehst du nun, Sanna, weil wir jetzt bei dem Eise sind, so werden wir über die blaue Farbe hinabgehen, dann durch die Wälder, in denen die Felsen sind, dann über die Wiesen und dann durch die grünen Laubwälder, und dann werden wir in dem Tale von Gschaid sein und leicht unser Dorf finden."

„Ja, Konrad", sagte das Mädchen.

Die Kinder gingen nun in das Eis hinein. Sie waren winzig kleine wandelnde Punkte in diesen ungeheuren Stücken.

Sie gelangten in einen breiten, tiefgefurchten Graben, der gerade aus dem Eise hervorging. Er sah aus wie das Bett eines Stromes, der aber jetzt ausgetrocknet und überall mit frischem Schnee bedeckt war. Wo er aus dem Eise hervorkam, ging er gerade unter einem Gewölbe aus Eis heraus. Die Kinder gingen in dem Graben fort und gingen in das Gewölbe hinein und immer tiefer hinein. Es war ganz trocken, und unter ihren Füßen hatten sie glattes Eis. In der ganzen Höhle aber war es blau, so blau, wie gar nichts in der Welt ist, viel tiefer und viel schöner blau als das Firmament. Es wäre auch sehr gut in der Höhle gewesen, es war warm, es fiel kein Schnee; aber es war so schreckhaft blau, die Kinder fürchteten sich und gingen wieder hinaus. Sie gingen eine Weile in dem Graben fort und kletterten dann über seinen Rand hinaus.

„Wir werden jetzt von dem Eise abwärts laufen", sagte Konrad.

„Ja", sagte Sanna und klammerte sich an ihn an.

Sie schlugen von dem Eise eine Richtung durch den Schnee
abwärts ein, die in das Tal führen sollte. Aber sie kamen nicht
weit hinab. Ein neuer Strom von Eis, gleichsam ein riesenhafter
aufgetürmter Wall lag quer durch den weichen Schnee und
griff gleichsam mit Armen rechts und links um sie herum. Mit
dem Mute der Unwissenheit kletterten sie in das Eis hinein.
Sie nahmen die Hände zu Hilfe, krochen, wo sie nicht gehen
konnten, und arbeiteten sich mit ihren leichten Körpern hinauf,
bis sie die Seite des Walles überwunden hatten und oben waren.

Jenseits wollten sie wieder hinabklettern.

Aber es gab kein Jenseits.

So weit die Augen der Kinder reichen konnten, war lauter
Eis. Statt ein Wall zu sein, über den man hinübergehen konnte,
und der dann wieder von Schnee abgelöst wurde, wie sie sich
gedacht hatten, stiegen neue Wände von Eis empor, und hinter
ihnen waren wieder solche Wände und hinter diesen wieder
solche, bis der Schneefall das weitere mit seinem Grau verdeckte.

„Sanna, da können wir nicht gehen", sagte der Knabe.

„Nein", antwortete die Schwester.

„Da werden wir wieder umkehren und anderswo hinabzu-
kommen suchen."

„Ja, Konrad."

Die Kinder suchten nun von dem Eiswalle wieder da hinab-
zukommen, wo sie hinaufgeklettert waren, aber sie kamen nicht
hinab. Sie wandten sich hierhin und dorthin und konnten aus
dem Eise nicht herauskommen. Sie kletterten abwärts und kamen
wieder in Eis. Endlich, da der Knabe die Richtung immer verfolgte, in der sie nach seiner Meinung gekommen waren, gelangten sie in zerstreutere Trümmer, wie sie oft am Rande des
Eises zu sein pflegen, und gelangten kriechend und kletternd
hinaus. An dem Eisessaume waren ungeheure Steine, sie waren

gehäuft, wie die Kinder ihr Leben lang nicht gesehen hatten. Nicht weit von dem Standorte der Kinder standen mehrere gegen einander gelehnt, und über ihnen lagen breite Blöcke wie ein Dach. Es war ein Häuschen, das so gebildet war, das gegen vorne offen, rückwärts und an den Seiten aber geschützt war. Im Innern war es trocken, da der steile Schneefall keine einzige Flocke hineingetragen hatte. Die Kinder waren recht froh, daß sie nicht mehr in dem Eise waren und auf ihrer Erde standen.

Aber es war auch endlich finster geworden.

„Sanna," sagte der Knabe, „wir können nicht mehr hinabgehen, weil es Nacht geworden ist, und weil wir fallen oder gar in eine Grube geraten könnten. Wir werden da unter die Steine hineingehen, wo es so trocken und so warm ist, und da werden wir warten. Die Sonne geht bald wieder auf, dann laufen wir hinunter. Weine nicht, ich bitte dich recht schön, weine nicht, ich gebe dir alle Dinge zu essen, welche uns die Großmutter mitgegeben hat."

Sie weinte auch nicht, sondern nachdem sie beide unter das steinerne Überdach hinein gegangen waren, wo sie nicht nur bequem sitzen, sondern auch stehen und herumgehen konnten, setzte sie sich recht dicht an ihn und war mäuschenstille.

„Die Mutter", sagte Konrad, „wird nicht böse sein, wir werden ihr von dem vielen Schnee erzählen, der uns aufgehalten hat, und sie wird nichts sagen; der Vater auch nicht. Wenn uns kalt wird — weißt du — dann mußt du mit den Händen an deinen Leib schlagen, wie die Holzhauer tun, und dann wird dir wärmer werden."

„Ja, Konrad", sagte das Mädchen.

Jetzt machte sich auch der Hunger geltend. Beide nahmen fast zu gleicher Zeit ihre Brote aus den Taschen und aßen sie.

Sie aßen auch die kleinen Stückchen Kuchen, Mandeln und Nüsse und andere Kleinigkeiten, die die Großmutter ihnen in die Tasche gesteckt hatte.

„Sanna, jetzt müssen wir aber auch den Schnee von unseren Kleidern tun," sagte der Knabe, „daß wir nicht naß werden."

Sie gingen aus ihrem Häuschen, und zuerst reinigte Konrad das Schwesterlein von Schnee. Er nahm die Kleiderzipfel, schüttelte sie, nahm ihr den Hut ab, den er ihr aufgesetzt hatte, entleerte ihn vom Schnee, und was noch zurückgeblieben war, das stäubte er mit seinem Tuche ab. Dann entledigte er auch sich, so gut es ging, des auf ihm liegenden Schnees.

Der Schneefall hatte zu dieser Stunde ganz aufgehört. Die Kinder spürten keine Flocke.

Sie gingen wieder in die Steinhütte und setzten sich nieder. Das Aufstehen hatte ihnen ihre Müdigkeit erst recht gezeigt, und sie freuten sich auf das Sitzen. Konrad legte die Tasche aus Kalbfell ab. Er nahm die zwei Weißbrote heraus und reichte sie beide an Sanna. Das Kind aß begierig. Es aß eines der Brote und von dem zweiten auch noch einen Teil. Den Rest reichte es aber Konrad, da es sah, daß er nicht aß. Er nahm es und verzehrte es.

Von da an saßen die Kinder und schauten.

So weit sie in die Dämmerung zu sehen vermochten, lag überall der flimmernde Schnee. Bald war es ringsherum finster, nur der Schnee fuhr fort, mit seinem bleichen Lichte zu leuchten. Der Schneefall hatte aufgehört, und der Schleier an dem Himmel fing auch an, sich zu verdünnen und zu verteilen; denn die Kinder sahen ein Sternlein blitzen. Bald vermehrten sich auch die Sterne, jetzt kam hier einer zum Vorschein, jetzt dort, bis es schien, als wäre am ganzen Himmel keine Wolke mehr.

Das war der Zeitpunkt, in welchem man in den Tälern die

Lichter anzuzünden pflegt. Es erhellen sich alle Fenster von bewohnten Stuben und glänzen in die Schneenacht hinaus. Aber heute erst — am heiligen Abend — da wurden viel mehr angezündet, um die Gaben zu beleuchten, welche für die Kinder auf den Tischen lagen oder an den Christbäumen hingen. Der Knabe hatte geglaubt, daß man sehr bald von dem Berg hinabkommen könnte, und doch, von den vielen Lichtern, die heute in dem Tale brannten, kam nicht ein einziges zu ihnen herauf. In allen Tälern bekamen die Kinder in dieser Stunde die Geschenke des heiligen Christ: nur die zwei saßen oben am Rande des Eises.

Die Schneewolken waren ringsum hinter die Berge hinabgesunken, und ein ganz dunkelblaues, fast schwarzes Gewölbe spannte sich um die Kinder voll von dichten, brennenden Sternen.

Als eine lange Zeit vergangen war, sagte der Knabe: „Sanna, du mußt nicht schlafen; denn weißt du, wie der Vater gesagt hat, wenn man im Gebirge schläft, muß man erfrieren, so wie der alte Eschenjäger auch geschlafen hat und vier Monate tot auf dem Steine gesessen ist, ohne daß jemand gewußt hatte, wo er sei.“

„Nein, ich werde nicht schlafen“, sagte das Mädchen matt.

Konrad hatte es an dem Zipfel des Kleides geschüttelt, um es zu erwecken. Nun war es wieder stille.

Nach einiger Zeit empfand der Knabe ein sanftes Drücken gegen seinen Arm, das immer schwerer wurde. Sanna war eingeschlafen und war gegen ihn herübergesunken.

„Sanna, schlafe nicht, ich bitte dich, schlafe nicht“, sagte er.

„Nein,“ lallte sie schlaftrunken, „ich schlafe nicht.“

Er rückte weiter von ihr, um sie in Bewegung zu bringen, allein sie sank um und hätte auf der Erde liegend fortgeschlafen. Er nahm sie an der Schulter und rüttelte sie. Da er sich dabei selber etwas stärker bewegte, merkte er, daß ihn friere. Er erschrak und sprang auf. Er ergriff die Schwester, schüttelte sie stärker und sagte: „Sanna, stehe ein wenig auf, wir wollen einige Zeit stehen, daß es besser wird."

„Mich friert nicht, Konrad", antwortete sie.

„Ja, ja, es friert dich, Sanna, stehe auf", rief er.

„Die Pelzjacke ist warm", sagte sie.

„Ich werde dir emporhelfen", sagte er.

„Nein", erwiderte sie und war stille.

Da fiel dem Knaben etwas anderes ein. Die Großmutter hatte gesagt: Nur ein Schlückchen wärmt den Magen so, daß es den Körper in den kältesten Wintertagen nicht frieren kann.

Er nahm das Kalbfellränzchen, öffnete es und griff so lange, bis er das Fläschchen fand, in welchem die Großmutter der Mutter einen schwarzen Kaffeeabguß schicken wollte. Er nahm das Fläschchen heraus und öffnete den Kork. Dann bückte er sich zu Sanna und sagte: „Da ist der Kaffee, den die Großmutter der Mutter schickt, koste ihn ein wenig, er wird dir warm machen. Die Mutter gibt ihn uns, wenn sie nur weiß, wozu wir ihn nötig gehabt haben."

Der starke Abguß wirkte sogleich und zwar umso heftiger, da die Kinder in ihrem Leben keinen Kaffee gekostet hatten. Statt zu schlafen, wurde Sanna nun lebhafter und sagte selber, daß sie friere, daß es aber von innen recht warm sei und auch schon in die Hände und Füße gehe. So tranken sie trotz der Bitterkeit immer wieder von dem Getränke und steigerten ihre unschuldigen Nerven zu einem Fieber, das imstande war, dem Schlummer entgegenzuwirken.

Es war nun Mitternacht gekommen. In diesem Augenblicke der heutigen Nacht wurde nun mit allen Glocken geläutet, es läuteten die Glocken in Millsdorf, es läuteten die Glocken in Gschaid, und hinter dem Berge war noch ein Kirchlein mit drei hellen klingenden Glocken, die läuteten. Von Dorf zu Dorf ging die Tonwelle, ja man konnte wohl zuweilen von einem Dorf zum andern durch die blätterlosen Zweige das Läuten hören: nur zu den Kindern herauf kam kein Laut.

Wenn auch Konrad sich das Schicksal des erfrorenen Eschenjägers vor Augen hielt, wenn auch die Kinder das Fläschchen mit dem schwarzen Kaffee fast ausgeleert hatten, so würden sie den Schlaf nicht haben überwinden können, wenn nicht die Natur in ihrer Größe ihnen beigestanden wäre und in ihrem Innern eine Kraft aufgerufen hätte, welche imstande war, dem Schlafe zu widerstehen.

In der ungeheuern Stille, die herrschte, hörten sie dreimal das Krachen des Eises. Was das starrste scheint und doch das regsamste und lebendigste ist, der Gletscher hatte die Töne hervorgebracht. Dreimal hörten sie hinter sich den Schall, der entsetzlich war, als ob die Erde entzwei gesprungen wäre, der sich nach allen Richtungen im Eise verbreitete und gleichsam durch alle Äderchen des Eises lief. Die Kinder blieben mit offenen Augen sitzen und schauten in die Sterne hinaus.

Auch für die Augen begann sich etwas zu entwickeln. Wie die Kinder so saßen, erblühte am Himmel vor ihnen ein bleiches Licht mitten unter den Sternen und spannte einen schwachen Bogen durch dieselben. Es hatte einen grünlichen Schimmer. Der Bogen wurde immer heller und heller, bis sich die Sterne vor ihm zurückzogen und erblaßten. Dann standen Garben verschiedenen Lichtes auf der Höhe des Bogens wie Zacken einer Krone und brannten. Hatte sich der Gewitterstoff des Himmels durch den unerhörten Schneefall so gespannt, daß er in diesen stummen herrlichen Strömen des Lichtes ausfloß,

oder war es eine andere Ursache der unergründlichen Natur?
—— Nach und nach wurde der Bogen schwächer und immer
schwächer, die Garben erloschen zuerst, bis es allmählich immer
geringer wurde und wieder nichts am Himmel war als die
tausend und tausend Sterne.

Die Kinder sagten keines zu dem andern ein Wort, sie
schauten mit offenen Augen in den Himmel.

Endlich, nachdem die Sterne lange geschienen hatten, fing
der Himmel an heller zu werden. Die bleichsten Sterne erloschen, und die andern standen nicht mehr so dicht. Endlich
wichen auch die stärkeren, und der Schnee vor den Höhen
wurde deutlich sichtbar.

„Sanna, der Tag bricht an", sagte der Knabe.

„Ja, Konrad", antwortete das Mädchen.

„Wenn es nur noch ein bißchen heller wird, dann gehen wir
aus der Höhle und laufen über den Berg hinunter."

Es wurde heller, an dem ganzen Himmel war kein Stern
mehr sichtbar, und alle Gegenstände standen in der Morgendämmerung da.

„Jetzt gehen wir", sagte der Knabe.

Die Kinder standen auf und versuchten ihre erst heute recht
müden Glieder. Obwohl sie nicht geschlafen hatten, waren sie
doch durch den Morgen gestärkt, wie das immer so ist. Der
Knabe hing sich das Kalbfellränzchen um und machte das
Pelzjäckchen an Sanna fester zu. Dann führte er sie aus der
Höhle.

Weil sie nach ihrer Meinung nur über den Berg hinabzu-
laufen hatten, dachten sie an kein Essen und untersuchten das
Ränzchen nicht, ob noch Weißbrote oder andere Eßwaren
darin seien.

Von dem Berge wollte nun Konrad, weil der Himmel ganz

heiter war, in die Täler hinabschauen, um das Gschaider Tal zu erkennen und in dasselbe hinunter zu gehen. Aber er sah gar keine Täler. Sie sahen heute auch in größerer Entfernung furchtbare Felsen aus dem Schnee emporstehen, die sie gestern nicht gesehen hatten, sie sahen das Eis, oder es ragte die blaue Spitze eines sehr fernen Berges am Schneerande hervor.

„Sanna, wir werden jetzt da weiter vorwärts gehen, bis wir an den Rand des Berges kommen und hinuntersehen", sagte der Knabe.

Sie gingen nun in den Schnee hinaus. Allein sie kamen an keinen Rand und sahen nicht hinunter. Schneefeld entwickelte sich aus Schneefeld, und am Saume eines jeden stand allemal wieder der Himmel.

Aber sie verfolgten doch ihre Richtung.

Da standen sie wieder auf dem Eisfelde. Heute bei der hellen Sonne konnten sie erst erblicken, was es ist. Es war ungeheuer groß, und jenseits standen wieder schwarze Felsen. Da schlugen sie, ihre Richtung aufgebend, den Rückweg ein. Wo sie nicht gehen konnten, griffen sie sich durch die Mengen des Schnees hindurch, der oft dicht vor ihrem Auge wegbrach und den sehr blauen Streifen einer Eisspalte zeigte, wo doch früher alles weiß gewesen war. Aber sie kümmerten sich nicht darum, sie arbeiteten sich fort, bis sie wieder irgendwo aus dem Eise herauskamen.

„Sanna," sagte der Knabe, „weil wir in unser Tal gar nicht hinabsehen können, so werden wir gerade über den Berg hinabgehen. Wir müssen in ein Tal kommen, dort werden wir den Leuten sagen, daß wir aus Gschaid sind, die werden uns einen Wegweiser nach Hause mitgeben."

„Ja, Konrad", sagte das Mädchen.

Sie gingen immer fort und meinten es zu erringen. Sie wichen den steilen Abstürzen aus und kletterten keine steilen Anhöhen hinauf.

Auch heute blieben sie öfter stehen, um zu horchen; aber sie vernahmen auch heute nichts, nicht den geringsten Laut. Zu sehen war auch nichts als der Schnee, der helle weiße Schnee, aus dem hie und da die schwarzen Steinrippen emporstanden.

Endlich war es dem Knaben, als sähe er auf einem fernen schiefen Schneefelde ein hüpfendes Feuer. Es tauchte auf, es tauchte nieder. Jetzt sahen sie es, jetzt sahen sie es nicht. Sie blieben stehen und blickten unverwandt auf jene Gegend hin. Das Feuer hüpfte immerfort, und es schien, als ob es näher käme; denn sie sahen es größer und sahen das Hüpfen deutlicher. Es verschwand nicht mehr so oft und nicht mehr auf so lange Zeit wie früher. Nach einer Weile vernahmen sie in der stillen blauen Luft schwach, sehr schwach etwas wie einen lange anhaltenden Ton aus einem Hirtenhorn. Wie aus Instinkt schrieen beide Kinder laut. Nach einiger Zeit hörten sie den Ton wieder. Sie schrieen wieder und blieben auf der nämlichen Stelle stehen. Das Feuer näherte sich auch. Der Ton wurde zum drittenmal vernommen und diesesmal deutlicher. Die Kinder antworteten wieder durch lautes Schreien.

Nach einer geraumen Weile erkannten sie auch das Feuer. Es war kein Feuer, es war eine rote Fahne, die geschwungen wurde. Zugleich ertönte das Hirtenhorn näher, und die Kinder antworteten.

Nun sahen sie auch die Menschen, die bei der Fahne waren, kleine schwarze Stellen, die sich zu bewegen schienen. Der Ruf des Hornes wiederholte sich von Zeit zu Zeit und kam immer näher. Die Kinder antworteten jedesmal.

Endlich sahen sie über den Schneeabhang gegen sich her mehrere Männer mit ihren Stöcken herabfahren, die die Fahne

in ihrer Mitte hatten. Da sie näher kamen, erkannten sie dieselben. Es war der Hirt Philipp mit dem Horne, seine zwei
Söhne, dann der junge Eschenjäger und mehrere Bewohner
von Gschaid.

„Gebenedeit sei Gott," schrie Philipp, „da seid ihr ja. Der
ganze Berg ist voll Leute. Laufe doch einer gleich in die
Sideralpe hinab und läute die Glocke, daß die dort hören, daß
wir sie gefunden haben. Und einer muß auf den Krebsstein
gehen und die Fahne dort aufpflanzen, daß sie dieselbe in dem
Tale sehen und die Böller abschießen, damit die es wissen, die
im Millsdorfer Walde suchen, und damit sie in Gschaid die
Rauchfeuer anzünden, die in der Luft gesehen werden und alle,
die noch auf dem Berge sind, in die Sideralpe hinabbedeuten.
Das sind Weihnachten!"

„Ich laufe in die Alpe hinab", sagte einer.

„Ich trage die Fahne auf den Krebsstein", sagte ein anderer.

„Und wir werden die Kinder in die Sideralpe hinabbringen,
so gut wir es vermögen, und so gut uns Gott helfe", sagte
Philipp.

Der Eschenjäger nahm das Mädchen bei der Hand, der Hirt
Philipp den Knaben. Die andern halfen, wie sie konnten. So
begann der Weg. Immer ging es durch Schnee, immer durch
Schnee. Über sehr schiefe Flächen taten sie Steigeisen an die
Füße und trugen die Kinder.

Endlich nach langer Zeit hörten sie ein Glöcklein, das sanft
und fein zu ihnen heraufkam und das erste Zeichen war, das
ihnen die niederen Gegenden wieder zusandten. Das Glöcklein
aber, das sie hörten, war das der Sideralpe, das geläutet wurde,
weil dort die Zusammenkunft verabredet war. Da sie noch weiter
kamen, hörten sie auch schwach in die stille Luft die Böller-
schüsse herauf, die in Folge der ausgestreckten Fahne abgefeuert

wurden, und sahen dann in die Luft feine Rauchsäulen auf-
steigen.

Da sie nach einer Weile über eine sanfte schiefe Fläche ab-
gingen, erblickten sie die Sideralphütte. Sie gingen auf sie zu.
In der Hütte brannte ein Feuer, die Mutter der Kinder war da,
und mit einem furchtbaren Schrei sank sie in den Schnee zurück, als sie die Kinder mit dem Eschenjäger kommen sah.

Dann lief sie herzu, betrachtete sie überall, wollte ihnen zu
essen geben, wollte sie wärmen; aber bald überzeugte sie sich,
daß die Kinder durch die Freude stärker seien, als sie gedacht
hatte, daß sie nur einiger warmer Speise bedurften, die sie
bekamen, und daß sie nur ein wenig ausruhen mußten.

Da nach einer Zeit der Ruhe wieder eine Gruppe Männer
über die Schneefläche herabkam, während das Hüttenglöcklein
immer fortläutete, liefen die Kinder selber mit den andern
hinaus, um zu sehen, wer es sei. Der Schuster war es, der ein-
stige Alpensteiger, mit Alpenstock und Steigeisen, begleitet von
seinen Freunden und Kameraden.

„Sebastian, da sind sie", schrie das Weib.

Er aber war stumm, zitterte und lief auf sie zu. Dann rührte
er die Lippen, als wollte er etwas sagen, sagte aber nichts, riß
die Kinder an sich und hielt sie lange. Dann wandte er sich
gegen sein Weib, schloß es an sich und rief: „Sanna, Sanna!"

Nach einer Weile nahm er den Hut, der ihm in den Schnee
gefallen war, auf, trat unter die Männer und wollte reden. Er
sagte aber nur: „Nachbarn, Freunde, ich danke euch."

Man machte sich zum Aufbruche bereit.

Man war auf der Sideralphütte nicht gar weit von Gschaid
entfernt, aus dessen Fenstern man im Sommer recht gut die
grüne Matte sehen konnte, auf der die graue Hütte mit dem
kleinen Glockentürmlein stand. Auf dem Wege gelangte man

über die Siderwiese, die noch näher an Gschaid ist, sodaß man die Fenster des Dörfleins zu erblicken meinte.

Als man über diese Wiese ging, tönte hell und deutlich das Glöcklein der Gschaider Kirche herauf, die Wandlung des heiligen Hochamtes verkündend.

Der Pfarrer hatte wegen der allgemeinen Bewegung, die am Morgen in Gschaid war, die Abhaltung des Hochamtes verschoben, da er dachte, daß die Kinder zum Vorscheine kommen würden. Allein endlich, da noch immer keine Nachricht eintraf, mußte die heilige Handlung doch vollzogen werden.

Als das Wandlungsglöcklein tönte, sanken alle, die über die Siderwiese gingen, auf die Knie in den Schnee und beteten. Als der Klang des Glöckleins aus war, standen sie auf und gingen weiter.

Der Schuster trug meistens das Mädchen und ließ sich von ihm alles erzählen.

Als sie schon gegen den Wald kamen, trafen sie Spuren, von denen der Schuster sagte: „Das sind keine Fußstapfen von Schuhen meiner Arbeit."

Es war der aus Angst aschenhaft gefärbte Färber, der an der Spitze seiner Knechte, seiner Gesellen und mehrerer Millsdorfer bergab kam.

„Sie sind über das Gletschereis und über die Schründe gegangen, ohne es zu wissen", rief der Schuster seinem Schwiegervater zu.

„Da sind sie ja — da sind sie ja — Gott sei Dank," antwortete der Färber, „ich weiß es schon, daß sie oben waren, als dein Bote in der Nacht zu uns kam und wir mit Lichtern den ganzen Wald durchsucht und nichts gefunden hatten — und als dann das Morgengrau anbrach, bemerkte ich an dem Wege, der links gegen den Schneeberg hinanführt, daß hin und

wieder mehrere Reiserchen und Rütchen geknickt sind, wie
Kinder gerne tun, wo sie eines Weges gehen — da wußte ich
es — die Richtung ließ sie nicht mehr aus, weil sie in der
Höhlung gingen, weil sie zwischen den Felsen gingen, und weil
sie dann auf dem Grat gingen, der rechts und links so steil ist,
daß sie nicht hinabkommen konnten. Sie mußten hinauf. Und
kniee nieder und danke Gott auf den Knieen, mein Schwiegersohn," fuhr der Färber fort, „daß kein Wind gegangen ist.
Hundert Jahre werden wieder vergehen, daß ein so wunderbarer Schneefall niederfällt, und daß er gerade niederfällt, wie
nasse Schnüre von einer Stange hängen. Wäre ein Wind gegangen, so wären die Kinder verloren gewesen."

In Gschaid wartete die Großmutter, welche herübergefah-
ren war.

„Nie, nie," rief sie aus, „dürfen die Kinder in ihrem ganzen
Leben mehr im Winter über die Höhe gehen."

Die Kinder waren von dem Getriebe betäubt. Sie hatten noch
etwas zu essen bekommen, und man hatte sie in das Bett gebracht. Spät gegen Abend, da sie sich ein wenig erholt hatten,
da einige Nachbarn und Freunde sich in der Stube eingefunden
hatten und dort von dem Ereignisse redeten, die Mutter aber
in der Kammer an dem Bettchen Sannas saß und sie streichelte,
sagte das Mädchen: „Mutter, ich habe heute Nacht, als wir auf
dem Berge saßen, den heiligen Christ gesehen." —

Die Kinder waren von dem Tage an erst recht das Eigentum
des Dorfes geworden, sie wurden von nun an nicht mehr als
Auswärtige, sondern als Eingeborne betrachtet, die man sich
von dem Berge herabgeholt hatte.

Auch ihre Mutter Sanna war nun eine Eingeborne von
Gschaid.

Die Kinder aber werden den Berg nicht vergessen und

werden ihn jetzt noch ernster betrachten, wenn sie in dem
Garten sind, wenn wie in der Vergangenheit die Sonne sehr
schön scheint, der Lindenbaum duftet, die Bienen summen,
und er so schön und so blau wie das sanfte Firmament auf sie
herniederschaut.

INTERPRETATION

Die Einführung in die Erzählung „Bergkristall" ist sehr breit
und langsam. Einer Plauderei über Weihnachten folgt eine
eingehende Beschreibung von Gschaid und Millsdorf und endlich wird auf das Leben und den Charakter des Schusters und
auf die näheren Umstände seiner Heirat mit der Färberstochter
eingegangen. Diese Einführung läßt sich kürzen, ohne damit
den Aufbau des Ganzen wesentlich zu ändern. Denn der Kern
der Erzählung ist zweifellos das Erlebnis der beiden Kinder
auf dem Berge. Stifter liebt es, uns mit der Umgebung und
Lebensweise seiner Charaktere in einer spannungslos erzählenden Weise vertraut zu machen. Es kommt ihm dabei nicht
darauf an, ob alles, was er erzählt, auf die Haupthandlung zuführt. Er will das Gefühl der Vertrautheit erzeugen, ehe er in
dieser nun bekannten Welt etwas geschehen läßt. Das ist
charakteristisch für Stifter, dem Eindruck der Dichtung selbst
aber fügt es nichts Wesentliches hinzu. Unsere Teilnahme erwacht erst wirklich, als die beiden Kinder sich auf den Weg
machen.

Mensch und Natur. Nirgends hat Stifter ihre Verbindung so
einfach und zugleich so packend dargestellt. Zwei kleine
Kinder, allein, verirrt im Schnee auf dem Gletscher, abgeschnit-
ten von aller menschlichen Erfahrung, allem menschlichen
Wissen. Es ist, als ob wir mit den Kindern zum erstenmal die
Hilflosigkeit des Menschen gegenüber den Naturgewalten er-

lebten. Aber weil die Kinder ganz unerfahren sind und die Gefahr kaum kennen, in der sie schweben, haben sie auch keine Angst. Mit selbstverständlicher Ausdauer gehen sie immer weiter. Mit keinem Wort rührt der Dichter an ihre Gedanken und Gefühle. Er erzählt nur, was geschieht, umständlich, mit mancher Wiederholung. Trotzdem haben wir aber nicht den Eindruck einer kühlen Sachlichkeit. Im Gegenteil: die Gefahr, von der die Kinder nichts wissen, wächst im Bewußtsein des Lesers unausgesprochen mit jedem Wort und erzeugt eine Spannung, wie wir sie aus der antiken Tragödie kennen, wo der Held sein Schicksal unwissentlich erfüllt. Nirgends deutet der Dichter die glückliche Lösung im voraus an; selbst die hilfreiche Wirkung des Kaffees und die Erscheinung des Nordlichts, das die Kinder wach erhält, mildert die tragische Spannung kaum.

Schritt für Schritt folgen wir den Kindern in den Wald, in die Felsen, in das Eis. Wir erleben sie mit den Kindern als einfache Tatsachen, wir reflektieren nicht darüber. Aber wie der Schnee tiefer und immer tiefer wird, wie die Luft flimmert und man nichts sieht als Weiß, wie die Kinder klettern und suchen und immer tiefer in die Felsen und das Eis hineingeraten, wirken diese Einzelbeobachtungen und Handlungen, oft wiederholt und variiert, zusammen und erzeugen ein lebendiges Gefühl von der Gewalt der Natur und der Hilflosigkeit des Menschen.

Dieses tiefe Gefühl von „Furcht und Mitleid", diese tragische Spannung wird aber bei Stifter nicht mit dramatischen Mitteln hervorgebracht, und es kommt ihm dabei nicht auf das menschliche Schicksal, den Untergang oder die Rettung der Kinder an. Für den Epiker Stifter ist die Lösung, das Ende nicht so wesentlich. Was sich im Drama zuspitzt zur Krise, ist für ihn nur ein Höhepunkt im Ablauf der Handlung. Sein Thema ist der Berg. Sein Erlebnis sind Wald, Felsen, Schnee und Eis, der gestirnte Himmel. Die Gefahr, die tragische Spannung vertiefen nur dieses Erlebnis, ohne disharmonisch zu wirken, und die glückliche Lösung folgt darauf wie die Sonne auf den unendlichen Schneefall.

So umständlich Stifter erzählt, sobald die eigentliche Handlung beginnt, steht jede Einzelheit mit ihr in Verbindung. Darin zeigt sich seine Meisterschaft: er erzählt das Einzelne, das Kleine, aber der Eindruck des Ganzen ist einfach, groß, übersichtlich. Er verweilt nicht zu lange bei der Betrachtung des Einzelnen. Er gliedert die Dichtung in viele kleine Abschnitte und liebt es, jeden Fortschritt für sich zu stellen, auch wenn es nur ein einziger Satz ist. Schon dadurch erzeugt er im Leser das Gefühl des Mitgehens, des Fortschreitens trotz aller epischen Breite. — Er liebt die Wiederholung, sie entspricht seinem Erlebnis der Natur und des Lebens. Die wiederholte Erfahrung prägt sich uns tiefer ein, wird bildhaft. So sind auch die kleinen Gespräche der Kinder in der Form einander sehr ähnlich. Sannas Antwort ist fast immer „Ja, Konrad", und die belehrenden und beruhigenden Bemerkungen Konrads machen immer den gleichen Eindruck der Klarheit und Ruhe. Diese Einförmigkeit wirkt aber nicht ermüdend, sondern erhöht im Gegenteil das Interesse und die Teilnahme des Lesers, weil die wesentlichen Eigenschaften der Kinder, ihr Vertrauen und ihre Ausdauer, dadurch immer stärker hervortreten.

Charakteristisch für Stifter ist der Strichpunkt. Ein Satz ist abgeschlossen, aber der Dichter möchte das harte Nebeneinander der Sätze vermeiden und ihre inhaltliche Verbundenheit auch äußerlich andeuten. In der modernen Prosa wird der Strichpunkt immer seltener. Die große Satzstruktur, die mehrere Teilsätze umfaßt, wird durch kurze Einzelsätze ersetzt. Das

entspricht dem modernen Temperament. Die Epik Stifters dagegen, die in dem Kleinen das Große sieht und aus dem Einzelnen den ganzen Eindruck allmählich aufbaut, findet in der
weiten, mehrteiligen Satzstruktur ihren charakteristischen Ausdruck.

Stifters Stil wird oft mit dem klassischen Stil Goethes ver-
glichen. Er hat mit diesem die Klarheit, den ruhigen Fluß gemeinsam. Aber seine Sprache ist noch anspruchsloser. Es fehlt
ihr alles Sprühende, Ironische, sogar fast alle Äußerung einer
originellen Phantasie. Ihre Eigenart liegt in ihrer Sensitivität.
Sie sagt alles so schmucklos und wird doch allem gerecht, besonders aber der Stimmung, die ungreifbar alles durchdringt.
Die Szene z.B., wo Konrad das müde Schwesterchen wach erhält, könnte nicht einfacher, sachlicher dargestellt sein. Trotzdem drücken die alltäglichen Worte diesen Höhepunkt der
Gefahr und Spannung vollkommen aus. Oder: als die Kinder
an das Gletschereis kommen, erkennt Konrad, wo sie sind, und
beschreibt dem Schwesterchen den Berg, wie man ihn von ihrem
Garten aus im Sonnenscheine liegen sieht. Diese Beschreibung,
so kindlich einfach und doch plastisch und klar, hat hier eine
tiefere Bedeutung, als nur die Besonnenheit und den Mut des
Knaben zu zeigen. Die vorhergehenden Sätze enthalten in ihrer
knappen Form eine intensive Spannung: die Größe der Gefahr
wird hier zum erstenmal ganz offenbar. Ein ruhiges Fort-
schreiten der Handlung ist unmöglich, der epische Fluß scheint
unterbrochen. Konrads Beschreibung ist deshalb kompositorisch
notwendig, um ohne Enttäuschung diese Stockung zu überwinden und in die epische Stimmung zurückzuleiten.

Stifters Werk ist poetischer Realismus. Er schildert Wirklichkeit, keine erträumte Welt. Aber die Kunst war für ihn
eine Schwester der Religion. Sie sollte nicht nur darstellen,

sondern den Menschen innerlich erheben, befreien. Sein Natur-
erlebnis, wie es die Dichtung „Bergkristall" gestaltet, ist von
diesem ethisch-religiösen Geiste erfüllt. Die kleine Erzählung,
die einfache Sprache erhalten dadurch eine Würde, die stärker
wirkt als Spannung und Stimmung und ihren bleibenden Eindruck bestimmt.

IMPRESSIONISMUS

Der Realismus Goethes und Stifters gestaltet eine Wirklichkeit, die in allen wesentlichen Zügen nicht zeitgebunden ist.
Wir sind uns zwar bewußt, daß Wilhelm Meister im achtzehnten Jahrhundert lebte, wo man zu Pferde und zu Wagen
reiste anstatt im Automobil, wo man sich das Haar puderte, wo
das Fechten alltäglich war, und wo ein Kinderkauf auf offenem
Markte nicht unmöglich schien. An kleinen Einzelheiten erkennen wir auch bei Stifter die vergangene Zeit. Aber das ist
nicht wichtig. Die Charaktere sind heute noch wahr und
lebendig, die Natur ist noch heute dieselbe. Die künstlerische
Absicht des Dichters, sein Thema, das Erlebnis, das ihm zugrunde liegt, sind zeitlos. Auf das Allgemeine kommt es ihm
an, auch wo er das Besondere schildert.

Im Gegensatz dazu sieht der moderne Realist die Wirklichkeit oft als etwas Einmaliges. Jeder Augenblick ist eine Wirklichkeit für sich. Je mehr wir imstande sind, diese vergängliche, wechselnde Wirklichkeit mit allen Sinnen zu erfassen,
umso reicher erscheint uns das Leben. Gerade weil alles einmalig ist und nur einmal erlebt werden kann, hat es einen
einzigartigen Reiz. Diesen Reiz zu genießen und in der Kunst
widerzuspiegeln, setzt er sich zum Ziel.

Aber die Erlebnisfähigkeit des Menschen ist beschränkt. Er

kann nicht jeden Augenblick in seiner Einmaligkeit erleben, sich nicht zu allem, was ihn umgibt, in lebendige Beziehung setzen. Deshalb muß der moderne Realist so oft das Erlebnis durch Beobachtung ergänzen oder gar ersetzen, und damit kommt er in Gefahr, statt einer künstlerischen Einheit eine Summe von scharf beobachteten Einzelheiten zu geben. Seine Augenblickswelt droht immer wieder in Augenblicke zu zerfallen.

Trotzdem ist es Einzelnen gelungen, für diese vergängliche moderne Wirklichkeit einen künstlerischen Ausdruck zu schaffen, der ihren besonderen Reiz wiedergibt und doch das bewußt Zeitliche in eine künstlerische Einheit zusammenfaßt. Wir haben schon früher in einem Zitat aus Rilkes Roman „Die Aufzeichnungen des Malte Laurids Brigge" ein Beispiel gegeben. Da handelte es sich aber nur um einen kurzen Ausschnitt aus einer Dichtung, die als Ganzes nicht impressionistisch ist. Nun wählen wir als ein Beispiel anderer Art die Skizze „Das Wunderkind" von Thomas Mann [6].

DAS WUNDERKIND *

THOMAS MANN

Das Wunderkind kommt herein; — im Saale wird's still.

Es wird still, und dann beginnen die Leute zu klatschen, weil irgendwo seitwärts ein geborener Herrscher und Herdenführer zuerst in die Hände geschlagen hat. Sie haben noch nichts gehört, aber sie klatschen Beifall; denn ein gewaltiger Reklameapparat hat dem Wunderkinde vorgearbeitet, und die Leute sind schon betört, ob sie es wissen oder nicht.

* Mit Erlaubnis des Verfassers.

Das Wunderkind kommt hinter einem prachtvollen Wandschirm hervor, der ganz mit Empirekränzen und großen Fabel-
blumen bestickt ist, klettert hurtig die Stufen zum Podium empor
und geht in den Applaus hinein, wie in ein Bad, ein wenig
fröstelnd, von einem kleinen Schauer angeweht, aber doch wie
in ein freundliches Element. Es geht an den Rand des Podiums
vor, lächelt, als sollte es photographiert werden, und dankt mit
einem kleinen, schüchternen und lieblichen Damengruß, obgleich es ein Knabe ist.

Es ist ganz in weiße Seide gekleidet, was eine gewisse Rührung
im Saale verbreitet. Es trägt ein weißseidenes Jäckchen von
phantastischem Schnitt mit einer Schärpe darunter, und sogar
seine Schuhe sind aus weißer Seide. Aber gegen die weißseidenen
Höschen stechen scharf die bloßen Beinchen ab, die ganz braun
sind; denn es ist ein Griechenknabe.

Bibi Saccellaphylaccas heißt er. Dies ist einmal sein Name.
Von welchem Vornamen „Bibi" die Abkürzung oder Koseform ist, weiß niemand, ausgenommen der Impresario, und der
betrachtet es als Geschäftsgeheimnis. Bibi hat glattes, schwarzes
Haar, das ihm bis zu den Schultern hinabhängt und trotzdem
seitwärts gescheitelt und mit einer kleinen seidenen Schleife
aus der schmal gewölbten, bräunlichen Stirn zurückgebunden
ist. Er hat das harmloseste Kindergesichtchen von der Welt, ein
unfertiges Näschen und einen ahnungslosen Mund; nur die
Partie unter seinen pechschwarzen Mausaugen ist schon ein
wenig matt und von zwei Charakterzügen deutlich begrenzt.
Er sieht aus, als sei er neun Jahre alt, zählt aber erst acht und
wird für siebenjährig ausgegeben. Die Leute wissen selbst nicht,
ob sie es eigentlich glauben. Vielleicht wissen sie es besser und
glauben dennoch daran, wie sie es in so manchen Fällen zu tun
gewohnt sind. Ein wenig Lüge, denken sie, gehört zur Schön-

heit. Wo, denken sie, bliebe die Erbauung und Erhebung nach
dem Alltag, wenn man nicht ein bißchen guten Willen mit-
brächte, fünf gerade sein zu lassen? Und sie haben ganz recht
in ihren Leutehirnen!

Das Wunderkind dankt, bis das Begrüßungsgeprassel sich
legt; dann geht es zum Flügel, und die Leute werfen einen
letzten Blick auf das Programm. Zuerst kommt „Marche
solennelle", dann „Rêverie", und dann „Le hibou et les
moineaux", — alles von Bibi Saccellaphylaccas. Das ganze Programm ist von ihm, es sind seine Kompositionen. Er kann sie
zwar nicht aufschreiben, aber er hat sie alle in seinem kleinen
ungewöhnlichen Kopf, und es muß ihnen künstlerische Bedeutung zugestanden werden, wie ernst und sachlich auf den
Plakaten vermerkt ist, die der Impresario abgefaßt hat. Es
scheint, daß der Impresario dieses Zugeständnis seiner kritischen
Natur in harten Kämpfen abgerungen hat.

Das Wunderkind setzt sich auf den Drehsessel und angelt
mit seinen Beinchen nach den Pedalen, die vermittels eines sinn-
reichen Mechanismus viel höher angebracht sind als gewöhnlich, damit Bibi sie erreichen kann. Es ist sein eigener Flügel, den
er überall hin mitnimmt. Er ruht auf Holzböcken, und seine
Politur ist ziemlich strapaziert von den vielen Transporten; aber
das alles macht die Sache nur interessanter.

Bibi setzt seine weißseidenen Füße auf die Pedale; dann
macht er eine kleine spitzfindige Miene, sieht geradeaus und
hebt die rechte Hand. Es ist ein bräunliches naives Kinderhändchen, aber das Gelenk ist stark und unkindlich und zeigt
ausgearbeitete Knöchel.

Seine Miene macht Bibi für die Leute, weil er weiß, daß er
sie ein wenig unterhalten muß. Aber er selbst für sein Teil
hat im stillen sein besonderes Vergnügen bei der Sache, ein Ver-

gnügen, das er niemandem beschreiben könnte. Es ist dieses
prickelnde Glück, dieser heimliche Wonneschauer, der ihn jedesmal überrieselt, wenn er wieder an einem offenen Klavier sitzt,
— er wird das niemals verlieren. Wieder bietet sich ihm die
Tastatur dar, diese sieben schwarz-weißen Oktaven, unter denen
er sich so oft in Abenteuer und tief erregende Schicksale verloren, und die doch wieder so reinlich und unberührt erscheinen,
wie eine geputzte Zeichentafel. Es ist die Musik, die ganze Musik,
die vor ihm liegt! Sie liegt vor ihm ausgebreitet wie ein lockendes
Meer, und er kann sich hineinstürzen und selig schwimmen,
sich tragen und entführen lassen und im Sturme gänzlich unter-
gehen, und dennoch dabei die Herrschaft in Händen halten,
regieren und verfügen ... Er hält seine rechte Hand in der
Luft.

Im Saal ist atemlose Stille. Es ist diese Spannung vor dem
ersten Ton ... Wie wird es anfangen? So fängt es an. Und
Bibi holt mit seinem Zeigefinger den ersten Ton aus dem
Flügel, einen ganz unerwartet kraftvollen Ton in der Mittellage, ähnlich einem Trompetenstoß. Andere fügen sich daran,
eine Introduktion ergibt sich, — man löst die Glieder.

Es ist ein prunkhafter Saal, gelegen in einem modischen Gasthof ersten Ranges, mit rosig fleischlichen Gemälden an den
Wänden, mit üppigen Pfeilern, umschnörkelten Spiegeln und
einer Unzahl, einem wahren Weltensystem von elektrischen
Glühlampen, die in Dolden, in ganzen Bündeln überall hervor-
sprießen und den Raum mit einem weit übertaghellen, dünnen,
goldigen, himmlischen Licht durchzittern ... Kein Stuhl ist unbesetzt, ja selbst in den Seitengängen und dem Hintergrunde
stehen die Leute. Vorn, wo es zwölf Mark kostet (denn der
Impresario huldigt dem Prinzip der ehrfurchtgebietenden
Preise), reiht sich die vornehme Gesellschaft; es ist in den

höchsten Kreisen ein lebhaftes Interesse für das Wunderkind
vorhanden. Man sieht viele Uniformen, viel erwählten Geschmack der Toilette ... Sogar eine Anzahl von Kindern ist
da, die auf wohlerzogene Art ihre Beine vom Stuhl hängen
lassen und mit glänzenden Augen ihren kleinen, begnadeten,
weißseidenen Kollegen betrachten ...

Vorn links sitzt die Mutter des Wunderkindes, eine äußerst
beleibte Dame, mit gepudertem Doppelkinn und einer Feder
auf dem Kopf, und an ihrer Seite der Impresario, ein Herr von
orientalischem Typus mit großen goldenen Knöpfen an den weit
hervorstehenden Manschetten. Aber vorn in der Mitte sitzt
die Prinzessin. Es ist eine kleine, runzelige, verschrumpfte alte
Prinzessin, aber sie fördert die Künste, soweit sie zartsinnig
sind. Sie sitzt in einem tiefen Sammetfauteuil, und zu ihren
Füßen sind Perserteppiche ausgebreitet. Sie hält die Hände dicht
unter der Brust auf ihrem grau gestreiften Seidenkleid zusam-
mengelegt, beugt den Kopf zur Seite und bietet ein Bild vor-
nehmen Friedens, indes sie dem arbeitenden Wunderkinde zu-
schaut. Neben ihr sitzt ihre Hofdame, die sogar ein grüngе-
streiftes Seidenkleid trägt. Aber darum ist sie doch nur eine
Hofdame und darf sich nicht einmal anlehnen.

Bibi schließt unter großem Gepränge. Mit welcher Kraft
dieser Knirps den Flügel behandelt! Man traut seinen Ohren
nicht. Das Thema des Marsches, eine schwunghafte, enthusiasti-
sche Melodie bricht in voller harmonischer Ausstattung noch
einmal hervor, breit und prahlerisch, und Bibi wirft bei jedem
Takt den Oberkörper zurück, als marschierte er triumphierend
im Festzuge. Dann schließt er gewaltig, schiebt sich gebückt
und seitwärts vom Sessel herunter und lauert lächelnd auf den
Applaus.

Und der Applaus bricht los, einmütig, gerührt, begeistert:

Seht doch, was für zierliche Hüften das Kind hat, indes es seinen kleinen Damengruß exekutiert! Klatscht, klatscht! Wartet, nun ziehe ich meine Handschuhe aus. Bravo, kleiner Saccophylax oder wie du heißt —— ! Aber das ist ja ein Teufelskerl! —— —

Bibi muß dreimal wieder hinter dem Wandschirm hervorkommen, ehe man Ruhe gibt. Einige Nachzügler, verspätete Ankömmlinge drängen von hinten herein und bringen sich mühsam im vollen Saale unter. Dann nimmt das Konzert seinen Fortgang.

Bibi säuselt seine „Rêverie", die ganz aus Arpeggien besteht, über welche sich manchmal mit schwachen Flügeln ein Stückchen Melodie erhebt; und dann spielt er „Le hibou et les moineaux". Dieses Stück hat durchschlagenden Erfolg, übt eine zündende Wirkung. Es ist ein richtiges Kinderstück und von wunderbarer Anschaulichkeit. Im Baß sieht man den Uhu sitzen und grämlich mit seinen Schleieraugen klappen, indes im Diskant zugleich frech und ängstlich die Spatzen schwirren, die ihn necken wollen. Bibi wird viermal hervorgejubelt nach dieser Pièce. Ein Hotelbediener mit blanken Knöpfen trägt ihm drei große Lorbeerkränze aufs Podium hinauf und hält sie von der Seite vor ihn hin, während Bibi grüßt und dankt. Sogar die Prinzessin beteiligt sich an dem Applaus, indem sie ganz zart ihre flachen Hände gegeneinander bewegt, ohne daß es irgendeinen Laut ergibt . . .

Wie dieser kleine versierte Wicht den Beifall hinzuziehen versteht! Er läßt hinter dem Wandschirm auf sich warten, versäumt sich ein bißchen auf den Stufen zum Podium, betrachtet mit kindischem Vergnügen die bunten Atlasschleifen der Kränze, obgleich sie ihn längst schon langweilen, grüßt lieblich und zögernd und läßt den Leuten Zeit, sich auszutoben, damit nichts von dem wertvollen Geräusch ihrer Hände verloren gehe. „Le hibou" ist mein Reißer, denkt er; denn diesen Ausdruck hat er vom Impresario gelernt. Nachher kommt die Fantaisie, die eigentlich viel besser ist, besonders die Stelle, wo es nach *Cis* geht. Aber ihr habt ja an diesem „hibou" einen Narren gefressen, ihr Publikum, obgleich er das erste und dümmste ist, was ich gemacht habe. Und er dankt lieblich.

Dann spielt er eine Meditation und dann eine Etude; — es ist ein ordentlich umfangreiches Programm. Die Meditation geht ganz ähnlich wie die „Rêverie", was kein Einwand gegen sie ist, und in der Etude zeigt Bibi all seine technische Fertigkeit, die übrigens hinter seiner Erfindungsgabe ein wenig zurücksteht. Aber dann kommt die Fantaisie. Sie ist sein Lieblingsstück. Er spielt sie jedesmal ein bißchen anders, behandelt sie frei und überrascht sich zuweilen selbst dabei durch neue Einfälle und Wendungen, wenn er seinen guten Abend hat.

Er sitzt und spielt, ganz klein und weiß glänzend vor dem großen, schwarzen Flügel, allein und auserkoren auf dem Podium über der verschwommenen Menschenmasse, die zusammen nur eine dumpfe, schwer bewegliche Seele hat, auf die er mit seiner einzelnen und herausgehobenen Seele wirken soll... Sein weiches, schwarzes Haar ist ihm mitsamt der weißseidenen Schleife in die Stirn gefallen, seine starkknochigen, trainierten Handgelenke arbeiten, und man sieht die Muskeln seiner bräunlichen, kindlichen Wangen erbeben.

Zuweilen kommen Sekunden des Vergessens und Alleinseins, wo seine seltsamen, matt umränderten Mausaugen zur Seite gleiten, vom Publikum weg auf die bemalte Saalwand an seiner Seite, durch die sie hindurchblicken, um sich in einer

ereignisvollen, von vagem Leben erfüllten Weite zu verlieren.
Aber dann zuckt ein Blick aus dem Augenwinkel zurück in
den Saal, und er ist wieder vor den Leuten.

Klage und Jubel, Aufschwung und tiefer Sturz — Meine
Fantaisie! denkt Bibi ganz liebevoll. Hört doch, nun kommt
die Stelle, wo es nach *Cis* geht! Und er läßt die Verschiebung
spielen, indes es nach *Cis* geht. Ob sie es merken? Ach nein,
bewahre, sie merken es nicht! Und darum vollführt er wenigstens einen hübschen Augenaufschlag zum Plafond, damit sie
doch etwas zu sehen haben.

Die Leute sitzen in langen Reihen und sehen dem Wunderkinde zu. Sie denken auch allerlei in ihren Leutehirnen. Ein
alter Herr mit einem weißen Bart, einem Siegelring am Zeigefinger und einer knolligen Geschwulst auf der Glatze, einem
Auswuchs, wenn man will, denkt bei sich: Eigentlich sollte man
sich schämen. Man hat es nie über „Drei Jäger aus Kurpfalz" [7] hinausgebracht, und da sitzt man nun als eisgrauer Kerl
und läßt sich von diesem Dreikäsehoch Wunderdinge vor-
machen. Aber man muß bedenken, daß es von oben kommt.
Gott verteilt seine Gaben, da ist nichts zu tun, und es ist keine
Schande, ein gewöhnlicher Mensch zu sein. Es ist etwas wie
mit dem Jesuskind. Man darf sich vor einem Kinde beugen,
ohne sich schämen zu müssen. Wie seltsam wohltuend das ist!
— Er wagt nicht zu denken: Wie süß das ist! — „Süß"
wäre blamabel für einen kräftigen, alten Herrn. Aber er fühlt
es! Er fühlt es dennoch!

Kunst . . . denkt der Geschäftsmann mit der Papageiennase.
Ja freilich, das bringt ein bißchen Schimmer ins Leben, ein
wenig Klingklang und weiße Seide. Übrigens schneidet er nicht
übel ab. Es sind reichlich fünfzig Plätze zu zwölf Mark verkauft, das macht allein sechshundert Mark, — und dann alles

übrige. Bringt man Saalmiete, Beleuchtung und Programme
in Abzug, so bleiben gut und gern tausend Mark netto. Das ist
mitzunehmen.

Nun, das war Chopin, was er da eben zum besten gab! denkt
die Klavierlehrerin, eine spitznäsige Dame in den Jahren, da
die Hoffnungen sich schlafen legen und der Verstand an
Schärfe gewinnt. Man darf sagen, daß er nicht sehr unmittelbar ist. Ich werde nachher äußern: Er ist wenig unmittelbar.
Das klingt gut. Übrigens ist seine Handhaltung vollständig unerzogen. Man muß einen Taler auf den Handrücken legen
können... Ich würde ihn mit dem Lineal behandeln.

Ein junges Mädchen, das ganz wächsern aussieht und sich
in einem gespannten Alter befindet, in welchem man sehr wohl
auf delikate Gedanken verfallen kann, denkt im geheimen:
Aber was ist das! Was spielt er da! Es ist ja die Leidenschaft,
die er da spielt! Aber es ist doch ein Kind?! Wenn er mich
küßte, so wär' es, als küßte mein kleiner Bruder mich, — es
wäre kein Kuß. Gibt es denn eine losgelöste Leidenschaft, eine
Leidenschaft an sich und ohne irdischen Gegenstand, die nur
ein inbrünstiges Kinderspiel wäre?... Gut, wenn ich dies laut
sagte, würde man mir Lebertran verabfolgen. So ist die Welt.

An einem Pfeiler steht ein Offizier. Er betrachtet den er-
folgreichen Bibi und denkt: Du bist etwas, und ich bin etwas,
jeder auf seine Art! Im übrigen zieht er die Absätze zusammen
und zollt dem Wunderkinde den Respekt, den er allen bestehenden Mächten zollt.

Aber der Kritiker, ein alternder Mann in blankem,
schwarzem Rock und aufgekrempten, bespritzten Beinkleidern,
sitzt auf seinem Freiplatze und denkt: Man sehe ihn an, diesen
Bibi, diesen Fratz! Als Einzelwesen hat er noch ein Ende zu
wachsen, aber als Typus ist er ganz fertig, als Typus des

Künstlers. Er hat in sich des Künstlers Hoheit und seine Würdelosigkeit, seine Scharlatanerie und seinen heiligen Funken, seine Verachtung und seinen heimlichen Rausch. Aber das darf ich nicht schreiben; es ist zu gut. Ach, glaubt mir, ich wäre selbst ein Künstler geworden, wenn ich nicht das alles so klar durchschaute . . .

Da ist das Wunderkind fertig, und ein wahrer Sturm erhebt sich im Saale. Er muß hervor und wieder hervor hinter seinem Wandschirm. Der Mann mit den blanken Knöpfen schleppt neue Kränze herbei, vier Lorbeerkränze, eine Lyra aus Veilchen, ein Bukett aus Rosen. Er hat nicht Arme genug, dem Wunderkinde all die Spenden zu reichen, der Impresario begibt sich persönlich aufs Podium, um ihm behilflich zu sein. Er hängt einen Lorbeerkranz um Bibis Hals, er streichelt zärtlich sein schwarzes Haar. Und plötzlich, wie übermannt, beugt er sich nieder und gibt dem Wunderkinde einen Kuß, einen schallenden Kuß, gerade auf den Mund. Da aber schwillt der Sturm zum Orkan. Dieser Kuß fährt wie ein elektrischer Stoß in den Saal, durchläuft die Menge wie ein nervöser Schauer. Ein tolles Lärmbedürfnis reißt die Leute hin. Laute Hochrufe mischen sich in das wilde Geprassel der Hände. Einige von Bibis kleinen gewöhnlichen Kameraden dort unten wehen mit ihren Taschentüchern . . . Aber der Kritiker denkt: Freilich, dieser Impresariokuß mußte kommen. Ein alter, wirksamer Scherz. Ja, Herrgott, wenn man nicht alles so klar durchschaute!

Und dann geht das Konzert des Wunderkindes zu Ende. Um halb acht Uhr hat es angefangen, um halb neun Uhr ist es aus. Das Podium ist voller Kränze, und zwei kleine Blumentöpfe stehen auf den Lampenbrettern des Flügels. Bibi spielt als letzte Nummer seine „Rhapsodie grecque", welche schließlich in die

griechische Hymne übergeht, und seine anwesenden Lands-
leute hätten nicht übel Lust, mitzusingen, wenn es nicht ein
vornehmes Konzert wäre. Dafür entschädigen sie sich am Schluß
durch einen gewaltigen Lärm, einen heißblütigen Radau, eine
nationale Demonstration. Aber der alternde Kritiker denkt:
Freilich, die Hymne mußte kommen. Man spielt die Sache auf
ein anderes Gebiet hinüber, man läßt kein Begeisterungsmittel
unversucht. Ich werde schreiben, daß das unkünstlerisch ist.
Aber vielleicht ist es gerade künstlerisch. Was ist der Künstler?
Ein Hanswurst. Die Kritik ist das Höchste. Aber das darf ich
nicht schreiben. Und er entfernt sich in seinen bespritzten Hosen.

Nach neun oder zehn Hervorrufen begibt sich das erhitzte
Wunderkind nicht mehr hinter den Wandschirm, sondern geht
zu seiner Mama und dem Impresario hinunter in den Saal. Die
Leute stehen zwischen den durcheinandergerückten Stühlen
und applaudieren und drängen vorwärts, um Bibi aus der Nähe
zu sehen. Einige wollen auch die Prinzessin sehen: es bilden sich
vor dem Podium zwei dichte Kreise um das Wunderkind und
um die Prinzessin, und man weiß nicht recht, wer von beiden
eigentlich Cercle hält. Aber die Hofdame verfügt sich auf Befehl
zu Bibi; sie zupft und glättet ein wenig an seiner seidenen Jacke,
um ihn hoffähig zu machen, führt ihn am Arm vor die Prinzessin
und bedeutet ihm ernst, Ihrer königlichen Hoheit die Hand zu
küssen. „Wie machst du es, Kind?" fragt die Prinzessin.
„Kommt es dir von selbst in den Sinn, wenn du niedersitzest?"
— „Oui, Madame", antwortet Bibi. Aber inwendig denkt er:
„Ach, du dumme, alte Prinzessin...!" Dann dreht er sich
scheu und unerzogen um und geht wieder zu seinen Ange-
hörigen.

Draußen an den Garderoben herrscht dichtes Gewühl. Man
hält seine Nummer empor, man empfängt mit offenen Armen

Pelze, Schale und Gummischuhe über die Tische hinüber. Irgendwo steht die Klavierlehrerin unter Bekannten und hält Kritik. „Er ist wenig unmittelbar", sagt sie laut und sieht sich um . . .

Vor einem der großen Wandspiegel läßt sich eine junge, vornehme Dame von ihren Brüdern, zwei Leutnants, Abendmantel und Pelzschuhe anlegen. Sie ist wunderschön mit ihren stahlblauen Augen und ihrem klaren, reinrassigen Gesicht, ein richtiges Edelfräulein. Als sie fertig ist, wartet sie auf ihre Brüder. „Steh nicht so lange vor dem Spiegel, Adolf!" sagt sie leise und ärgerlich zu dem einen, der sich von dem Anblick seines hübschen, simplen Gesichts nicht trennen kann. Nun, das ist gut! Leutnant Adolf wird sich doch vor dem Spiegel seinen Paletot zuknöpfen dürfen, mit ihrer gütigen Erlaubnis! — Dann gehen sie, und draußen auf der Straße, wo die Bogenlampen trübe durch den Schneenebel schimmern, fängt Leutnant Adolf im Gehen ein bißchen an auszuschlagen, mit emporgeklapptem Kragen und die Hände in den schrägen Manteltaschen auf dem hartgefrorenen Schnee einen kleinen *nigger-dance* aufzuführen, weil es so kalt ist.

Ein Kind! denkt das unfrisierte Mädchen, welches mit frei hängenden Armen in Begleitung eines düsteren Jünglings hinter ihnen geht. Ein liebenswürdiges Kind! Dort drinnen war ein verehrungswürdiges . . . Und mit lauter, eintöniger Stimme sagt sie: „Wir sind alle Wunderkinder, wir Schaffenden."

Nun! denkt der alte Herr, der es nicht über „Drei Jäger aus Kurpfalz" hinausgebracht hat und dessen Auswuchs jetzt von einem Zylinder bedeckt ist, was ist denn das! Eine Art Pythia, wie mir scheint.

Aber der düstere Jüngling, der sie aufs Wort versteht, nickt langsam.

Dann schweigen sie, und das unfrisierte Mädchen blickt den drei adeligen Geschwistern nach. Sie verachtet sie, aber sie blickt ihnen nach, bis sie um die Ecke entschwunden sind.

INTERPRETATION

Eine Stunde in einem überfüllten Konzertsaal; ein mittelmäßiges Konzert, ein kindlich unreifes, mittelmäßiges Talent. Ein Hotel ersten Ranges, prunkvoll, flimmernd. Uniformen, elegante Toiletten. Alltägliche Menschen, karikaturenhaft skizziert. Billige Gegensätze: Stille und Beifallsgeprassel, weiße Seide und bräunliche Knabenbeinchen, ein Kinderhändchen und ein großer schwarzer Flügel. Lorbeerkränze. Ein Impresariokuß. Eine verschrumpfte, alte Prinzessin. Gedränge vor den Garderoben und der „nigger-dance" eines Leutnants auf dem hartgefrorenen Schnee unter den trüben Straßenlaternen: eine Summe von Beobachtungen aus der vergänglichen, vergangenen Welt des besseren Mittelstandes um die Wende des neunzehnten Jahrhunderts. Hie und da eine melancholische Reflexion, ein satirischer Ton, aber nicht melancholisch, nicht satirisch genug, um das Behagen an der Oberfläche zu durchbrechen.

„Das Wunderkind". Worin besteht denn das Wunder? In Bibis Technik? Die läßt ja zu wünschen übrig. In seiner Erfindungsgabe? „Er ist wenig unmittelbar." In seiner Erscheinung? Weiße Seide ist nicht so wunderbar. „Wir sind alle Wunderkinder, wir Schaffenden", sagt das unfrisierte Mädchen zu ihrem düsteren Begleiter. Ist also das Schaffen an sich das Wunder? „Was ist der Künstler? Ein Hanswurst. Die Kritik ist das Höchste. Aber das darf ich nicht schreiben." So der alternde Kritiker, der selbst so gern ein Künstler sein möchte. Das Wunderkind aber schauspielert mit Händen und Augen, ja mit dem ganzen Körper, verachtet das staunende Publikum und schmeichelt ihm doch, während es sich heimlich freut auf die Stelle, „wo es nach *Cis* geht", und die niemand versteht. Schaffen und Kritik, Verstellung und Hingabe, Sehnsucht und Genuß, so viel Disharmonie, geweckt und zugleich gebannt durch den Zauber der Musik. Darin liegt das „Wunder". Die Musik, „die metaphysische Kunst", wie Nietzsche sie nennt, wird hier einmal, für einen Augenblick, zur schillernden Oberfläche, zum freundlichen Element, das spielt und lockt statt zu erschüttern und zu zerstören.

Die Oberfläche, das Beobachten der vergänglichen Gestalt und Wirkung der Kunst als momentanes Vergessen ihrer gefährlichen Tiefe, ist das Erlebnis dieser kleinen Dichtung.

Dieses Oberflächen-Erlebnis wäre unmöglich ohne das tiefere Selbsterlebnis des Künstlers, wie es Thomas Mann im „Tonio Kröger" und im „Tod in Venedig" dargestellt hat. Die Disharmonie, die im „Wunderkind" belustigt und unterhält, wird dort zum ernsten Hauptproblem. Der Künstler ist für Thomas Mann — wie für Nietzsche [8] — ein besonderer Mensch, ausgeschlossen aus der Gemeinschaft der gesunden, naiven, selbstgenügsamen Menschen, die er heimlich beneidet und liebt, denen er dient, und die er doch zugleich um ihrer Beschränktheit und Stumpfheit willen verachtet. Auch in E. T. A. Hoffmanns Novelle „Ritter Gluck" wird der Künstler in harten Gegensatz zu seiner Umwelt gestellt. Dort aber ist er im Recht. Sein Schicksal ist tragisch. Thomas Mann dagegen erlebt ihn zwiespältig, als einsame, schöpferische Kraft und, vom rein Menschlichen her, als verdächtigen, asozialen, mit sich und der Welt unzufriedenen Gesellen, der das Leben belauscht statt es zu brauchen, der jedes Gefühl, jeden Gedanken durch Selbstbeobachtung entkräftet. Dieser Dualismus, der das Künstlertum Thomas Manns bis in seine letzte Tiefe spaltet, begründet das Übergewicht des Intellekts in seinem Werk. Aus der inneren Disharmonie befruchtet sich sein Intellekt und übernimmt die Führung.

Das Erlebnis der Kunst als Oberfläche ist ein überwiegend intellektuelles Erlebnis und kann nur von einem überragenden Intellekt künstlerisch geformt werden. Banalität oder Spitzfindigkeit sind seine Gefahren. Das Übergewicht der sinnlichen Eindrücke führt oft zur leeren Beschreibung, die „oberflächliche" Behandlung von Gedanken und Gefühlen zur billigen Satire oder zur Sentimentalität. Thomas Mann hat das alles vermieden. Mit raffiniertem Können, mit feinstem Takt hat er im „Wunderkind" das Konzert als *impressionistischen* Eindruck gestaltet.

Virtuosität der Sprache ist vielleicht der einzige Ausdruck, womit sich der Stil dieser kleinen Dichtung charakterisieren läßt. Thomas Mann ist nicht originell, hält sich im Gegenteil eng an den Sprachgebrauch der Gesellschaftsschicht, die das Konzert besuchen würde. Er spricht ein elegantes, geschliffenes Deutsch mit vielen Fremdwörtern, wie sie um die Wende des Jahrhunderts in diesen Kreisen gebräuchlich waren. Aber jedes Wort, jeder Satz ist zugleich eine Farbe, ein Ton in dem impressionistischen Eindruck des Ganzen.

Da es an Handlung so gut wie ganz fehlt, muß die Komposition — um den ermüdenden Eindruck einer bloßen Beschreibung zu vermeiden — eine Handlung vortäuschen. Sie setzt sich aus den wenigen Bewegungen des Wunderkindes zusammen: er kommt herein — er steigt auf das Podium — er verneigt sich — er geht zum Flügel und so weiter. Um jede Bewegung schmiegt sich ein wenig Beschreibung, gerade so viel, wie die einzelne Bewegung vertragen kann, ohne als Handlung verdrängt zu werden. Die Beschreibung selbst ist auch gegliedert und beweglich; die Beziehungen zwischen dem Kinde und dem Publikum werden z.B. auch in Handlung verwandelt: „Es ist ganz in weiße Seide gekleidet, was eine gewisse Rührung im Saale verbreitet." „Er hält seine rechte Hand in der Luft. Im Saal ist atemlose Stille." „. . . eine Introduktion ergibt sich — man löst die Glieder." Allmählich geht dann die Handlung von dem Kind auf das Publikum über. Das Publikum sitzt still bis ganz zum Schluß, die Handlung besteht also in den Selbstgesprächen, die Bibis Spiel bei den Zuhörern hervorruft. Sie bewegen sich in Gegensätzen, die aber immer aufeinander bezogen sind: Kunst für den ersten ist eine Gabe Gottes; für den zweiten ein sehr realer Verdienst; für die dritte eine Technik, ein Können, das ein Kind kaum meistern kann; für die vierte eine Leidenschaft, die sich „wie ein inbrünstiges Kinderspiel" offenbart; für den fünften eine „bestehende Macht"; für den sechsten ein Wunder und eine Enttäuschung. Diese gedankliche Handlung würde das Oberflächen-Erlebnis des Ganzen zu sehr belasten, wenn sie nicht durch die karikaturhafte Zeichnung der betreffenden Personen zum Teil entkräftet würde. Die bespritzten, aufgekrempelten Hosen des Kritikers nehmen seinen Gedanken etwas von ihrer Würde. So verbirgt sich hier hinter dem scheinbar billigen Effekt eine feinere Absicht.

Eine unaufhörliche leise Bewegung geht durch das Ganze. Die einzelnen Beobachtungen und Beschreibungen reihen sich nicht aneinander, sie gehen auseinander hervor und ineinander über. Die Musik, die uns an sich nicht zum Erlebnis wird, scheint alles irgendwie zu lockern und Ernst und Scherz spielend zu verbinden. Der Nachsatz spielt mit dem Satz vorher und belächelt dessen Meinung, um selbst wieder vom nächsten Satz unsicher gemacht zu werden: „Das ganze Programm ist von ihm, es sind seine Kompositionen ... er hat sie alle in seinem kleinen, ungewöhnlichen Kopf, und es muß ihnen künstlerische Bedeutung zugestanden werden, wie ernst und sachlich auf den Plakaten vermerkt ist, die der Impresario abgefaßt hat. Es scheint, daß der Impresario dieses Zugeständnis seiner kritischen Natur in harten Kämpfen abgerungen hat." — Kleine Spannungen werden erregt — und lächelnd aufgehoben: „Im Saal ist atemlose Stille. Es ist diese Spannung vor dem ersten Ton ... Wie wird es anfangen? So fängt es an." Oder: „Klage und Jubel, Aufschwung und tiefer Sturz — meine Fantaisie! denkt Bibi ganz liebevoll. Hört doch, nun kommt die Stelle, wo es nach *Cis* geht! ... Ob sie es merken? Ach nein, bewahre, sie merken es nicht!" — Märchentöne klingen an: die Hofdame, die sich nicht einmal anlehnen darf, die pechschwarzen Mausaugen des Wunderkindes, sein märchenhaft klingender Name! In der eleganten Beschreibung schimmern sie auf und versinken wie Lichter aus einer anderen Welt.

Um noch einmal auf den Vergleich mit Hoffmanns „Ritter Gluck" zurückzukommen: dort erleben wir die Macht der Musik, der Kunst in den Visionen des Künstlers, in seinem Spiel, in ihrer zeitlosen Wirkung auf sein Wesen und Leben. Hier — im Gegensatz zu anderen Werken Thomas Manns — erleben wir die Musik als die Kunst des Effekts. Es ist die gezähmte Kunst, die Dienerin der Menge und des Augenblicks. Oberfläche gegen Tiefenwirkung. Aber das Thema ist im einen wie im anderen Falle künstlerisch erlebt und gestaltet.

SYMBOL UND WIRKLICHKEIT

Der Impressionismus, der künstlerische Genuß der Farben, Formen und Klänge des Augenblicks setzt ein stillschweigendes Wissen um eine tiefer liegende Problematik voraus. Erst als Gegensatz zu den unveränderlichen ernsten Fragen und Gesetzen des Lebens kommt der eigenartige Reiz des Augenblicks voll zur Geltung. Es ist der Reiz der Illusion. Demgegenüber steht das Erlebnis des Einmaligen, Vergänglichen als eines Symbols.

Der poetische Realismus Goethes und Stifters betont den Symbolgehalt der Wirklichkeit. „Alles Vergängliche ist nur ein Gleichnis": dieser Ausspruch aus „Faust" gilt für den poetischen Realismus überhaupt. Nicht die bloße Betrachtung der Wirklichkeit, nicht das individuelle Erlebnis allein liegt der Dichtung zugrunde, sondern die Erkenntnis ihrer überpersönlichen, symbolischen Bedeutung. Wenn Goethe z.B. seine Jugenderinnerungen „Dichtung und Wahrheit" nennt, so will er damit nicht sagen, daß er Erfundenes willkürlich hinzugefügt, sondern daß er das künstlerisch und menschlich Wertvolle ausgewählt und nach künstlerischen Gesichtspunkten dargestellt habe. Dadurch hat er ein Werk geschaffen, das keine Selbstbiographie im gewöhnlichen Sinne ist, sondern — wie auch der „Wilhelm Meister" — ein Gleichnis für die Entwicklung eines Menschen.

Das starke Interesse der Romantiker an der Eigenart verschiedener Völker und Zeiten ließ sie auch in der Dichtung nicht so sehr das allgemein Bedeutungsvolle wie das Charakteristische besonderer Menschenrassen und Individuen betonen. Dazu kam die fast schrankenlose Freiheit ihrer Phantasie. Der Symbolgehalt der Dichtung ist daher für sie nur ein Wert unter vielen und wird oft verdunkelt oder vernachlässigt zugunsten der Illusion, des satirisch-ironischen Spiels, der Stimmung, Überraschung und Spannung.

Während die Romantiker sich vor allem an die Vergangenheit hielten, wo die Phantasie größeren Spielraum hat, übertrug der Realismus des neunzehnten Jahrhunderts das Interesse am Besonderen auf die Gegenwart. Aus der Fülle des Lebens, das ihn umgab, sonderte der Dichter durch Beobachtung und Erfahrung das aus, was ihm als besondere Einheit der Gestaltung wert erschien. Auf Objektivität kam es ihm an, worunter der große Realist allerdings nicht nur Wirklichkeitstreue sondern auch die künstlerische Form verstand, die einer gegebenen Wirklichkeit gerecht würde. Auf den symbolischen Wert der Dichtung kam es ihm dabei weniger an. Das Diesseits in seinen vielfältigen Erscheinungen fesselte ihn.

Aus dem Realismus entwickelte sich der Naturalismus, der den Menschen fast ganz zum Geschöpf der Vererbung und Umgebung macht und mit medizinischer Genauigkeit, mit photographischer Treue danach strebt, einen „Fall" möglichst wirklichkeitsgetreu zu schildern. Er erschöpft sich dabei oft in der Beobachtung und Beschreibung seines unendlichen Materials, verliert die Möglichkeit, es unbefangen zu erleben, sowohl wie den Sinn für künstlerische Gestaltung. In noch höherem Maße als beim Realismus geht dabei auch der symbolische Wert der Dichtung verloren.

Dem Naturalismus stellt sich der Expressionismus entgegen. Während der Naturalist das Erlebnis zugunsten der Beobachtung fast ganz ausschaltet, legt der Expressionist darauf den größten Wert. Dichtung ist für ihn der Ausdruck der seelisch-geistigen Wirklichkeit, die zwar von außen angeregt, aber *nur* von innen her erlebt und gestaltet werden kann. Um diese innere Wirklichkeit auszudrücken, schrickt er nicht davor zurück, das Bild der äußeren Wirklichkeit zu verändern, ja bis zur Unkenntlichkeit zu verzerren. Sie hat nur noch Wert als Symbol für das innere Leben. Kunst und Symbol sind unzertrennlich, der Symbolwert der Kunst ist ihr höchster Wert.

Die extremen Formen des Naturalismus sowie des Expressionismus sind heute schon überwunden, aber sie haben die Dichtung unserer Tage entscheidend beeinflußt. Eine schärfere Beobachtung der Wirklichkeit in ihren vergänglichen Erscheinungen verbindet sich darin mit einer bewußten Betonung und Vertiefung ihres symbolischen Gehalts. Wir bringen als Beispiel die Novelle „Tobias" von Ernst Wiechert [9].

TOBIAS *

ERNST WIECHERT

Die Straße führt am Stadtpark entlang und dann, durch die alte Ringmauer hindurch, ins offene Land. Drei Lampen an hohen Masten hängen in den Abendstunden über ihr, und solange die Kastanien und Buchen belaubt sind, wechseln Brücken weißen Lichtes und Abgründe schwarzen Schattens auf dem glatten Pflaster. Geht aber ein Wind durch die Wipfel der Bäume, der auch die Lampen hin und her schwanken läßt, so ist immer ein gespenstisches Leben auf der unbewegten Fläche, sodaß die Lichtbrücken sich verengen und taumeln und zerbrechen und die fünf Finger der Kastanienblätter, im Schattenbild verlängert und verzerrt, über die Straße greifen und zurückweichen und voller Unruhe wieder vortasten.

In der Höhe der mittleren Laterne, verborgen unter zwei Trauerrüstern, stand die Bank, auf der sie zu dreien gesessen

* Mit Erlaubnis der G. Grote'schen Verlagsbuchhandlung, Berlin.

hatten. Sie hatten geraucht und gewartet. Es war nun nichts mehr zu besprechen gewesen, weil jedes Wort des Befehls eingebrannt war in ihr Gedächtnis, sodaß die Narben bei jeder Berührung schmerzten. Der Wind des frühen Herbstes war mit schwerem Brausen über sie hingegangen, und mitunter hatten sie nach oben geblickt, wenn der Ruf der Wildgänse eine unsichtbare Straße über sie gezogen hatte.

„Zittern Sie, Tobias?" hatte der Älteste gefragt. Nein, Tobias hatte nicht gezittert. Er hatte die Fingerspitzen in den weichen Stoff seines Mantels gepreßt, damit die Glut seiner Zigarette nicht das Beben seiner Hand verriete. Und dann waren seine Gedanken bei seinem Namen haften geblieben, weil sie sich an etwas Festes und Unveränderliches klammern mußten, um nicht zu stürzen. Ein lächerlicher Name war Tobias, ein Name aus Holzschnitten oder vergilbten Kupferstichen, aber hinter diesem lächerlichen Namen hob sich jedesmal das Gesicht seiner Großmutter auf, die ihm diesen Namen gegeben hatte. Und nichts Lächerliches war an diesem großen und strengen Gesicht. Die Pappeln um die Mühle hatte er noch gesehen, in der sie wohnte, eine einsame Herrin, und wie die hohen silbernen Schäfte im nächtlichen Raum sich bogen.

Und dann hatten sie die Schritte gehört. Nicht zwei, wie sie erwartet hatten, sondern mehr, fünf vielleicht oder sechs. „Verloren werde ich sein", hatte Tobias noch gedacht, als er die Hand schon um das kühle Metall gelegt hatte. „Verloren muß sein, wer in solcher Stunde an seinen Namen denkt und an Bäume, die der Wind bewegt . . ." Und dann waren sie hinausgetreten, noch immer im Schatten der hohen Wipfel.

Keiner von ihnen hätte nachher sagen können, wie es der Reihe nach geschehen war. Da waren die beiden Gesichter, aus vielen Versammlungen ihnen bekannt, schuldig an vielem Blut.

Da waren die scharfen, hohen Stimmen, wie von eifernden Mönchen auf roten Kanzeln, die wilden Gebärden mit auch jetzt noch geballter Faust. Vielleicht hatte es einen Wortwechsel gegeben, vielleicht war alles ohne Laut geschehen. Zuerst hatte der Älteste geschossen, dann die andern, viele andre, und zuletzt Tobias. Einmal... vielleicht zwei-... vielleicht dreimal. Jemand hatte geschrien, laut und furchtbar. Leergewischt war die Straße gewesen, ein weißes Tuch mit roten Flecken. Und im grellen Licht der Lampe hatten die beiden Körper gelegen.

„Fort!" hatte Tobias gehört, aber er hatte nicht fortgekonnt. Einer der Toten hatte den Arm in einer gekrümmten Gebärde aufwärts gereckt, und die schwankende Lampe hatte den Schatten dieses Armes über das weiße Pflaster geschleudert, hin und her, sodaß er von dem Fuße der Kastanien bis zu Tobias' Füßen gegriffen hatte. Drüben, an der fahl beglänzten Hauswand, hatte ein Mensch gestanden, mit geöffneten Armen wie hingeschleudert an sie, und hinübergestarrt, auf den gleichen Schatten, der suchend über die Steine glitt. Jedesmal durch die dünne Blutlache, die schwarz erschienen war in dem erbarmungslosen Licht.

Und erst als Fenster sich klirrend geöffnet hatten, als das Signal des Überfallwagens in der Ferne aufgeheult hatte, war Tobias in den Schatten gesprungen, die Waffe immer noch in der Hand.

Er lief, blind, gehetzt, ins Dunkle hinein. Er wollte keine Laterne sehen. Er wollte seine Hände nicht sehen. Er wollte begraben sein vom barmherzigen Dunkel. Er merkte an seinem Atem, daß er den alten Ringwall hinaufjagte, und an der fallenden Leichtigkeit seines Körpers, daß er ihn auf der andern Seite hinunterstürzte. Er stieß an eine Bretterhütte und wußte

nun, daß er am Rande der Stadt war und vor ihm das freie Land
sich öffnete. Er blieb stehen, die Hände über dem schlagenden
Herzen, und lehnte die Stirn an das kühle Holz. Tau war schon
gefallen, und sein Gesicht empfing die Feuchtigkeit und den
bitteren Geruch des Holzes. Stimmen gingen hin und her in der
Ferne, ein Pfiff aus einer Signalpfeife, der aufsteigende Gang
eines Motors. Aber es war eine fremde Welt, vergessen, fast nie
gekannt, und nur der dumpfe Instinkt des Gehetzten in ihm
empfing sie. Das andre aber, sein ganzes übriges Sein, ging zur
Ruhe an diesem kühlen, betauten Holz, in dem Geruch der
Wälder, der noch in ihm war, in den Bildern der Kindheit, die
sich daran knüpften, Gewebe an Gewebe, weich, ebenmäßig,
ohne Fehler, ohne Haß. Eine schwere Traurigkeit floß aus dem
kühlen Holz in ihn hinein, die Traurigkeit erschöpfter Leidenschaft, und obwohl er gleichsam hinter der Bretterwand die
Mahnung hörte, daß es gefährlich sei, hier zu stehen, daß man
suchen würde, mit Hunden vielleicht, blieb seine gebeugte Stirn
an dem kühlen Holz, und er weinte lange und lautlos, an eine
kalte, fremde Hüttenwand gelehnt, indes hoch über ihm die
Wipfel sich bogen und die schweren Wolken über die Erde
stürmten.

Er richtete sich erst auf, als von neuem ein Zug von Wild-
gänsen sich über ihm durch das Dunkel pflügte, und ohne sich
umzublicken ging er in das offene, dunkle Land hinaus, über
Sturzäcker und Stoppeln und feuchte Wiesen, einen geraden
Weg, der nicht auswich, als stünde zwischen den dunklen
Hügeln ein Licht, das ihn erwarte. Er wußte, daß er dem Befehl untreu wurde, daß er in sein Zimmer zurückzukehren hatte,
zu seinen Büchern und seiner Arbeit, zu den roten Plüschmö-
beln und der Stehlampe auf seinem Schreibtisch. Daß er zu
leben, zu sprechen, zu lächeln hatte, als ob nichts gewesen sei.

Ja, daß ihm vorgeschrieben war, seine Laute zu nehmen und mit leiser Stimme zu singen: „Wir lugen hinaus in die sonnige Welt...", damit seine Wirtin hinter der dünnen Wand bezeugen könnte, er sei fröhlich und sorglos wie immer nach Hause gekommen.

Aber er konnte das nicht. Er mußte seine Hände waschen. Und das konnte er nicht in der breiten Steingutschüssel seiner Wirtin, mit dem Sprung, der durch den Rand ging, und der nachgemachten Marmorplatte, auf der sie stand. Er mußte seine Hände unter das kühle Wasser halten, das über das Mühlrad stürzte. „Ach, Großmutter," würde er sagen, „nichts geht in der Welt über dieses Wasser... alle Tinte nimmt es fort, allen Staub der Städte, allen Schmutz der Menschen, alles... ja... alles Böse nimmt es fort... das Wasser des Lebens wird es wohl sein, aus dem Märchen..." Und seine Großmutter wird ihn ansehen, mit den grauen, grundlosen Augen, und ihm zunicken und weitergehen, auf ihren Stock gestützt, aber kerzengerade wie ein junger Baum. Am Tor aber, wo die Kresse noch blüht, wird sie vielleicht stehenbleiben und sich halb zurückwenden und sagen: „Wenn Pilatus das gewußt hätte, oder jene englische Königin [10], mit ihren Händen, dann hätten sie es leichter gehabt, nicht wahr?" Und er wird vielleicht erblassen unter diesem Wort, weil sie seltsame Worte hat, die Großmutter, aber dann braucht er sich nur tiefer zu neigen und mit dem Kopf zu nicken oder auf das Wehr zu zeigen, unter dessen Donner man nichts verstehen kann.

Vier Tage und vier Nächte geht Tobias zwischen Hügeln und Wäldern nach Süden. Vielleicht ist es nicht so leicht, wie er gedacht hat, denn in der ersten Morgendämmerung verändert sich die Welt. Die Dinge der Erde stehen langsam auf, so langsam wie aus Gräbern: ein einzelner Baum auf dem nebligen

Feld, der Giebel eines Hauses am Horizont, ein Busch an der Straße, der wie ein wartender Mensch aussieht, ein Kreuz auf einer fernen Höhe, das dann eine Telegraphenstange ist, mit einem Querholz für die weißen Isolatoren. Und neben den sichtbaren Dingen stehen die unsichtbaren auf, die dableiben, auch wenn er die Augen schließt: eine Straße, die nicht da ist, ein Mensch, der nicht da ist, ein gekrümmter Arm in einer klagenden oder auch drohenden Gebärde. Es hilft nichts, daß er lächelt. Das Lächeln ist erlogen. Es hilft nichts, daß er leise zum Takt seiner Schritte zu pfeifen beginnt. Im Walde pfeift es mit, hinter den betauten Bäumen, die so schweigsam auf ihn warten, ihn herankommen lassen, hinter ihm zurückbleiben. Und weshalb dreht er sich um, ganz plötzlich, immer wieder? Ist da ein Schritt hinter ihm? Nein, da ist kein Schritt, nur das unveränderte Gesicht der Bäume, ernst und grundlos wie das seiner Großmutter.

Leichter hat er es sich gedacht, das Gesicht des Tages, das Verschwinden der Schatten, die erste Röte über dem östlichen Himmel. „Und nähme ich Flügel der Morgenröte . . .", flüstert er und bleibt stehen, „und flöge bis ans äußerste Meer . . ." Töricht sind sie, diese alten Psalmen . . . Flügel der Morgenröte . . . weshalb lernen wir solche Dinge, als unverständige Kinder . . . und nachher schleppen wir sie fort, unser Leben entlang, zu allen andern Lasten . . . schemenhafte Mahner, mit dem Geruch der Heiligkeit . . . „So würde mich deine Hand daselbst finden . . ."

Welche Hand? Hat jemand Gottes Hand gesehen? Wie sieht sie aus? Größer als eine Menschenhand? Blasser oder heiliger? Er blickt auf seine Rechte nieder, die rötlich beglänzt ist vom Morgenrot . . . und mit einem Sprung ist er im Walde.

Das helle Licht versinkt, und ein tröstender, dämmernder

Friede steht zwischen den grauen Stämmen. Er geht weit hinein in die feuchte Kühle, bis in eine Fichtenschonung, in die viele Birken verstreut sind. Er scharrt das welke Laub zusammen, in einem trockenen, verfallenen Graben, und schneidet Fichtenäste ab, so viele, daß sie wie ein Bett sind. Auf ihnen streckt er sich aus, bedeckt sich mit dem Mantel und häuft das trockene Laub über sich. Es riecht nach Harz, nach Tieren, nach Erde, ein verschollener Geruch, fern von Menschen und seiner Tat. Ein Specht klopft im hohen Holz ... so ruhig ist die Welt ... so sicher ... kein Vogel fürchtet sich ... in ihrem Eigenen sind sie, ganz zu Hause, mit anderen Gesetzen ... und sie haben ihn aufgenommen, daß er schlafen darf in ihrem Haus, in dem heiligen Gastrecht, das der Wald allen Verstoßenen gibt ... auch die Flügel sind nicht mehr da, die Flügel der Morgenröte, und keine Hand reckt sich aus ... bis ans äußerste Meer ... nicht Gottes Hand und nicht Menschenhand.

Er schläft nun bei Tage, und in der Abenddämmerung hebt er sich auf aus den großen Wäldern, ein Mensch mit Fichtennadeln im Haar und welken Blättern auf dem Mantelkragen. Ein arbeitsloser Student, jawohl, der durch Deutschland marschiert. Er bezahlt das Wenige, das er braucht, und manches bekommt er „um Christi willen". Es ist schwer, etwas zu empfangen um Christi willen, weil es mehr als ein Wort ist, das man damit in seine Hand legt.

Am letzten Abend, in einem einsamen Hof, muß er mit dem Bauern und der Bäuerin am Tisch sitzen, wie ein Sohn des Hauses. Es sind Sektierer, und nachher, am Feuer, singen sie ein paar Lieder. Die Augen der Bäuerin sind immer auf ihn gerichtet, und er hört den Wind zu ihren Stimmen um das Haus gehen. „Gib mir und allen denen," singen sie, „die sich von Herzen sehnen ... nach dir und deiner Hulde ... ein Herz, das sich gedulde ..."

Dann steht er auf und bedankt sich. Nein, er könne nicht bleiben. Aber vor der Tür dreht er sich noch einmal um und sagt leise: „Was ist das ... ein Herz, das sich gedulde?" Der Bauer will es ihm erklären, umständlich und aus seinem Glauben heraus, aber die Bäuerin schiebt ihn beiseite, tritt dicht an ihn heran und legt ihre harte Hand auf seinen geneigten Scheitel. „Sage es!" spricht sie leise. „Nicht uns ... aber dem nächsten, der so tut mit deiner Stirn ..."

Da geht er schnell davon, und hinter dem Tor beginnt er zu laufen, bis die Bäume der Landstraße wieder zu seiner Rechten und Linken sind.

Am nächsten Morgen steht er zwischen den Stämmen des Waldrandes und blickt auf die Mühle. Noch mehr Moos ist auf dem Rohrdach gewachsen, auf dem Mühlrad, auf den Pfosten des Zaunes. Die Dahlien blühen um das ganze Haus herum, ein brennender Kranz, und es ist ihm, als werde inmitten dieses Kranzes alles gut sein, wie in einem Zauberring. Er fühlt, daß sein Körper vor Erschöpfung zittert, und er setzt sich auf den Grenzhügel am Waldrand. Zu seinen Füßen geht der Mühlbach vorbei, mit dunklem, eiligem Wasser, aber das Rad steht still, und niemand könnte seine Hände unter ihm waschen. Nebel stehen noch um die dunklen Erlenstämme, und kein Rauch hebt sich über das Dach. Nur die Stare sammeln sich in den Rüstern, und in den Ställen klirren die Ketten der Pferde.

Er hat den Kopf in die Hände gestützt und starrt dies alles an, sein Kinderland, aus dem alles Kindliche nun ausgelöscht ist. Die Fenster sind geschlossen, und Feindschaft ist in ihrer blinden Regungslosigkeit. Die Blumen stehen unbewegt, schwer von

Tau, und wer durch sie hindurch wollte, müßte den Tau von ihren Kelchen streifen. Er zieht die Pistole aus der Tasche und hält sie lange in den Händen. Dann nimmt er das Magazin heraus, ohne hinzusehen, und endlich zählt er auch die Patronen. Dreimal also hat er geschossen ... Bis jetzt hat er es nicht gewußt, aber nun weiß er es. Und um diese Stunde werden sie schon unter der Erde sein, die dunklen Körper auf der weißen Straße. Niemand weiß, wem ihr Tod zugehört. Sie hatten dieselben Waffen, und jeder von ihnen kann es gewesen sein. Und so wird es bleiben bis an seines Lebens Ende.

Mit einer müden Bewegung hebt er den Arm und wirft die Pistole in den Mühlenbach. Moder ist auf seinem Grund, Schlingpflanzen und wehendes Kraut. Dann folgen die Patronen, jede einzeln, und dann das Magazin. Jedesmal gibt es einen trüben Kreis, und jedesmal schließt sich das Wasser mit einem seufzenden Laut. Und dann ist die Strömung wieder dunkel und lautlos und glatt.

Als er sich wieder aufrichtet, steht die Großmutter auf dem Hof und sieht ihm zu. Die Jahre haben ihr Bild nicht berührt. Sie trägt die hohen Stiefel wie sonst, den grünen, halblangen Mantel, den Krückstock, das weiße Haar zu einem Knoten im Nacken gerafft. Sie sieht aus wie ein Soldat aus einem fremden Land, und wenige Menschen sind in der Landschaft, die dem Blick ihrer grauen Augen widerstanden haben. Und Tobias hat nicht zu diesen wenigen gehört.

Er sitzt auf seinem Grenzhügel, ein grauer Landstreicher vor dem Braun des Waldes, und blickt zu ihr hinüber. Immer, solange er denken kann, ist sie seine Mutter gewesen. Er steht im Kinderkittel vor ihr, und seine Hände brennen noch von den Äpfeln, die er dem Maurer gestohlen hat. „Bist du es gewesen, Tobias?" „Nein." „Ein Lügner ist wie eine Distel im

Weizen", hat sie gesagt und sich umgedreht. Und sie hat kein
Wort mit ihm gesprochen, tage- und nächtelang, eine ganz
furchtbare Woche hindurch. Aber beim Essen, wenn er das
Gebet gesprochen hat, hat sie ihn angesehen, schweigend und
wartend. Wahrscheinlich hat Jehova so ausgesehen, als er in
der Wüste stand und das Goldene Kalb betrachtete. Und nach
einer Woche, beim Beten, hat er es nicht mehr tragen können
und sich über das Buch geworfen und bekannt. Und sie hat ihre
Hand auf seine Stirn gelegt und nur gesagt: „Nun bist du wieder
im Weizenfeld . . ."

Immer noch sitzt er da, grübelnd und zusammengesunken,
und starrt zu ihr hinüber. Und immer noch steht sie da, auf
ihren Stock gestützt, und sieht in den Wald. Er weiß nicht,
daß ihre Hände zittern vor Angst, und sie weiß nicht, daß eine
finstere Falte zwischen seinen Brauen steht. Jetzt erst bedenkt
er, weshalb er hierhergekommen ist, und seine Stirn ist finster,
weil er es nicht weiß. Vielleicht hat er sich verbergen wollen;
aber nun erkennt er, daß man nur im Schatten sich verbergen
kann, und die Großmutter hat keinen Schatten. Nie war soviel
Klarheit um einen Menschen wie um seine Großmutter. Und
wenn die Mühle Kammern und Gänge und Winkel hat, auch
in der Mühle ist kein Schatten, weil die Augen der Großmutter
in der Mühle sind. Alle Disteln sterben auf ihrem Feld.

Er hört die Blätter hinter sich fallen, und wie ein warmes
Haus ist ihm nun der Wald, voller Schatten und Gnade. Er
dreht das Gesicht zur Seite, ganz langsam, um zu sehen, welche
Büsche ihn verbergen könnten, und in dieser kurzen Zeit ist die
Großmutter zum Taubenhaus gegangen. Sie hat die Tür geöffnet, und ein vieltönendes Brausen steigt in die Stille. Und
als Tobias wieder den Kopf wendet, sieht er die Großmutter in
einer weißen, auf und ab steigenden Wolke. Auf ihren Schultern

und Händen sitzen die Vögel, verdrängen einander, kehren wieder zurück, und mit einem Mal ist der stille und strenge Hof von lebendiger Güte erfüllt, von einem warmen Schein des Lebens, vor dem der Wald zurückweicht in eine finstere und zugeschlossene Abwehr.

Da steht Tobias auf und geht auf den Hof. Im Vorbeigehen berührt er mit der rechten Hand leise die Dahlien, die sich durch den Zaun drängen, und seine Hand ist naß vom kühlen Tau.

„Nun, Tobias," sagt die Großmutter ruhig, „hast du schon Ferien gemacht?" Er küßt ihre Hand und versucht zu lächeln. Ja, sagt er, man habe sich wieder ein bißchen geprügelt an der Universität, und da habe der Rektor die Bude für acht Tage zugemacht.

„Ach, ihr jungen Heiden...", erwidert sie lächelnd und küßt ihn auf die Stirn. „Nun komm ins Haus... bei der Großmutter gibt es weder Rektor noch Prügel..."

„Nichts fragt sie", denkt Tobias voller Unruhe. „Nicht, wie ich hergekommen bin, und nicht, weshalb meine Schuhe so naß sind... Immer noch wartet sie, bis man nicht anders kann als alles herausschreien... Aber vielleicht ist sie alt geworden und nur glücklich, daß ich wieder da bin..."

Aber schon beim Morgenfrühstück ist es ihm schwer, daß niemand sich wundert, wie er so in der Frühe plötzlich da ist. Sie kommen alle heran und reichen ihm die Hand, das alte Mädchen und der Müller, der schon weißes Haar hat, und der Geselle und zuletzt die beiden Lehrjungen, die er noch nicht kennt. Alles ist unverändert, der schwere Hausrat, der dunkle, große Tisch, die Zinnteller, die Bibel auf dem alten Platz aus der Kinderzeit. Und niemand spricht auch, den die Großmutter nicht fragt. Sie sitzt in ihrem hohen Stuhl, ein Tuch um die Schultern, und das Morgenlicht gleitet von ihrem Gesicht ab

wie vom glatten Holz. Nur in ihren Augen sammelt es sich;
aber sie sind ebenso grau wie das Licht, und nichts ist aus ihnen
zu lesen, als daß sie wachsam sind und verschwiegen.

„Möchtest du nun beten, Tobias?" sagt sie leise und schiebt
das schwere Buch etwas näher an seine Hand.

Solange Tobias denken kann, ist es sein Amt gewesen, das
Gebet zu sprechen, selbst in den Tagen, als er „gleich den
Disteln" war. Es ist kein Anlaß, daß er nun erblaßt. Niemand
sieht ihn an außer der alten Frau. Alle andern sehen still auf
ihre gefalteten Hände. Aber er kann es nicht. Er kann mit seinen
Händen nicht das heilige Buch öffnen und die großen und klaren
Worte der Gottesmänner lesen. Bitterkeit ist in seinem Munde,
und die Worte würden sich entheiligen vor seinen Lippen. „Ach,
Großmutter," sagt er und versucht, einen gütigen Scherz da-
raus zu machen, „vielleicht bin ich doch schon zu alt dazu ..."

Sie lächelt nicht zur Antwort, aber sie zeigt auch weder
Trauer noch Zorn. Sie legt nur die alte Hand mit den bläu-
lichen Adern auf das schwere Buch und schiebt es über den
Tisch dem Müller zu, demselben, dessen Haar schon weiß ist.
„Vielleicht hast du recht, Tobias," sagt sie, „und es ist nur eine
Sache für die Jungen ... Lesen Sie nun, Heinrich ... am hun-
dertundneununddreißigsten Psalm ..."

Und Heinrich zieht die Brille aus der Tasche, dort, wo er
in ein abgegriffenes Buch die Getreidesäcke und die Gewichte
einträgt, setzt sie feierlich auf und beginnt mit seiner schweren
Stimme zu lesen, den mehlbestaubten Finger unter den großen
Buchstabenzeilen: „Ein Psalm Davids, vorzusingen ... Herr,
Du erforschest mich und kennest mich. Ich sitze oder stehe auf,
so weißt Du es; Du verstehest meine Gedanken von ferne. Ich
gehe oder liege, so bist Du um mich und siehest alle meine
Wege. Denn siehe, es ist kein Wort auf meiner Zunge, das Du,

Herr, nicht alles wissest. Von allen Seiten umgibst Du mich und hältst Deine Hand über mir. Solche Erkenntnis ist mir zu wunderbar und zu hoch; ich kann sie nicht begreifen. Wo soll ich hingehen vor Deinem Geist? Und wo soll ich hinfliehen vor Deinem Angesicht? Führe ich gen Himmel, so bist Du da. Bettete ich mir in die Hölle, siehe, so bist Du auch da. Nähme ich Flügel der Morgenröte und bliebe am äußersten Meer, so würde mich doch Deine Hand daselbst führen und Deine Rechte mich halten. Spräche ich: Finsternis möge mich decken!, so muß die Nacht auch Licht um mich sein . . ."

„Es ist nun genug, Heinrich", sagt die Großmutter ruhig und zieht das Buch wieder auf ihren Platz. „Nun wollen wir essen . . ."

Und so geschieht es. Auch Tobias ißt. Dasselbe Brot, das er als Kind gegessen hat, ein schwarzes, schweres Brot, auf dessen Rücken die Großmutter drei Kreuze mit dem Messer zeichnet, bevor sie es anschneidet. Aber er weiß nicht, daß es Brot ist. Es könnten auch Steine sein, Steine, die in seinem Mund zu glühen beginnen. Ja, es ist derselbe Psalm, den er oft an diesem Platz gelesen hat. Nichts Merkwürdiges ist dabei. Aber sie hätte einen andern aussuchen können, einen vom Frieden und vom frischen Wasser. Nichts ist merkwürdig an der Großmutter. Eine alte Frau, die ihr Brot in die Suppe bröckelt, wie man es zu ihrer Kinderzeit getan hat, und dazwischen jeden anweist, was er zu tun habe bis zum Sonnenuntergang. Nichts merkwürdig als ihre Augen, die auf seine Hände sehen.

Ja, Tobias will schlafen, denn er ist die ganze Nacht gewandert. Studenten hätten niemals Geld, und so sei er eben zu Fuß gegangen. Die Großmutter kommt noch einmal herein, als er schon in dem breiten Bett liegt. Sie zieht die Vorhänge noch dichter zusammen, obwohl kein Licht hineinfällt, und

rückt die Vase mit den Dahlien genau in die Mitte des Tisches.
Ob sie das Rad abstellen sollten, wenn es ihn vielleicht störe?
Ach nein, er sei es ja gewohnt von Kindheit an! Und die Mühle
müsse doch mahlen, damit die Menschen Brot hätten. Ja, das
sei wohl wichtig, sagt die Großmutter, und nirgends schlafe es
sich so gut wie in einer Mühle, wo die Steine mahlten wie von
Ewigkeit zu Ewigkeit. Und damit geht sie leise aus der Tür.

Die Tage gehen still dahin, unter einer verhüllten Sonne.
Der Wald färbt und entlaubt sich, und man kann weit hineinsehen vom Tor aus oder von der Steinbank am Mühlenrad. Man
kann die Straße weit entlangsehen, bis zur Fichtenschonung,
die der Herbst nicht berührt hat, und aus der sie hervortritt
wie aus einem dunklen Tor. Und kann jeden Menschen sehen,
der aus diesem Tor heraustritt, den Briefträger oder den
Förster oder die Wagen, die mit Korn zur Mühle gefahren
kommen. Der Bauer geht daneben, die Leine in der Hand, und
wenn er jung ist, kann es sein, daß er ein Lied pfeift, und man
hört es lange, bevor er aus der Schonung heraustritt, in der
stillen Luft, die über den Wäldern steht. Auch wenn der Landjäger käme, würde man ihn von weitem sehen und wissen, daß
er zur Mühle kommt.

Aber es geschieht nichts. Tobias hat an seine Wirtin geschrieben, daß seine Großmutter erkrankt sei, und daß er das
Zimmer behalten möchte. Und das ist der einzige Brief, den er
geschrieben hat. Und nun hat er weiter nichts zu tun. Er steht
am Tor, hinter den welkenden Dahlien, und blickt auf die
Straße. Oder er sitzt neben dem Mühlrad und streckt ab und
zu seine rechte Hand unter das schäumende Wasser und blickt
auf die Straße. Und erst als zwei Wochen vergangen sind, ohne
daß die Straße ihm jemanden geschickt hätte, sagt er eines

Morgens zur Großmutter, daß er gern pflügen möchte statt des Gesellen, der doch in der Mühle nötig sei.

Und nun geht er vom Morgen bis zum Abend hinter dem Pfluge her, von den Nebeln der Frühe bis zu denen der Dämmerung, und es ist ihm in seinen langsamen Gedanken, als breche auch sein ganzer Lebensweg so aus den Nebeln auf und gehe so in ihnen unter. Er weiß nicht, was mit ihm werden soll. Er ist ausgebrannt von seiner Tat, und nur ein finsterer Trotz ist wie eine düstere Brandmauer stehengeblieben. Da ist nicht die Tat, die ihn zerfrißt. Die Tat hat ihn nur leer gemacht. Aber da ist die Großmutter, die vor seiner Leere steht, schweigend, auf ihren Stock gestützt, und in diese Leere hineinsieht wie auf eine abgebrannte Hofstelle. Ob sich dort noch etwas regen werde unter der erkaltenden Asche, etwas, das verschont geblieben ist. Sie fragt nicht, und es sind auch keine besonderen Psalmen mehr, die sie aussucht. Aber sie ist anders geworden, und jeden Morgen ist es eine neue Veränderung, die er bemerkt. Sie leidet, und jedermann in der Mühle sieht es. Es ist so außerhalb aller Ordnung, daß ein Mensch wie die Großmutter leidet, daß es alles Leben verdunkelt, alle spärlichen Gespräche, allen Lampenschein in der großen Stube, ja selbst das Wasser, das über das Mühlrad braust.

Wenn der alte Müller nach dem Essen fragt, ob sie nun einen neuen Stein bestellen sollen zu dem zweiten Mahlgang, wie sie im Frühjahr besprochen hätten, sieht sie ihn an, als hätte es aus der Wand hinter ihm gefragt, und sagt dann leise: „Ich weiß nicht, Heinrich . . . ich weiß es wirklich nicht . . ." Dann fliegen alle Augen einmal über ihr Gesicht und schlagen sich dann wieder zu Boden, und einmal, nach einer solchen Antwort, steht die Magd vom Tische auf und geht laut weinend hinaus.

Rastlos ist die Großmutter geworden. Das Maß aller Dinge,

das sie gewesen ist, solange man denken kann, ist zerbrochen, und das Gesetz hat aufgehört, in der Mühle zu stehen. Sie geht am Tage umher, auf ihren Stock gestützt, vom Hoftor zum Stall, vom Stall zur Mühle, von der Mühle zum Rad, und wieder zurück. Sie bleibt bei Heinrich stehen und sieht zu, wie das Mehl in die Säcke rauscht, aber sie sieht nichts. Sie bleibt am Hoftor stehen und sieht zu, wie Tobias pflügt, aber sie sieht nichts. In zwei Schlangen könnten die Pferde sich verwandeln: ihre Lider würden nicht zucken. Und auch in den Nächten steht sie auf und wandert, ans Tor, in die Ställe, die Treppen hinauf und hinunter. Sie bleibt vor den Kammern des Ingesindes stehen, und sie wachen auf davon, daß das Stoßen des Stockes aufhört vor ihrer Tür, und daß es leise spricht hinter dem dunklen Holz, eine zerbrochene, ratlose und ganz verirrte Stimme.

„Es ist nicht gut, Frau", sagt Heinrich eines Abends, als er den Mahlgang abstellt und sie auf seine Hände blickt. „Sagen Sie, was wir tun sollen ... alles werden wir tun ..." Aber sie schüttelt nur den Kopf. „Gott züchtigt mich", sagt sie leise, wie im Traum. „Haltet nun still mit mir ... ganz still ..."

Und Tobias, so sehr er im Nebel zu Hause ist, fühlt, daß sie ihn ausstoßen, schweigend, ohne Haß in den Blicken, aber mit einer unerschütterlichen Festigkeit. Die Welt seiner Zuflucht stößt ihn aus. Es tröstet ihn nicht, daß er sie die Welt der alten Ordnungen nennt, die nichts von den Krämpfen wisse, in denen seine Jugend nach Boden und Recht und Ehre tastet. Daß sie in der Verschollenheit lebe, indes draußen, auf den hellen Straßen, um das Leben des Volkes gerungen wird. Daß die Mühlen der Städte anders mahlen als hier, daß Blut zwischen ihren Steinen steht und nicht Brot. Er ordnet sie mit großen Worten, diese Gesetze der neuen Welt, und richtet sie auf vor diesen stillen Gesichtern, aber die Gesichter wenden sich ab, und auf ihren Stirnen steht schweigend das alte Gesetz, das stille und ganz einfache, das Gesetz aller alten Mühlen: Maß für Maß.

Und er sieht nun nicht mehr die Landstraße entlang, ob aus der dunklen Schonung ein Mensch oder ein Schicksal komme. Leer und erstorben ist das Schicksal der Straße für ihn. Er sieht nur noch in das Gesicht seiner Großmutter, heimlich und mit wachsender Verzweiflung, und er erkennt, daß nur aus diesem Gesicht sein Schicksal kommen wird. Und daß er es rufen muß, er allein, und früher wird kein Leben sein, sondern nur ein langsamer Tod.

Auch er erwacht nun in den Nächten, wenn ihr Stock durch das Haus wandert. Er sitzt aufrecht in seinem Bett, mit schlagendem Herzen, und verfolgt den dumpfen Ton, mit dem sein Schicksal umgeht, ein Wiederkehrer, den niemand erlösen will. Er hört den Schritt verstummen vor seiner Tür, lange, qualvolle Zeit, und wieder davongehen, langsamer nun, schleppend, wie ein zerbrochenes Tier. Und er stürzt an den Riegel und preßt das Ohr an das kühle Holz, bis alles verstummt in dem großen, dunklen Haus und nur der Wind über die Felder geht, ein klagender, mahnender Ton, der in den Wäldern ertrinkt.

Er fühlt, daß die Großmutter mit ihm ringt, ja daß sie ihn zerbricht, ohne ein einziges Wort, ohne seine Hand anzurühren, aber daß sie ihn zerbricht. Eine alte Frau, aus einer verschollenen Welt, mit einem erloschenen Gesicht, und daß sie sterben wird, wenn er sich wehrt, lautlos sterben wird, mit einer unhörbaren Klage gegen Gott, für den sie gefochten hat und gefallen ist.

Und in der nächsten Nacht, als der Schritt vor seiner Schwelle verstummt, springt er auf und reißt den Riegel zurück. Vielleicht will er schreien oder fluchen oder nur weinen, wie damals als Kind. Aber alles dieses kann er nicht. Denn als er die Tür ins Zimmer reißt, kniet die Großmutter auf der Schwelle, und ihr weißer Scheitel, der Stütze beraubt, sinkt gegen seine Knie. Der Stock fällt auf die Dielen, und es hallt dumpf den Gang entlang, alle die vielen Gänge, die bis unter das Dach der Mühle laufen.

„Großmutter!" schreit er. „Großmutter . . . erlöse mich . . .!"

Und siehe, die alte Frau steht auf, ohne nach dem Stock zu greifen. Ein aufrechter, fester, in sich ruhender Mensch, eine Herrin wieder über Tier und Feld, und geleitet ihn auf sein Lager, behutsam, als ob sie ein weinendes Kind geleite, und hüllt ihn in seine Decke und legt die Hand auf seine Stirn und sagt leise, fast glücklich: „Sage es nun, mein Kind . . ."

Und in ihre Hände hinein sagt er alles, was gewesen ist.

Nichts wird verabredet, nichts gefragt, nichts erwogen. Aber am nächsten Morgen, an dem schweren, dunklen Tisch, legt die Großmutter die Hand auf die alte Bibel und sagt: „Wir wollen nachher beten . . ." Und dann, als die beiden Lehrjungen ihre Zinnteller zurückgeschoben haben, steht die Großmutter auf und sieht langsam von Gesicht zu Gesicht, bis auch die andern aufgestanden sind. „Mein Enkelkind," sagt sie und legt die Hand auf Tobias' Hand zu ihrer Rechten, „mein Enkelkind hat getötet und wird sich nun beugen unter das Gesetz . . . tretet heran und nehmt Abschied von ihm . . . mit reinem Herzen . . . wie er mit reinem Herzen Abschied nimmt von uns . . . und nun wollen wir beten . . ."

Und die Großmutter spricht das Vaterunser, mit lauter und freudiger Stimme.

Und dann befiehlt sie, daß Heinrich anspanne und mit ihnen zur Stadt fahre.

INTERPRETATION

Der erste Absatz des „Tobias", ein eigentümliches Bild: die schwarzen Schatten der Zweige und Blätter des Kastanienbaumes, die im Schein der Laterne auf der Straße hin- und hertasten. Es ist offenbar ein Eindruck, der dem Dichter viel bedeutet, daß er ihn ganz für sich und an den Anfang stellt. Wir lesen weiter. Der Mord ist geschehen, und wieder greift ein langer Schatten suchend über die Straße. Diesmal ist es der Schatten des Armes, den einer der Toten aufwärts reckt. Und nun flüchtet Tobias und nimmt das Bild der erhellten Straße und der dunklen Schatten mit sich fort. Licht und Dunkel sind von nun an die großen bewegenden Kräfte in seinem Leben. In den Augen der Großmutter sammelt sich alles Licht, sie wirft keinen Schatten. Aber der Wald ist dunkel, und er, Tobias, gehört in das Dunkel und verbirgt sich in ihm. Bis ihm das Dunkel unheimlich wird, weil es so gespenstisch belebt ist von seinen eigenen Erinnerungen und Gedanken. Da flüchtet er sich ins Licht. Aber das Leid der Großmutter um ihn verdunkelt alles Leben. Und erst, als er seine Schuld gesteht und reuig auf sich nimmt, versöhnen sich Licht und Dunkel. Die Bibel liegt vor ihm, dieses innere Licht, dem die Großmutter folgt, auf dem „schweren, dunklen Tisch", schwer und dunkel wie sein Schicksal, und er hat wieder ein reines Herz, weil er beides willig in sich empfängt.

So werden die ersten Sätze, das eigentümliche Anfangsbild, zum Symbol, das durch den Verlauf der Handlung allmählich vertieft wird. Zugleich aber ist dieses Bild eine scharf gesehene realistische Beobachtung, die auf einen Blick Hintergrund und Atmosphäre gibt: Nacht, eine einsame Straße am Ausgang der

Stadt und ein ungewisses, unruhiges Warten voll verhaltener Erregung.

Wiechert geht der Reflexion aus dem Wege. Er versucht, innere Vorgänge durch konkrete Bilder und Handlungen anzudeuten. Tobias' Finger pressen sich in den Stoff seines Mantels, um nicht zu zittern, seine Gedanken klammern sich an seinen „lächerlichen" Namen, an das Bild der Großmutter, an die silbernen Pappeln bei der alten Mühle, „um nicht zu stürzen". An Stelle der Reflexion tritt die Erinnerung. Als er auf der Flucht die Stirn weinend an das kühle Holz einer Hütte lehnt, denkt er nicht nach. Er überläßt sich den Bildern der Kindheit, die mit dem feuchten, bitteren Geruch des Holzes in ihm erstehen. Was er innerlich sieht, wird nicht zum Gedanken. Der Gegensatz der Kindheitserinnerungen zu dem „weißen Tuch der Straße mit roten Flecken" ist es, was ihn erschüttert. Dann ziehen die Wildgänse über ihm fort, und da geht auch er, wie sie einem Trieb gehorchend. Er kann nicht, dem Befehl gehorsam, in sein Zimmer zurückkehren. Denn er muß seine Hände im Wasser des Mühlbachs waschen, die gesprungene Waschschüssel seiner Wirtin ist dazu nicht gut genug. Zwei gegensätzliche Bilder, Symbole dessen, was er instinktiv verachtet, und wonach er sich sehnt. Und wie er in Bildern denkt, so spricht die Großmutter in Bildern. Sie sagt ihm nicht: „du bist schuldig". Sie erinnert ihn an die Hände des Pilatus und der englischen Königin, sie spricht durch das Gleichnis des hundertneununddreißigsten Psalms. Als er nicht gesteht, leidet sie stumm mit ihm, nur ihr Stock tönt nachts durch das Haus, wie sie ruhelos wandert. Er horcht, und seine Angst verdichtet sich zum Bild eines unerlösten Gespenstes, das er erlösen muß. Er reißt die Tür auf, und der weiße Scheitel der betenden alten

Frau sinkt gegen seine Knie. Da schreit er auf: „Erlöse mich!"
Ein instinktiver Hilferuf. Und als er seine Schuld gestanden hat,
indem er erzählt, was geschehen ist, wird nichts weiter gesprochen. Die Tat wird gesühnt durch die Tat. Sie wissen es
beide, ohne darüber nachzudenken oder zu sprechen.

Diese intellektuelle Zurückhaltung Wiecherts — die skandi-
navischen Einfluß verrät — müßte verarmend wirken, wenn
nicht jede Handlung, jede bildhafte Beobachtung so intensiv
Geistiges symbolisierte. Freilich nicht den individuellen Gedanken, das Intellektuelle, sondern das Geistige als halb unbe-
wußte, instinktive Reaktion auf die sinnlichen Eindrücke, der
aber mehr als Instinkt zugrundeliegt. Tobias flüchtet nicht so
sehr aus Angst, als weil er sich schuldig fühlt. Er versucht, die
Schuld von sich abzuwälzen, zuerst auf die Stadt, die Zeit, die
Umstände, die ihn dazu getrieben haben, dann auf die Großmutter, deren alte Gesetze heute nicht mehr gelten. Aber sie
kehrt immer zu ihm zurück und erfüllt ihn ganz, verdrängt
jeden anderen Gedanken, jedes andere Gefühl in ihm. Er empfindet sie sinnlich, wie er die Großmutter als Licht, den Wald
als Dunkel empfindet. Sie umgibt ihn wie Nebel, sie macht sein
Herz leer wie ein ausgebranntes Haus. Sie wird sein Schicksal.
Wiechert sieht — mit Schiller — in der Schuld den Kern des
menschlichen Schicksals.

Das Erlebnis der Schuld aber setzt ein Gesetz voraus, das
ebenfalls nicht nur gekannt, sondern erlebt und durch die Schuld
verletzt worden ist. Im „Tobias" ist es „das Gesetz aller alten
Mühlen: Maß für Maß". Auch hier ein Bild, das den Gedanken
gleichnishaft umschließt, und dadurch wird das „Gesetz"
mehr als nur ein formales Prinzip der Gerechtigkeit. In der
Bibel heißt es: Auge um Auge, Zahn um Zahn. Das sind rein
sinnliche, materielle Dinge. Das „Maß" aber ist mehr: es ist

konkret und zugleich eine geistige Formung des Konkreten. Maßlos ist Tobias geworden durch seine Tat: nicht nur, weil er gemordet und noch nicht mit seinem Leben für das Leben des andern bezahlt hat, sondern weil er etwas getan hat, was mit seinem ganzen Wesen nicht im Einklang steht. Seine Kindheit im Wald, das Vorbild der Großmutter, die alte Mühle mit ihren stillen, bescheidenen Bewohnern haben sein Wesen geformt: er ist still und geduldig geworden, tief verwachsen mit allen Dingen. Da paßt der Mord nicht hinein. Und nun paßt er, der Mörder, nicht mehr zu dem, was ihn geformt hat, zu der Natur, zu der Großmutter, die das „Maß aller Dinge" für ihn ist. Die Großmutter: eine einsame alte Frau mit einem Gesicht wie aus „glattem Holz", aufrecht „wie ein Soldat aus einem fremden Land". Ihr Gesetzbuch, ihr „Maß" für alle Dinge ist die Bibel. In ihr gewinnen die Worte der Bibel Gestalt, in ihr gewinnt Tobias' Schuld und Schicksal Gestalt. Er mißt sich schweigend mit ihr und ist ihr nicht gewachsen. Erst als er die Schuld und damit auch die Sühne willig in sich aufnimmt, hat er das Maß erfüllt und darf aufrecht neben ihr stehen.

Geduld, ruhiges, instinktives Erleben der Wirklichkeit im Vertrauen auf wenige, unveränderliche Wahrheiten, Rückkehr zur Natur, zu den Dingen, Abkehr vom Abstrakten, Intellektuellen ist das „Maß" der Novelle „Tobias". In diesem Sinne „maßvoll" ist auch der Stil. Wiechert liebt den Gegensatz, aber nicht um des technischen Effektes willen. Er wiederholt dieselben einfachen Gegensatzpaare immer wieder, sodaß sie nicht mehr als Überraschung und Spannung sondern als Synthese wirken. Er beschränkt sich auch in seinen Adjektiven und Verben auf einen jedem geläufigen, begrenzten Wortschatz, vermeidet das Originelle. Trotzdem wirkt sein Stil eigenartig und reizvoll, weil jeder Ausdruck erlebt ist. Alltägliche Wörter gewinnen bei ihm ihren ursprünglichen sinnlichen Gehalt zurück: „der Befehl war eingebrannt in ihr Gedächtnis, sodaß die Narben bei jeder Berührung schmerzten." „Tobias' Gedanken klammern sich an seinen Namen, um nicht zu stürzen." „Eine schwere Traurigkeit floß aus dem kühlen, betauten Holz in ihn hinein . . ." Die Dinge beleben sich durch Adjektive, die wir aus innerer Erfahrung kennen: ein Busch ist „wie ein wartender Mensch"; der Mühlbach empfängt die Pistole mit einem „seufzenden Laut"; „erbarmungsloses Licht" liegt über der Straße mit den roten Flecken; Feindschaft ist in der blinden Regungslosigkeit der Fenster; der „stille, strenge Hof" ist von den Tauben „wie von einem warmen Schein des Lebens erfüllt".

Gedrängt und knapp ist Wiecherts Sprache. Was er durch ein Adjektiv andeuten kann, erklärt er nicht in einem Satz. Deshalb hat jedes Wort Bedeutung. Ein „schwerer, dunkler Tisch" z.B. ist nichts Ungewöhnliches; aber wie er die Worte gebraucht, bedeuten sie mehr als gewöhnlich. Er wiederholt dieselben Adjektive, wenn dieselbe Sache wieder vorkommt, und erhöht dadurch das Interesse für ihre mehr als oberflächlich beschreibende Bedeutung. Sein Satzbau ist einfach, die Sätze sind meistens kurz, der Rhythmus ruhig und gleichmäßig. Wo es ihm aber darauf ankommt, einen wichtigen Gegensatz hervorzuheben, wechselt der Rhythmus. Ein Beispiel: Tobias flieht. „Er lief, blind, gehetzt, ins Dunkle hinein. Er wollte keine Laterne sehen. Er wollte seine Hände nicht sehen. Er wollte begraben sein vom barmherzigen Dunkel. Er merkte an seinem Atem . . . Er stieß an eine Bretterhütte . . . Er blieb stehen . . ." Kurze Sätze, gespanntes Tempo, Handlung, durch das immer wiederholte „Er" am Anfang jedes Satzes scharf betont. Nun aber, wo ihn die Natur, die Erinnerung übermannt, werden die Sätze ruhiger, länger, melodischer: „Tau war schon gefallen, und sein Gesicht empfing die Feuchtigkeit und den bitteren Geruch des Holzes" usw.

Wiechert liebt es, seine Sätze mit „und" anzufangen und damit den Punkt am Ende des vorausgehenden Satzes gleichsam unwichtig zu machen. Dasselbe Prinzip findet sich oft im Volkslied. Es drückt im allgemeinen eine Abkehr vom logisch-intellektuellen Denken aus. Wiecherts Sätze enden, weil eine Handlung zu Ende ist, gleichsam, um dieser Handlung dadurch Nachdruck zu geben. Aber aus einer Handlung entspringt die nächste, die sich der vorhergehenden mit „und" verbindet. Ein Beispiel: Tobias hat als Kind gestohlen. „ ‚Ein Lügner ist wie eine Distel im Weizen', hat die Großmutter gesagt und sich umgedreht. Und sie hat kein Wort mit ihm gesprochen ... Und nach einer Woche beim Beten hat er es nicht mehr tragen können und sich über das Buch geworfen und bekannt. Und sie hat ihre Hand auf seine Stirn gelegt . . ."

Kein größerer Gegensatz ist denkbar als Wiecherts „Tobias" und Thomas Manns „Das Wunderkind". Das Künstlererlebnis Thomas Manns stellt den Höhepunkt des Individualismus dar. Fremd und einsam steht der Künstler unter den andern. Er besitzt schöpferische Kraft und muß deshalb alles anders erleben als die Menge, die nur lebt, nicht gestaltet. Er leidet an seiner Eigenart und genießt zugleich sein Leid als ein Zeichen seiner Auserwähltheit. Bei Wiechert dagegen ist das individualistische Selbsterlebnis verschwunden. Er gestaltet das Schicksal irgend eines jungen Menschen, keines besonderen, und in ihm symbolisch das Schicksal der Jugend unserer Zeit.

V. POETISCHE PROSA

Friedrich Schlegel [1] beginnt seine Analyse von „Wilhelm Meisters Lehrjahren" mit folgendem Satz:

„Ohne Anmaßung und ohne Geräusch, wie die Bildung eines strebenden Geistes sich entfaltet, und wie die werdende Welt aus seinem Innern leise emporsteigt, beginnt die klare Geschichte."

Dieser Satz ist ein vollkommenes Beispiel einer durch „Sorgfalt und Bildung" veredelten Prosa. Gedanken werden nicht berichtet, sondern dargestellt in einer ihnen gemäßen, künstlerischen Form. Rhythmus, Sprachmelodie und Linie verbinden sich zu einer ästhetischen Wirkung, zur Schönheit des Stils. Ändern wir z.B. hier und da nur ein Wort, so empfinden wir die Harmonie des Ganzen als gestört:

Ohne Anmaßung und Geräusch,
wie sich die Bildung des strebenden Geistes entfaltet,
und wie die Welt leise aus seinem Innern erwächst,
fängt die klare Geschichte an.

Ohne Anmaßung und Geräusch: Linie und Rhythmus sind verkürzt, unterbrochen; — *wie sich die Bildung des strebenden Geistes entfaltet:* Umstellung des „sich", Verwendung von „des" statt „eines" stören die große, ruhig ansteigende Linie und die Satzmelodie; — *und wie die Welt leise aus seinem Innern erwächst:* Umstellung von „leise", „erwächst" statt „emporsteigt", nehmen der Darstellung ihren sinnlich-melodischen Reiz, und die „Welt" statt „die werdende Welt" zerstört den feinen geistigen Übergang zum Sinn des Verbums sowohl wie

das Gleichgewicht des ganzen Satzteils; — *fängt die klare Geschichte an:* Verwendung von „anfangen" statt „beginnen" ist
hier ein grober Verstoß gegen Rhythmus und Linie, zerstört
den lautlichen Wert des Adjektivs „klar" und — durch das be-
langlose „an" am Schluß — die Form des ganzen, in sich ge-
rundeten Satzes.

Vergleichen wir nun den so veränderten Satz als Ganzes
mit seiner ursprünglichen Fassung, so erscheint uns die Sprache
Friedrich Schlegels nicht nur schöner, sondern überzeugender,
notwendig und charakteristisch. Gehalt und Form sind hier eins.
Durch Rhythmus, Melodie und Linie wird der Leser vielleicht
noch unmittelbarer in die Welt Goethes und Schlegels eingeführt als durch die gedankliche Bedeutung der Worte.

Friedrich Schlegels Analyse der „Lehrjahre" ist eine kritische
Schrift, die an sich keinen Anspruch auf künstlerische Form erhebt. Wenn seine Prosa trotzdem diese künstlerischen Werte
in so hohem Maße verkörpert, so ist das ein Zeichen, daß wir
sie nicht nur für die Dichtung in Anspruch nehmen können.
Gute Prosa trägt immer und überall diese Werte in sich, selbst
als bloßes Verständigungsmittel, in Gesprächen und Briefen, im
täglichen Leben.

Das Verständnis dieser künstlerischen Werte guter Prosa verlangt aber eine größere Feinfühligkeit für rhythmische und
melodische Unterschiede als das Verständnis der Poesie. Ehe wir
eine Prosaschrift laut lesen, werden wir uns oft ihrer Formwerte
nicht bewußt, und selbst dann noch folgen wir gewohnheitsmäßig mehr dem Gedankengang als der Linie der Sprache.

Bei Menschen, die für Sprachmelodie und -rhythmus besonders veranlagt und empfänglich sind, werden diese Werte
oft so wichtig, daß sich ihre Prosa dem Poetischen nähert. So
entstehen Dichtungen, die auf der Grenze zwischen Prosa und

Poesie stehen, die manchmal ganz zum Gedicht übergehen, um wieder zur Prosa zurückzukehren. Rhythmus, Melodie und Linie sind in ihnen besonders ausgeprägt; was in der Prosa sonst oft übersehen wird, ist hier jedem zugänglich. Als Beispiel Rainer Maria Rilkes Gedicht in Prosa „Die Weise von Liebe und Tod des Cornets Christoph Rilke".

DIE WEISE VON LIEBE UND TOD DES CORNETS CHRISTOPH RILKE *

RAINER MARIA RILKE

THE TALE OF THE LOVE AND DEATH OF CORNET CHRISTOPHER RILKE †

RAINER MARIA RILKE

* Mit Erlaubnis des Insel-Verlags, Leipzig.

† The translation by M. D. Herter Norton, published by W. W. Norton & Company, Inc., New York. Reprinted with the permission of the publishers.

199

„. . . den 24. November 1663 wurde Otto von Rilke / auf
Langenau / Gränitz und Ziegra / zu Linda mit seines in Un-
garn gefallenen Bruders Christoph hinterlassenem Antheile am
Gute Linda beliehen; doch mußte er einen Revers ausstellen /
nach welchem die Lehensreichung null und nichtig sein sollte /
im Falle sein Bruder Christoph (der nach beigebrachtem Toten-
schein als Cornet in der Compagnie des Freiherrn von Pirovano
des kaiserl. oesterr. Heysterschen Regiments zu Roß. . . . ver-
storben war) zurückkehrt . . ."

Reiten, reiten, reiten, durch den Tag, durch die Nacht, durch
den Tag.
Reiten, reiten, reiten.
Und der Mut ist so müde geworden und die Sehnsucht so groß.
Es gibt keine Berge mehr, kaum einen Baum. Nichts wagt aufzustehen. Fremde Hütten hocken durstig an versumpften
Brunnen. Nirgends ein Turm. Und immer das gleiche Bild.
Man hat zwei Augen zuviel. Nur in der Nacht manchmal
glaubt man den Weg zu kennen. Vielleicht kehren wir nächtens
immer wieder das Stück zurück, das wir in der fremden Sonne
mühsam gewonnen haben? Es kann sein. Die Sonne ist schwer,
wie bei uns tief im Sommer. Aber wir haben im Sommer Abschied genommen. Die Kleider der Frauen leuchteten lang aus
dem Grün. Und nun reiten wir lang. Es muß also Herbst sein.
Wenigstens dort, wo traurige Frauen von uns wissen.

Der von Langenau rückt im Sattel und sagt: „Herr Marquis . . ."
Sein Nachbar, der kleine feine Franzose, hat erst drei Tage lang
gesprochen und gelacht. Jetzt weiß er nichts mehr. Er ist wie
ein Kind, das schlafen möchte. Staub bleibt auf seinem feinen

"... The 24th of November 1663 Otto von Rilke / at Lange-
nau / Gränitz and Ziegra / in Linda was enfeoffed with the
share of the Linda estate left by his brother Christopher, fallen
in Hungary: but he had to sign a reversion / by which the
feudal tenure became null and void / in case his brother Christo-
pher (who according to the death certificate adduced had died
as cornet in the Baron of Pirovano's company of the Imperial
Austrian Heyster Regiment of Horse ...) should return. ..."

Riding, riding, riding, through the day, through the night,
through the day.
Riding, riding, riding.
And courage is grown so weary, and longing so great. There
are no hills any more, hardly a tree. Nothing dares stand up.
Alien huts crouch thirstily by mired springs. Nowhere a tower.
And always the same picture. One has two eyes too many. Only
in the night sometimes one seems to know the road. Perhaps
we always nocturnally retrace the stretch we have won wearily
in the foreign sun? It is possible. The sun is heavy, as deep in
summer at home. But we took our leave in summer. The wom-
en's dresses shone long among the green. And we have been
riding long. So it must be autumn. At least there, where sorrowful women know of us.

He of Langenau turns in his saddle and says: "Sir Marquis ..."
His neighbor, the little fine Frenchman, has been talking and
laughing these three days. Now he has nothing more to say.
He is like a child that wants to sleep. Dust settles on his fine

weißen Spitzenkragen liegen; er merkt es nicht. Er wird langsam welk in seinem samtenen Sattel.
Aber der von Langenau lächelt und sagt: „Ihr habt seltsame
Augen, Herr Marquis. Gewiß seht Ihr Eurer Mutter ähnlich — "
Da blüht der Kleine noch einmal auf und stäubt seinen Kragen
ab und ist wie neu.

Jemand erzählt von seiner Mutter. Ein Deutscher offenbar.
Laut und langsam setzt er seine Worte. Wie ein Mädchen, das
Blumen bindet, nachdenklich Blume um Blume probt und noch
nicht weiß, was aus dem Ganzen wird — : so fügt er seine
Worte. Zu·Lust? Zu Leide? Alle lauschen. Sogar das Spucken
hört auf. Denn es sind lauter Herren, die wissen, was sich gehört. Und wer das Deutsche nicht kann in dem Haufen, der
versteht es auf einmal, fühlt einzelne Worte: „Abends" ...
„Klein war . . ."

Da sind sie alle einander nah, diese Herren, die aus Frankreich
kommen und aus Burgund, aus den Niederlanden, aus Kärn-
tens Tälern, von den böhmischen Burgen und vom Kaiser Leopold. Denn was der Eine erzählt, das haben auch sie erfahren
und gerade so. Als ob es nur *eine* Mutter gäbe . . .

So reitet man in den Abend hinein, in irgendeinen Abend. Man
schweigt wieder, aber man hat die lichten Worte mit. Da hebt
der Marquis den Helm ab. Seine dunklen Haare sind weich,
und wie er das Haupt senkt, dehnen sie sich frauenhaft auf seinem
Nacken. Jetzt erkennt auch der von Langenau: Fern ragt
etwas in den Glanz hinein, etwas Schlankes, Dunkles. Eine

white lace-collar; he does not notice it. He is slowly withering
in his velvet saddle.
But von Langenau smiles and says: "You have strange eyes,
Sir Marquis. Surely you look like your mother — "
At that the little fellow blooms again and dusts his collar off and
is like new.

Someone is telling of his mother. A German evidently. Loud
and slow he sets his words. As a girl, fastening flowers, thought-
fully proves flower after flower and does not yet know what
the whole will come to — : so he fits his words. For joy? For
sorrow? All listen. Even the spitting stops. For these are gentlemen every one, who know what is proper. And whoever speaks
no German in the group suddenly understands it, feels individual
words: "At evening" . . . "was little" . . .

Now are they all near to each other, these gentlemen that come
out of France and out of Burgundy, out of the Netherlands,
out of Carinthia's valleys, from the castles of Bohemia and from
the Emperor Leopold. For what this one tells they too have
experienced, and just as he has. As though there were but one
mother . . .

So they ride into the evening, into any evening. They are silent
again, but they have the bright words with them. The Marquis
doffs his helmet. His dark hair is soft, and, as he bows his head, it
spreads like a woman's about his neck. Now von Langenau
too is aware: far off something rises into the radiance, something slender, dark. A lonely column, half ruined. And when

einsame Säule, halbverfallen. Und wie sie lange vorüber sind, später, fällt ihm ein, daß das eine Madonna war.

Wachtfeuer. Man sitzt rundumher und wartet. Wartet, daß einer singt. Aber man ist so müd. Das rote Licht ist schwer. Es liegt auf den staubigen Schuhn. Es kriecht bis an die Kniee, es schaut in die gefalteten Hände hinein. Es hat keine Flügel. Die Gesichter sind dunkel. Dennoch leuchten eine Weile die Augen des kleinen Franzosen mit eigenem Licht. Er hat eine kleine Rose geküßt, und nun darf sie weiterwelken an seiner Brust. Der von Langenau hat es gesehen, weil er nicht schlafen kann. Er denkt: Ich habe keine Rose, keine.
Dann singt er. Und das ist ein altes trauriges Lied, das zu Hause die Mädchen auf den Feldern singen, im Herbst, wenn die Ernten zu Ende gehen.

Sagt der kleine Marquis: „Ihr seid sehr jung, Herr?"
Und der von Langenau, in Trauer halb und halb im Trotz: „Achtzehn." Dann schweigen sie.
Später fragt der Franzose: „Habt Ihr auch eine Braut daheim, Herr Junker?"
„Ihr?" gibt der von Langenau zurück.
„Sie ist blond wie Ihr."
Und sie schweigen wieder, bis der Deutsche ruft: „Aber zum Teufel, warum sitzt Ihr denn dann im Sattel und reitet durch dieses giftige Land den türkischen Hunden entgegen?"
Der Marquis lächelt. „Um wiederzukehren."
Und der von Langenau wird traurig. Er denkt an ein blondes Mädchen, mit dem er spielte. Wilde Spiele. Und er möchte nach Hause, für einen Augenblick nur, nur für so lange, als es

they are long past, later, it occurs to him that that was a Madonna.

Watch-fire. They sit round about and wait. Wait for someone to sing. But they are so tired. The red light is heavy. It lies on the dusty boots. It crawls up to the knees, it peers into the folded hands. It has no wings. The faces are dark. Even so, the eyes of the young Frenchman glow for a while with a light of their own. He has kissed a little rose, and now it may wither on upon his breast. Von Langenau has seen it, because he cannot sleep. He thinks: I have no rose, none.

Then he sings. And it is an old sad song that at home the girls in the fields sing, in the fall, when the harvests are finishing.

Says the little Marquis: "You are very young, sir?"
And von Langenau, in sorrow half and half defiant: "Eighteen."
Then they are silent.
Later the Frenchman asks: "Have you too a bride at home, Sir Junker?"
"You?" returns von Langenau.
"She is blond like you."
And they are silent again until the German cries: "But then why the devil do you sit in the saddle and ride through this poisonous land to meet the Turkish dogs?"
The Marquis smiles: "In order to come back again."
But von Langenau grows sad. He thinks of a blond girl with whom he played. Wild games. And he wants to go home, for

braucht, um die Worte zu sagen: „Magdalena, — daß ich immer *so war,* verzeih!"

Wie — war? denkt der junge Herr. — Und sie sind weit.

Einmal, am Morgen, ist ein Reiter da, und dann ein zweiter, vier, zehn. Ganz in Eisen, groß. Dann tausend dahinter: das Heer.

Man muß sich trennen.

„Kehrt glücklich heim, Herr Marquis. — "

„Die Maria schützt Euch, Herr Junker."

Und sie können nicht voneinander. Sie sind Freunde auf einmal, Brüder. Haben einander mehr zu vertrauen; denn sie wissen schon so viel Einer vom Andern. Sie zögern. Und ist Hast und Hufschlag um sie. Da streift der Marquis den großen rechten Handschuh ab. Er holt die kleine Rose hervor, nimmt ihr ein Blatt. Als ob man eine Hostie bricht.

„Das wird Euch beschirmen. Lebt wohl." Der von Langenau staunt. Lange schaut er dem Franzosen nach. Dann schiebt er das fremde Blatt unter den Waffenrock. Und es treibt auf und ab auf den Wellen seines Herzens. Hornruf. Er reitet zum Heer, der Junker. Er lächelt traurig: ihn schützt eine fremde Frau.

Ein Tag durch den Troß. Flüche, Farben, Lachen — : davon blendet das Land. Kommen bunte Buben gelaufen. Raufen und Rufen. Kommen Dirnen mit purpurnen Hüten im flutenden Haar. Winken. Kommen Knechte, schwarzeisern wie wandernde Nacht. Packen die Dirnen heiß, daß ihnen die Kleider zerreißen. Drücken sie an den Trommelrand. Und von der wilderen Gegenwehr hastiger Hände werden die Trommeln wach, wie im Traum poltern sie, poltern — . Und

an instant only, only for so long as it takes to say the words:
"Magdalena — that I was always thus, forgive!"
Was — *how?* thinks the young lord. — And they are far.

One day, at morning, a horseman appears, and then a second,
four, ten. All in iron, huge. Then a thousand behind: the army.
One must separate.
"Return safely home, Sir Marquis — "
"Mary protects you, Sir Junker."
And they cannot part. They are friends all at once, brothers.
Have more to confide in each other; for they already know so
much each of the other. They linger. And haste and hoof-
beat is about them. Then the Marquis strips off his great right
gauntlet. He fetches out the little rose, takes a petal from it. As
though breaking a host.
"That will shield you. Fare well." Von Langenau stands
amazed. He gazes long after the Frenchman. Then he shoves
the foreign petal under his tunic. And it rises and falls on the
waves of his heart. Bugle-call. He rides to the army, the Junker.
He smiles sadly: an unknown woman protects him.

A day through the camp. Curses, colors, laughter — : the
countryside is dazzled with it. Come gay-clad boys a-running.
Brawling and calling. Come wenches with crimson hats on
their full-flowing hair. Beckonings. Come men-at-arms, black-
iron as wandering night. Seize the hussies hotly, that their
clothes tear. Press them against the drum's edge. And at the
wilder withstanding of hasty hands, the drums awake; as in a
dream they rumble, rumble — . And at evening they hold up

abends halten sie ihm Laternen her, seltsame: Wein, leuchtend
in eisernen Hauben. Wein? Oder Blut? — Wer kanns unterscheiden?

Endlich vor Spork. Neben seinem Schimmel ragt der Graf.
Sein langes Haar hat den Glanz des Eisens.
Der von Langenau hat nicht gefragt. Er erkennt den General,
schwingt sich vom Roß und verneigt sich in einer Wolke Staub.
Er bringt ein Schreiben mit, das ihn empfehlen soll beim Grafen.
Der aber befiehlt: „Lies mir den Wisch." Und seine Lippen
haben sich nicht bewegt. Er braucht sie nicht dazu; sind zum
Fluchen gerade gut genug. Was drüber hinaus ist, redet die
Rechte. Punktum. Und man sieht es ihr an. Der junge Herr
ist längst zu Ende. Er weiß nicht mehr, wo er steht. Der Spork
ist vor Allem. Sogar der Himmel ist fort. Da sagt Spork, der
große General:
„Cornet."
Und das ist viel.

Die Kompagnie liegt jenseits der Raab. Der von Langenau
reitet hin, allein. Ebene. Abend. Der Beschlag vorn am Sattel
glänzt durch den Staub. Und dann steigt der Mond. Er sieht
es an seinen Händen.
Er träumt.
Aber da schreit es ihn an.
Schreit, schreit,
zerreißt ihm den Traum.
Das ist keine Eule. Barmherzigkeit:
der einzige Baum
schreit ihn an:
Mann!

lanterns for him, strange ones: wine, gleaming in iron head-pieces. Wine? Or blood? — Who can tell which?

At last in Spork's presence. Beside his white horse the Count towers. His long hair has the gleam of iron.
Von Langenau has not asked. He recognizes the General, swings from his horse and bows in a cloud of dust. He brings a letter presenting him to that officer's favor. But the Count commands: "Read me the scrawl." And his lips have not moved. He does not need them for this; they're just good enough for cursing. Anything further his right hand pronounces. Done! You can tell by the look of it. — The young lord has finished long ago. He no longer knows where he is standing. Spork looms before everything. Even the sky is gone. Then Spork, the great General, says:
"Cornet."
And that is much.

The company is lying beyond the Raab. He of Langenau rides towards it, alone. Level land. Evening. The studdings of his saddle-bow gleam through the dust. And then the moon mounts. He sees that by his hands.
He dreams.
But then something shrieks at him.
Shrieks, shrieks,
rends his dream.
That is no owl. Mercy:
the only tree
shrieks at him:
Man!

Und er schaut: es bäumt sich. Es bäumt sich ein Leib
den Baum entlang, und ein junges Weib,
blutig und bloß,
fällt ihn an: Mach mich los!
Und er springt hinab in das schwarze Grün
und durchhaut die heißen Stricke;
und er sieht ihre Blicke glühn
und ihre Zähne beißen.
Lacht sie?
Ihn graust.
Und er sitzt schon zu Roß
und jagt in die Nacht. Blutige Schnüre fest in der Faust.

Der von Langenau schreibt einen Brief, ganz in Gedanken.
Langsam malt er mit großen, ernsten, aufrechten Lettern:

> „Meine gute Mutter,
> „seid stolz: Ich trage die Fahne,
> „seid ohne Sorge: Ich trage die Fahne,
> „habt mich lieb: Ich trage die Fahne — "

Dann steckt er den Brief zu sich in den Waffenrock, an die
heimlichste Stelle, neben das Rosenblatt. Und denkt: Er wird
bald duften davon. Und denkt: Vielleicht findet ihn einmal
Einer ... Und denkt: ....; denn der Feind ist nah.

Sie reiten über einen erschlagenen Bauern. Er hat die Augen
weit offen, und etwas spiegelt sich drin; kein Himmel. Später
heulen Hunde. Es kommt also ein Dorf, endlich. Und über den
Hütten steigt steinern ein Schloß. Breit hält sich ihnen die Brücke
hin. Groß wird das Tor. Hoch willkommt das Horn. Horch:
Poltern, Klirren und Hundegebell! Wiehern im Hof, Hufschlag und Ruf.

And he looks: something rears itself — a body rears itself
along the tree, and a young woman,
bloody and bare,
assails him: Let me loose!
And down he springs in the black green
and hews the hot ropes through;
and he sees her glances glow
and her teeth bite.
Is she laughing?
He shudders.
And already he sits his horse
and chases through the night. Bloody ties fast in his fist.

Von Langenau is writing a letter, deep in thought. Slowly he
traces in great, earnest, upright letters:
"My good mother,
"be proud: I carry the flag,
"be carefree: I carry the flag,
"love me: I carry the flag — "
Then he puts the letter away inside his tunic, in the most secret
place, beside the roseleaf. And thinks: It will soon be perfumed
with that fragrance. And thinks: Perhaps someone will find it
some day . . . And thinks: . . . For the enemy is near.

They ride over a slain peasant. His eyes are wide open and something is mirrored in them; no heaven. Later hounds howl. So
a village is coming, at last. And above the hovels stonily rises
a castle. Broad lies the bridge before them. Great grows the
gate. High welcomes the horn. Hark: rumble, clatter, and
barking of dogs! Neighing in the court, hoof-beat and hail-
ing.

Rast! Gast sein einmal. Nicht immer selbst seine Wünsche be-
wirten mit kärglicher Kost. Nicht immer feindlich nach allem
fassen; einmal sich alles geschehen lassen und wissen: Was geschieht, ist gut. Auch der Mut muß einmal sich strecken und
sich am Saume seidener Decken in sich selber überschlagen.
Nicht immer Soldat sein. Einmal die Locken offen tragen und
den weiten offenen Kragen und in seidenen Sesseln sitzen und
bis in die Fingerspitzen so: nach dem Bad sein. Und wieder
erst lernen, was Frauen sind. Und wie die weißen tun und wie
die blauen sind; was für Hände sie haben, wie sie ihr Lachen
singen, wenn blonde Knaben die schönen Schalen bringen, von
saftigen Früchten schwer.

Als Mahl beganns. Und ist ein Fest geworden, kaum weiß
man wie. Die hohen Flammen flackten, die Stimmen schwirrten,
wirre Lieder klirrten aus Glas und Glanz, und endlich aus den
reifgewordnen Takten: entsprang der Tanz. Und alle riß er
hin. Das war ein Wellenschlagen in den Sälen, ein Sich-
Begegnen und ein Sich-Erwählen, ein Abschiednehmen und
ein Wiederfinden, ein Glanzgenießen und ein Lichterblinden
und ein Sich-Wiegen in den Sommerwinden, die in den
Kleidern warmer Frauen sind.
Aus dunklem Wein und tausend Rosen rinnt die Stunde
rauschend in den Traum der Nacht.

Und Einer steht und staunt in diese Pracht. Und er ist so geartet,
daß er wartet, ob er erwacht. Denn nur im Schlafe schaut man
solchen Staat und solche Feste solcher Frauen: ihre kleinste
Geste ist eine Falte, fallend in Brokat. Sie bauen Stunden auf
aus silbernen Gesprächen, und manchmal heben sie die Hände
so — , und du mußt meinen, daß sie irgendwo, wo du nicht

Rest! To be a guest for once. Not always oneself to supply one's wishes with scanty fare. Not always to seize things, enemy-like; for once to let things happen to one and to know: what happens is good. Courage too must stretch for once and at the hem of silken covers turn in upon itself. Not always to be a soldier. For once to wear one's hair loose and a broad open collar and to sit upon silken settles and be to the very fingertips as after the bath. And to learn over again what women are. And how the white ones do and how the blue ones are; what sort of hands they have, how they sing their laughter, when blond boys bring the beautiful bowls weighted with juice-laden fruits.

It began as a meal. And became a feast, one hardly knows how. The high flames flared, voices whirred, tangled songs jangled out of glass and glitter, and at last from the ripe-grown measures — forth sprang the dance. And tore them all along. That was a beating of waves in the halls, a meeting together and a choosing of each other, a parting with each other and a finding again, a rejoicing in the radiance and a blinding in the light and a swaying in the summer winds that are in the dresses of warm women.

Out of dark wine and a thousand roses runs the hour rushing into the dream of night.

And one man stands and marvels at this splendor. And he has the air of waiting whether he shall awake. Because in sleep alone one sees such state and such festivals of such women: their slightest gesture is a fold falling in brocade. They build up hours out of silvery discourses, and sometimes lift their hands up: so — , and you must think that somewhere where you can-

hinreichst, sanfte Rosen brächen, die du nicht siehst. Und da
träumst du: Geschmückt sein mit ihnen und anders beglückt
sein und dir eine Krone verdienen für deine Stirne, die leer ist.

Einer, der weiße Seide trägt, erkennt, daß er nicht erwachen
kann; denn er ist wach und verwirrt von Wirklichkeit. So flieht
er bange in den Traum und steht im Park, einsam im schwarzen
Park. Und das Fest ist fern. Und das Licht lügt. Und die Nacht
ist nahe um ihn und kühl. Und er fragt eine Frau, die sich zu
ihm neigt:
„Bist Du die Nacht?"
Sie lächelt.
Und da schämt er sich für sein weißes Kleid.
Und möchte weit und allein und in Waffen sein.
Ganz in Waffen.

„Hast Du vergessen, daß Du mein Page bist für diesen Tag?
Verlässest Du mich? Wo gehst Du hin? Dein weißes Kleid gibt
mir Dein Recht — ."
— — — — — — — — — — — — — — — — — —
„Sehnt es Dich nach Deinem rauhen Rock?"
— — — — — — — — — — — — — — — — — —
„Frierst Du? — Hast Du Heimweh?"
Die Gräfin lächelt.
Nein. Aber das ist nur, weil das Kindsein ihm von den
Schultern gefallen ist, dieses sanfte dunkle Kleid. Wer hat es
fortgenommen? „Du?" fragt er mit einer Stimme, die er noch
nicht gehört hat. „Du!"
Und nun ist nichts an ihm. Und er ist nackt wie ein Heiliger.
Hell und schlank.

not reach, they break soft roses that you do not see. And then you dream: to be adorn'd with these and elsewise blest, and earning a crown for your brow that is empty.

One, who wears white silk, knows that he cannot wake; for he is awake and bewildered with reality. So he flees fearfully into the dream and stands in the park, lonely in the black park. And the feast is far. And the light lies. And the night is near about him and cool. And he asks a woman, who leans to him:

"Art thou the night?"

She smiles.

And at that he is ashamed for his white dress.

And would be far and alone and in armor.

All in armor.

"Have you forgotten that you are my page for this day? Would you leave me? Whither to go? Your white dress gives me right over you — ."

. . . .

"Do you long for your coarse coat?"

. . . .

"Are you cold? — Are you home-sick?"

The Countess smiles.

No. But that is only because the being a child has fallen from his shoulders, that soft dark dress. Who has taken it away? "You?" he asks in a voice he has not yet heard. "You!"

And now he has nothing on. And he is naked as a saint. Bright and slender.

Langsam lischt das Schloß aus. Alle sind schwer: müde oder
verliebt oder trunken. Nach so vielen leeren, langen Feld-
nächten: Betten. Breite eichene Betten. Da betet sichs anders
als in der lumpigen Furche unterwegs, die, wenn man ein-
schlafen will, wie ein Grab wird.

„Herrgott, wie Du willst!"

Kürzer sind die Gebete im Bett.

Aber inniger.

Die Turmstube ist dunkel.

Aber sie leuchten sich ins Gesicht mit ihrem Lächeln. Sie tasten
vor sich her wie Blinde und finden den Andern wie eine Tür.
Fast wie Kinder, die sich vor der Nacht ängstigen, drängen sie
sich ineinander ein. Und doch fürchten sie sich nicht. Da ist
nichts, was gegen sie wäre: kein Gestern, kein Morgen; denn
die Zeit ist eingestürzt. Und sie blühen aus ihren Trümmern.

Er fragt nicht: „Dein Gemahl?"

Sie fragt nicht: „Dein Namen?"

Sie haben sich ja gefunden, um einander ein neues Geschlecht
zu sein.

Sie werden sich hundert neue Namen geben und einander alle
wieder abnehmen, leise, wie man einen Ohrring abnimmt.

Im Vorsaal über einem Sessel hängt der Waffenrock, das Bande-
lier und der Mantel von dem von Langenau. Seine Handschuhe
liegen auf dem Fußboden. Seine Fahne steht steil, gelehnt an
das Fensterkreuz. Sie ist schwarz und schlank. Draußen jagt
ein Sturm über den Himmel hin und macht Stücke aus der
Nacht, weiße und schwarze. Der Mondschein geht wie ein
langer Blitz vorbei, und die reglose Fahne hat unruhige Schatten. Sie träumt.

Slowly the castle lights go out. Everyone is heavy: tired or in love or drunk. After so many empty, long nights in the field: beds. Broad oaken beds. Here one prays otherwise than in a wretched furrow on the way, which, as one falls asleep, grows like a grave.

"Lord God, as thou willest!"

Shorter are the prayers in bed.

But more heart-felt.

The tower room is dark.

But they light each other's faces with their smiles. They grope before them like blind people and find each other as they would a door. Almost like children that dread the night, they press close into each other. And yet they are not afraid. There is nothing that might be against them: no yesterday, no morrow; for time is shattered. And they flower from its fragments.

He does not ask: "Your husband?"

She does not ask: "Your name?"

For indeed they have found each other, to be unto themselves a new generation.

They will give each other a hundred new names and take them all off again, softly, as one takes an ear-ring off.

In the antechamber over a settle hangs the tunic, the bandolier and the cloak of him of Langenau. His gauntlets lie on the floor. His flag stands steeply, leaned against the window casement. It is black and slender. Outside a storm drives across the sky and makes pieces of the night, white ones and black ones. The moonlight goes by like a long lightning-flash, and the unstirring flag has restless shadows. It dreams.

War ein Fenster offen? Ist der Sturm im Haus? Wer schlägt die Türen zu? Wer geht durch die Zimmer? — Laß. Wer es auch sei. Ins Turmgemach findet er nicht. Wie hinter hundert Türen ist dieser große Schlaf, den zwei Menschen gemeinsam haben; so gemeinsam wie *eine* Mutter oder *einen* Tod.

Ist das der Morgen? Welche Sonne geht auf? Wie groß ist die Sonne? Sind das Vögel? Ihre Stimmen sind überall.
Alles ist hell, aber es ist kein Tag.
Alles ist laut, aber es sind nicht Vogelstimmen.
Das sind die Balken, die leuchten. Das sind die Fenster, die schrein. Und sie schrein, rot, in die Feinde hinein, die draußen stehn im flackernden Land, schrein: Brand.
Und mit zerrissenem Schlaf im Gesicht drängen sich alle, halb Eisen, halb nackt, von Zimmer zu Zimmer, von Trakt zu Trakt und suchen die Treppe.
Und mit verschlagenem Atem stammeln Hörner im Hof: Sammeln, sammeln!
Und bebende Trommeln.

Aber die Fahne ist nicht dabei.
Rufe: Cornet!
Rasende Pferde, Gebete, Geschrei,
Flüche: Cornet!
Eisen an Eisen, Befehl und Signal;
Stille: Cornet!
Und noch einmal: Cornet!
Und heraus mit der brausenden Reiterei.

— — — — — — — — — — — — — — — —

Aber die Fahne ist nicht dabei.

Was a window open? Is the storm in the house? Who is slamming the doors? Who goes through the rooms? Let be. No matter who. Into the tower room he will not find his way. As behind a hundred doors is this great sleep two people have in common; as much in common as *one* mother or *one* death.

Is this the morning? What sun is rising? How big is the sun? Are those birds? Their voices are everywhere.
All is bright, but it is not day.
All is loud, but not with the voices of birds.
It is the timbers that shine. It is the windows that scream. And they scream, red, into the foes that stand outside in the flickering land, scream: Fire!
And with torn sleep in their faces they all throng through, half iron, half naked, from room to room, from passage to passage, and seek the stair.
And with broken breath horns stammer in the court:
Muster, muster!
And quaking drums.

But the flag is not there.
Cries: Cornet!
Careering horses, prayers, shouts,
Curses: Cornet!
Iron on iron, signal, command;
Stillness: Cornet!
And once again: Cornet!
And away with the thundering cavalcade.

. . . .
But the flag is not there.

Er läuft um die Wette mit brennenden Gängen, durch Türen, die ihn glühend umdrängen, über Treppen, die ihn versengen, bricht er aus aus dem rasenden Bau. Auf seinen Armen trägt er die Fahne wie eine weiße, bewußtlose Frau. Und er findet ein Pferd, und es ist wie ein Schrei: über alles dahin und an allem vorbei, auch an den Seinen. Und da kommt auch die Fahne wieder zu sich, und niemals war sie so königlich; und jetzt sehn sie sie alle, fern voran, und erkennen den hellen, helmlosen Mann und erkennen die Fahne . . .
Aber da fängt sie zu scheinen an, wirft sich hinaus und wird groß und rot . . .
Da brennt ihre Fahne mitten im Feind, und sie jagen ihr nach.

Der von Langenau ist tief im Feind, aber ganz allein. Der Schrecken hat um ihn einen runden Raum gemacht, und er hält, mitten drin, unter seiner langsam verlodernden Fahne.
Langsam, fast nachdenklich, schaut er um sich. Es ist viel Fremdes, Buntes vor ihm. Gärten — denkt er und lächelt. Aber da fühlt er, daß Augen ihn halten und erkennt Männer und weiß, daß es die heidnischen Hunde sind — : und wirft sein Pferd mitten hinein.
Aber, als es jetzt hinter ihm zusammenschlägt, sind es doch wieder Gärten, und die sechzehn runden Säbel, die auf ihn zuspringen, Strahl um Strahl, sind ein Fest.
Eine lachende Wasserkunst.

Der Waffenrock ist im Schlosse verbrannt, der Brief und das Rosenblatt einer fremden Frau. —

Im nächsten Frühjahr (es kam traurig und kalt) ritt ein Kurier des Freiherrn von Pirovano langsam in Langenau ein. Dort hat er eine alte Frau weinen sehen.

He is running a race with burning halls, through doors that press
him close, red-hot, over stairs that scorch him, he breaks forth
out of the raging pile. Upon his arms he carries the flag like
a white, insensible woman. And he finds a horse, and it's like
a cry: away over all, passing everything by, even his own men.
And then the flag comes to itself again, and it has never been
so kingly; and now they all see it, far in the van, and know the
fair-bodied, helmetless man and know the flag . . .
But, behold, it begins to shine, flings itself out and grows wide
and red . . .
Their flag is aflame in the enemy's midst, and they gallop after.

He of Langenau is deep in the enemy, but all alone. Terror has
ringed a space around him, and he halts, in the very middle,
under his slowly flickering flag.
Slowly, almost reflectively, he gazes about him. There is much
that is strange, motley before him. Gardens — he thinks and
smiles. But then he feels that eyes are holding him and is aware
of men and knows that these are the heathen dogs — : and
casts his horse into their midst.
But, as he is now closed in on from behind, they are indeed
gardens again, and the sixteen curved sabers that leap upon him,
flash on flash, are a festival.
A laughing fountain.

The tunic was burnt in the castle, the letter and the roseleaf
of an unknown woman. —

In the spring of the next year (it came sad and cold) a courier
of the Baron of Pirovano rode slowly into Langenau. There
he saw an old woman weep.

INTERPRETATION

„Der ‚Cornet‘ war das unvermutete Geschenk einer einzigen
Nacht, einer Herbstnacht, in einem Zuge hingeschrieben bei
zwei im Nachtwind wehenden Kerzen; das Hinziehen von
Wolken über den Mond hat ihn verursacht, nachdem die stoff-
liche Veranlassung mir, einige Wochen vorher, durch die erste
Bekanntschaft mit gewissen, durch Erbschaft an mich gelangten
Familienpapieren, eingeflößt worden war." (Rainer Maria
Rilke: „Briefe aus Muzot", Insel-Verlag, 1937.)

Das unvermutete Geschenk einer einzigen Nacht: deshalb
ist der „Cornet" aus einem Guß, von Anfang bis zu Ende
durchglüht von dem Feuer, getragen von der Stimmung einiger
weniger Stunden. Gedichte entstehen oft so, müssen vielleicht so
entstehen; in der Prosa aber ist diese Einheit von Inspiration
und Ausführung selten. Der Stoff, den die Prosa bewältigen
muß, ist meistens zu groß, um sich in so kurzer Zeit gestalten
zu lassen. Im „Cornet" tritt der Stoff zurück vor der Stärke des
Gefühls; er wird auf das Notwendigste beschränkt, und selbst
dieses Notwendige wird oft nur angedeutet statt im einzelnen
beschrieben. Ein Satz wird oft zu einem Wort verkürzt, Adjektive enthalten die Bedeutung eines ganzen Satzes, aus Gesprächen genügt die Anrede, ein paar Worte, ein Satzanfang,
ein Schluß, um die wesentliche Beziehung zwischen zwei
Menschen anzudeuten. Die Sätze sind kurz, unkompliziert und
gefüllt mit Bildern, in denen sich die Handlung mit der Stimmung verbindet. Beschreibung, Erklärung, Reflexion fehlt fast
ganz. Durch das Ganze fließt ein unaufhaltsam wachsender,
mitreißender Strom der Sehnsucht, der Trauer, der die Wirklichkeit in Traumbilder zu verwandeln scheint, in „das Hinziehen
von Wolken über den Mond", und der doch zugleich ein starkes,

jugendliches Lebensgefühl vermittelt. Der Gesamteindruck wäre auch ohne die ausgesprochen poetischen Stellen verschieden von dem einer Prosadichtung. Rhythmus und Melodie der Sprache spielen hier eine so entscheidende Rolle, daß wir die Sprache ästhetisch genießen um ihrer selbst willen wie sonst im Gedicht.

Einen ähnlichen und doch verschiedenen Eindruck empfangen wir von Kellers „Tanzlegendchen". Auch dort ist der Stil — ganz abgesehen vom Inhalt — ein Kunstwerk. Aber die Kellersche Sprache nähert sich dadurch nicht dem Gedicht; Rhythmus und Melodie bleiben in der Eigensphäre der Prosa. Bei Rilke dagegen strebt die Prosa dem Gedicht entgegen. Aus diesem Grunde empfinden wir hier die Vermischung von Prosa und Poesie nicht als Störung. Der Reim, der poetische Rhythmus erscheinen, wo sie eingeführt werden, nicht als Gegensatz sondern als Steigerung der Prosa. Warum hat Rilke dann nicht dem Ganzen die Form des Gedichtes gegeben? Weil diese Form der erhöhten, zum Gedicht hinstrebenden Prosa dem eigenartigen Erlebnis am besten entspricht, das dem „Cornet" zugrunde liegt. Der Stil wird zum Symbol des Inhalts. Wie der „Cornet" in jugendlicher Unerfahrenheit, mit halben Gedanken und dunkler Sehnsucht sich der Liebe, dem Kampfe, dem Tode hingibt, so ergibt sich die Sprache dem Zauber der Poesie, ohne ihn ganz zu erfassen und zu gestalten. Darin liegt vielleicht eine Schwäche — der „Cornet" ist ein Jugendwerk Rilkes — aber auch ein großer, eigener Reiz. Bedeutsam ist, daß gerade die Momente des intensivsten Gefühls in Prosa gehalten sind, während die Poesie das allmähliche Wachsen des Gefühls, Höhepunkte der Handlung und die impressionistische Stimmung gestaltet. So wirkt die Prosaform als ästhetisch notwendige Zügelung und Mäßigung des Gefühlsüberschwangs, während die ausgesprochen poetischen Teile dem Schwung und Feuer des Ganzen Ausdruck geben.

Im ersten Teil der Dichtung, wo das Gefühl noch nicht so vorherrscht, fällt die poetische Steigerung der Sprache noch nicht auf. Der Rhythmus beherrscht auch hier schon die Satzbildung und Satzfolge, aber es ist kein ausgesprochen poetischer Rhythmus. Die melodische Abwechslung der Vokale, die Alliteration der Konsonanten — zwei poetische Mittel, die Rilke sehr viel anwendet — werden noch nicht als bewußte Formung der Sprache empfunden. Der Unterschied gegenüber der erzählenden Prosa, wie wir sie sonst kennen, liegt eher in der Wortwahl und -bedeutung. Ein Beispiel: „Nichts wagt aufzustehen. Fremde Hütten hocken durstig an versumpften Brunnen. Nirgends ein Turm." Das alltägliche Wort „aufstehen" hat hier in Verbindung mit „wagen" keine alltägliche Bedeutung: es deutet die Kriegsfurcht und die Zerstörung an, die der Krieg über das Land gebracht hat. Der zweite Satz gibt ein anschauliches Bild dessen, was der Reiter sieht, aber zugleich auch eine Ahnung von dem Elend der Bewohner. Jedes Wort dieses Satzes enthält außer der gewöhnlichen Bedeutung noch eine zweite, die Stimmung und Spannung erweckt. Der dritte Satz endlich faßt die zwei anderen zusammen: der „Turm" wird hier zum Symbol des unbesiegten, stolzen Lebens.

Rilke liebt die Wiederholung. Sie ist ja überall, in der Prosa wie im Gedicht, ein wichtiges Stilmittel: „Reiten, reiten, reiten, durch den Tag, durch die Nacht, durch den Tag." Oder: „Man sitzt rund umher und wartet. Wartet, daß einer singt." Oder: „Und denkt: Er wird bald duften davon. Und denkt: Vielleicht findet ihn einmal einer ... Und denkt ..." Diese Wiederholungen stören die Prosa nicht, aber sie dienen dazu, die Aufmerksamkeit des Lesers vom Inhalt auf die Sprache zu lenken.

„Man reitet Tage und Nächte lang" würde den gleichen
Inhalt wie das erste Beispiel vermitteln, aber die Form, die Rilke
gewählt hat, erzeugt einen stärkeren Eindruck. Durch die
Wiederholung kommt uns die sinnliche Bedeutung des Wortes
„reiten" zum Bewußtsein, die Bewegung darin, und demgegenüber gestaltet die Wiederholung „Tag, Nacht, Tag" gleichsam
den Raum für diese Bewegung. Die Wiederholung im zweiten
Beispiel hat fast den Effekt eines Reimes und erhöht durch
diesen überraschenden Gleichklang die Spannung, die in dem
Wort „warten" liegt. Das dritte Beispiel endlich bewirkt, daß
selbst ein so abstraktes Wort wie „denken" dem Gedachten
gegenüber Eigenbedeutung gewinnt.

Die Häufung der Alliteration, sobald das Tempo der Handlung schneller, die Spannung größer wird, bildet einen Übergang von der Prosa zur Poesie. Vorher erschien sie wie ein
liebenswürdiges Spiel, fast ein Zufall; jetzt wird sie zum
poetischen Mittel, das die „ungebundene" Prosa formt: „*K*om-
men *K*nechte, *sch*warzeisern *w*ie *w*andernde *N*acht"; „*W*as
drüber hinaus ist, *r*edet die *R*echte"; „über den Hütten *st*eigt
*st*einern ein Schloß". Daran schließt sich der Reim. Rilke benützt ihn mit größerer Freiheit als die Gedichtform gestatten
würde. Weil auch hier noch die äußere Form der Prosa erhalten
bleibt, der Text nicht in Verszeilen abgeteilt wird, spielt der
Reim mit scheinbarer Willkür durch die Zeilen. Manchmal
steht er am Anfang: „*Rast! Gast* sein einmal . . . Was geschieht,
ist *gut*. Auch der *Mut* muß einmal sich strecken . . ." Manchmal
umfaßt er zwei und mehr Wörter: „Und wieder erst lernen,
was *Frauen sind*. Und wie die weißen tun und wie die *blauen
sind*"; „Nicht immer *Soldat sein* . . . so: *nach dem Bad sein*." Da
mischt sich — als Gegengewicht gegen das Übermaß der Stimmung — sogar ein humoristischer Ton hinein. Oft beschleunigt

der Reim den Rhythmus, treibt ihn vorwärts: „Das sind die Balken, die leuchten. Das sind die Fenster, die schrein. Und sie schrein, rot, in die Feinde hinein, die draußen stehn im flackernden Land, schrein: Brand." Ein nur ähnlicher Klang, kein echter Reim bringt dagegen den poetischen Rhythmus gleichsam zum Abklingen: „Und mit verschlagenem Atem stammeln Hörner im Hof: Sammeln, sammeln! Und bebende Trommeln." —

Ein interessantes Beispiel, wie Rilke einen Vokal, das *i*, melodisch verwendet, gibt die Beschreibung des Festes im Schloß. Sie beginnt mit dem kurzen *i*, das — gegen das *a* gestellt — der Steigerung des Genusses Ausdruck verleiht: „Als Mahl beganns. Und ist ein Fest geworden, kaum weiß man wie. Die hohen Flammen flackten, die Stimmen schwirrten, wirre Lieder klirrten aus Glas und Glanz, und endlich aus den reifgewordnen Takten: entsprang der Tanz. Und alle riß er hin." Dann wird durch das kurze und lange *i* gleichsam die Intensität des Genießens ausgedrückt, während die Harmonie der anderen Vokale die Melodie leise begleitet: „Das war ein Wellenschlagen in den Sälen, ein Sich-Begegnen und ein Sich-Erwählen, ein Abschiednehmen und ein Wiederfinden, ein Glanzgenießen und ein Lichterblinden und ein Sich-Wiegen in den Sommerwinden, die in den Kleidern warmer Frauen sind." Der letzte Satz endlich, wieder mit dem — im Rhythmus betonten — *i* gegen den vollen Einsatz der tieferen Vokale ergibt einen poetisch musikalischen Schluß von hohem Reiz: „Aus dunklem Wein und tausend Rosen rinnt die Stunde rauschend in den Traum der Nacht." —

Wie sich der „Cornet" formal weder ganz zur Prosa noch ganz zur Poesie rechnen läßt, vielmehr von beiden Elemente enthält, die sich in reizvoller Weise begegnen, so gehört er auch keiner literarischen Richtung ausschließlich an. Er ist im-

pressionistisch, die feinsten Nuancen der Augenblickserfahrung,
die Berührung von Stimmung und Wirklichkeit gibt er wieder.
Aber er gibt mehr als das. Durch die visionäre Kraft mancher
Bilder und Einfälle berührt er sich mit dem Expressionismus.
Wenn der Cornet die Geliebte fragt: „Bist Du die Nacht?"
so schwingt darin etwas mit, was sich nicht mehr impressionistisch erklären läßt. In Ausdrücken wie: „die Zeit ist eingestürzt", „mit zerrissenem Schlaf im Gesicht", endlich in der
Todesvision des Cornets: die türkischen Säbel werden zu „Gärten" und einer „lachenden Wasserkunst", wird etwas gestaltet,
was sich auf eine von der äußeren Erfahrung unabhängige,
innere Anschauung gründet.

VI. ÜBER DAS INNERE WESEN DER KUNST

AUS „DIE WELT ALS WILLE UND VORSTELLUNG"

ARTHUR SCHOPENHAUER[1]

Nicht bloß die Philosophie, sondern auch die schönen Künste arbeiten im Grunde daraufhin, das Problem des Daseins zu lösen. Denn in jedem Geiste, der sich einmal der rein objektiven Betrachtung der Welt hingibt, ist, wie versteckt und unbewußt es auch sein mag, ein Streben rege geworden, das wahre Wesen der Dinge, des Lebens, des Daseins zu erfassen. Denn dieses allein hat Interesse für den Intellekt als solchen, d.h. für das von den Zwecken des Willens frei gewordene, also reine Subjekt des Erkennens; wie für das als bloßes Individuum erkennende Subjekt die Zwecke des Willens allein Interesse haben. — Dieserhalb ist das Ergebnis jeder rein objektiven, also auch jeder künstlerischen Auffassung der Dinge ein Ausdruck mehr vom Wesen des Lebens und Daseins, eine Antwort mehr auf die Frage: „Was ist das Leben?" — Diese Frage beantwortet jedes echte und gelungene Kunstwerk, auf seine Weise, völlig richtig. Allein die Künste reden sämtlich nur die naive und kindliche Sprache der Anschauung, nicht die abstrakte und ernste der *Reflexion*: ihre Antwort ist daher ein flüchtiges Bild; nicht eine bleibende, allgemeine Erkenntnis. Also für die *Anschauung* beantwortet jedes Kunstwerk jene Frage, jedes Ge-

mälde, jede Statue, jedes Gedicht, jede Szene auf der Bühne:
auch die Musik beantwortet sie; und zwar tiefer als alle andern,
indem sie, in einer ganz unmittelbar verständlichen Sprache, die
jedoch in die der Vernunft nicht übersetzbar ist, das innerste
Wesen alles Lebens und Daseins ausspricht. Die übrigen Künste
also halten sämtlich dem Frager ein anschauliches Bild vor und
sagen: „Siehe hier, das ist das Leben!" — Ihre Antwort, so
richtig sie auch sein mag, wird jedoch immer nur eine einst-
weilige, nicht eine gänzliche und finale Befriedigung gewähren.
Denn sie geben immer nur ein Fragment, ein Beispiel statt der
Regel, nicht das Ganze, als welches nur in der Allgemeinheit
des *Begriffes* gegeben werden kann. Für diesen daher, also für
die Reflexion und *in abstracto*, eine eben deshalb bleibende und
auf immer genügende Beantwortung jener Frage zu geben, —
ist die Aufgabe der Philosophie. Inzwischen sehen wir hier,
worauf die Verwandtschaft der Philosophie mit den schönen
Künsten beruht, und können daraus abnehmen, inwiefern auch
die Fähigkeit zu beiden, wiewohl in ihrer Richtung und im
Sekundären sehr verschieden, doch in der Wurzel dieselbe ist.

Jedes Kunstwerk ist demgemäß eigentlich bemüht, uns das
Leben und die Dinge so zu zeigen, wie sie in Wahrheit sind,
aber, durch den Nebel objektiver und subjektiver Zufällig-
keiten hindurch, nicht von jedem unmittelbar erfaßt werden
können. Diesen Nebel nimmt die Philosophie hinweg.

Die Werke der Dichter, Bildner und darstellenden Künstler
überhaupt enthalten anerkanntermaßen einen Schatz tiefer
Weisheit: eben weil aus ihnen die Weisheit der Natur der Dinge
selbst redet, deren Aussagen sie bloß durch Verdeutlichung und
reinere Wiederholung verdolmetschen. Deshalb muß aber freilich auch jeder, der das Gedicht liest, oder das Kunstwerk betrachtet, aus eigenen Mitteln beitragen, jene Weisheit zutage

zu fördern: folglich faßt er nur so viel davon, als seine Fähigkeit und seine Bildung zuläßt; wie ins tiefe Meer jeder Schiffer
sein Senkblei so tief hinabläßt, als dessen Länge reicht. Vor ein
Bild hat jeder sich hinzustellen wie vor einen Fürsten, ab-
wartend, ob und was er zu ihm sprechen werde; und, wie jenen,
auch dieses nicht selbst anzureden: denn da würde er nur sich
selbst vernehmen. — Dem allen zufolge ist in den Werken
der darstellenden Künste zwar alle Weisheit enthalten, jedoch
nur *virtualiter* oder *implicite:* hingegen dieselbe *actualiter* und
explicite zu liefern ist die Philosophie bemüht, welche in diesem
Sinne sich zu jenen verhält wie der Wein zu den Trauben. Was
sie zu liefern verspricht, wäre gleichsam ein schon realisierter
und barer Gewinn, ein fester und bleibender Besitz; während
der aus den Leistungen und Werken der Kunst hervorgehende
nur ein stets neu zu erzeugender ist. Dafür aber macht sie nicht
bloß an den, der ihre Werke schaffen, sondern auch an den,
der sie genießen soll, abschreckende, schwer zu erfüllende An-
forderungen. Daher bleibt ihr Publikum klein, während das der
Künste groß ist. —

Die oben zum Genuß eines Kunstwerks verlangte Mitwirkung des Beschauers beruht zum Teil darauf, daß jedes
Kunstwerk nur durch das Medium der Phantasie wirken kann,
daher es diese anregen muß und sie nie aus dem Spiel gelassen
werden und untätig bleiben darf. Dies ist eine Bedingung der
ästhetischen Wirkung und daher ein Grundgesetz aller schönen
Künste. Aus demselben aber folgt, daß durch das Kunstwerk
nicht alles geradezu den Sinnen gegeben werden darf, vielmehr
nur so viel als erfordert ist, die Phantasie auf den rechten Weg
zu leiten: ihr muß immer noch etwas und zwar das letzte zu
tun übrig bleiben. Muß doch sogar der Schriftsteller stets dem
Leser noch etwas zu denken übrig lassen; da Voltaire sehr

richtig gesagt hat: *Le secret d'être ennuyeux, c'est de tout dire.*[2]
In der Kunst aber ist überdies das allerbeste zu geistig, um geradezu den Sinnen gegeben zu werden: es muß in der Phantasie
des Beschauers geboren, wiewohl durch das Kunstwerk erzeugt werden. Hierauf beruht es, daß die Skizzen großer Meister
oft mehr wirken als ihre ausgemalten Bilder; wozu freilich
noch der andere Vorteil beiträgt, daß sie, aus *einem* Guß, im
Augenblick der Konzeption vollendet sind; während das aus-
geführte Gemälde, da die Begeisterung doch nicht bis zu seiner
Vollendung anhalten kann, nur unter fortgesetzter Bemühung,
mittelst kluger Überlegung und beharrlicher Absichtlichkeit zustande kommt. — Aus dem in Rede stehenden ästhetischen
Grundgesetze wird ferner auch erklärlich, warum *Wachs-
figuren,* obgleich gerade in ihnen die Nachahmung der Natur
den höchsten Grad erreichen kann, nie eine ästhetische Wirkung
hervorbringen und daher nicht eigentliche Werke der schönen
Kunst sind. Denn sie lassen der Phantasie nichts zu tun übrig.
Die Skulptur nämlich gibt die bloße Form ohne die Farbe; die
Malerei gibt die Farbe, aber den bloßen Schein der Form: Beide
also wenden sich an die Phantasie des Beschauers. Die Wachs-
figur hingegen gibt alles, Form und Farbe zugleich; woraus der
Schein der Wirklichkeit entsteht und die Phantasie aus dem
Spiele bleibt. — Dagegen wendet die *Poesie* sich sogar allein
an die Phantasie, welche sie mittelst bloßer Worte in Tätigkeit
versetzt. —

Ein willkürliches Spielen mit den Mitteln der Kunst, ohne
eigentliche Kenntnis des Zweckes, ist, in jeder, der Grundcharakter der Pfuscherei. Ein solches zeigt sich in den nichts
tragenden Stützen, den zwecklosen Voluten, Bauschungen und
Vorsprüngen schlechter Architektur, in den nichtssagenden
Läufen und Figuren, nebst dem zwecklosen Lärm schlechter

Musik, im Klingklang der Reime sinnarmer Gedichte u.s.w. —
In Folge der vorhergegangenen Kapitel und meiner ganzen
Ansicht von der Kunst ist ihr Zweck die Erleichterung der Erkenntnis der *Ideen* der Welt (im Platonischen Sinne [3], dem
einzigen, den ich für das Wort Idee anerkenne). Die *Ideen*
aber sind wesentlich ein Anschauliches und daher, in seinen
näheren Bestimmungen, Unerschöpfliches. Die Mitteilung eines
solchen kann daher nur auf dem Wege der Anschauung geschehen, welches der der Kunst ist. Wer also von der Auffassung
einer *Idee* erfüllt ist, ist gerechtfertigt, wenn er die Kunst zum
Medium seiner Mitteilung wählt. — Der bloße *Begriff* hingegen ist ein vollkommen Bestimmbares, daher zu Erschöpfendes,
deutlich Gedachtes, welches sich seinem ganzen Inhalt nach
durch Worte kalt und nüchtern mitteilen läßt. Ein solches nun
aber durch ein Kunstwerk mitteilen zu wollen, ist ein sehr un-
nützer Umweg, ja gehört zu dem eben gerügten Spielen mit
den Mitteln der Kunst ohne Kenntnis des Zwecks. Daher ist
ein Kunstwerk, dessen Konzeption aus bloßen deutlichen Begriffen hervorgegangen, allemal ein unechtes. Wenn wir nun
bei Betrachtung eines Werkes der bildenden Kunst oder beim
Lesen einer Dichtung oder beim Anhören einer Musik (die
etwas Bestimmtes zu schildern bezweckt), durch alle die reichen
Kunstmittel hindurch, den deutlichen, begrenzten, kalten,
nüchternen Begriff durchschimmern und am Ende hervortreten
sehen, welcher der Kern dieses Werkes war, dessen ganze Konzeption mithin nur im deutlichen Denken desselben bestanden
hat und demnach durch die Mitteilung desselben von Grund
aus erschöpft ist; so empfinden wir Ekel und Unwillen: denn wir
sehen uns getäuscht und um unsere Teilnahme und Aufmerksamkeit betrogen. Ganz befriedigt durch den Eindruck eines
Kunstwerks sind wir nur dann, wenn er etwas hinterläßt, das

wır, bei allem Nachdenken darüber, nicht bis zur Deutlichkeit eines Begriffs herabziehen können. Das Merkmal jenes hybriden Ursprungs aus bloßen Begriffen ist, daß der Urheber
eines Kunstwerks, ehe er an die Ausführung ging, mit deutlichen Worten angeben konnte, was er darzustellen beabsich-
tigte: denn da wäre durch die Worte selbst sein ganzer Zweck
zu erreichen gewesen. Daher ist es ein so unwürdiges, wie
albernes Unternehmen, wenn man, wie heutzutage öfter versucht worden, eine Dichtung Shakespeares oder Goethes zu-
rückführen will auf eine abstrakte Wahrheit, deren Mitteilung
ihr Zweck gewesen wäre. Denken soll freilich der Künstler
bei der Anordnung seines Werkes: aber nur *das* Gedachte, was
geschaut wurde, ehe es gedacht war, hat nachmals bei der
Mitteilung anregende Kraft und wird dadurch unvergänglich. — Hier wollen wir nun die Bemerkung nicht unterdrücken, daß allerdings die Werke aus *einem* Guß, wie die bereits erwähnte Skizze der Maler, welche in der Begeisterung
der ersten Konzeption vollendet und wie unbewußt hingezeich-
net wird, desgleichen die Melodie, welche ohne alle Reflexion
und völlig wie durch Eingebung kommt, endlich auch das
eigentlich lyrische Gedicht, das bloße Lied, in welches die tief
gefühlte Stimmung der Gegenwart und der Eindruck der Umgebung sich mit Worten, deren Silbenmaße und Reime von
selbst eintreffen, wie unwillkürlich ergießt, — daß, sage ich,
diese alle den großen Vorzug haben, das lautere Werk der
Begeisterung des Augenblicks, der Inspiration, der freien Regung
des Genius zu sein, ohne alle Einmischung der Absichtlichkeit
und Reflexion; daher sie eben durch und durch erfreulich und
genießbar sind, ohne Schale und Kern, und ihre Wirkung viel
unfehlbarer ist als die der größten Kunstwerke von langsamer
und überlegter Ausführung. An allen diesen nämlich, also an

den großen historischen Gemälden, an den langen Epopöen, den großen Opern u.s.w. hat die Reflexion, die Absicht und durchdachte Wahl bedeutenden Anteil: Verstand, Technik und Routine müssen hier die Lücken ausfüllen, welche die geniale Konzeption und Begeisterung gelassen hat, und allerlei notwendiges Nebenwerk muß als Zement der eigentlich allein echten Glanzpartien diese durchziehen. Hieraus ist es erklärlich, daß alle solche Werke, die vollkommensten Meisterstücke der allergrößten Meister (wie z.B. „Hamlet", „Faust", die Oper „Don Juan") allein ausgenommen, einiges Schales und Langweiliges unvermeidlich beigemischt enthalten, welches ihren Genuß in etwas verkümmert. Belege hiezu sind die „Messiade" [4], die „Gerusalemme liberata" [5], sogar „Paradise Lost" und die „Aeneide" [6]: macht doch schon Horaz die kühne Bemerkung: *Quandoque dormitat bonus Homerus.* [7] Daß aber dies sich so verhält, ist eine Folge der Beschränkung menschlicher Kräfte überhaupt. —

Die Mutter der nützlichen Künste ist die Not; die der schönen der Überfluß. Zum Vater haben jene den Verstand, diese das Genie, welches selbst eine Art Überfluß ist, nämlich der der Erkenntniskraft über das zum Dienste des Willens erforderliche Maß.

NOTES

I

1. Goethe's novel "Die Leiden des jungen Werthers" (1774) caused a sensation at the time. Like Rousseau's "La Nouvelle Héloise," it was considered a dangerous book because of its influence especially on the younger generation, which caught its spirit of "Weltschmerz." It was translated into all European languages, was greatly imitated, and was of considerable influence upon the development of the modern novel.

2. Vicki Baum (1888–) is the author of popular novels, first known in America through "Grand Hotel," the successful stage version of her novel "Menschen im Hotel."

3. Hermann Sudermann (1857–1928) was an early representative of German naturalism and author of many plays and novels. Bitter satire and sentimentality are strangely combined in his works, of which only the novel "Frau Sorge" may have lasting value.

4. Rainer Maria Rilke (1875–1926) was an eminent Austrian poet. Beginning as an impressionist, he became one of the outstanding representatives of modern German symbolism. His work combines religious mysticism with subtle observations of nature and mood. Himself deeply influenced by the best in European literature and art, he is being recognized more and more as a poet of European significance. "Die Aufzeichnungen des Malte Laurids Brigge" (1909) is largely an account of Rilke's experiences in Paris.

5. Oh, be quiet, I've had enough.

II

1. "Kinder- und Hausmärchen" (1812) were collected and edited by Jakob and Wilhelm Grimm. They are mostly based on German oral folk-tradition.

2. Johann Peter Hebel (1760–1826): Author of poems and stories.

Famous for his "Alemannische Gedichte," poems in Alemannic dialect, and for a popular almanac, "Rheinischer Hausfreund," which truly reflects life in the towns and villages of southwestern Germany. It contained "Das Schatzkästlein des rheinländischen Hausfreundes," a collection of articles and stories. "Kannitverstan" is one of these.

3. Emmendingen and Gundelfingen are towns in Baden.

4. "Gebratene Tauben" refers to the old German tale "Schlaraffenland," where the laziest man is king and the roasted pigeons fly right into one's mouth.

5. Tuttlingen is a town in Baden.

6. Heinrich von Kleist (1777–1811) was an outstanding German dramatist, marking the transition from the classical to the romantic period. He had a lonely, tragic life without public recognition. Later he was hailed as one of the greatest dramatic poets, though partly frustrated by his time. His *Novellen* are also recognized as models of their kind.

7. Old form of address (third person singular) used instead of *Sie* in addressing persons of the lower and middle classes.

8. Danziger Goldwasser, famous liqueur made in the city of Danzig.

9. Daß Ihn der Teufel hole!

10. Bassa = Turkish Pasha. Manelka: unknown to the editors; possibly a Turkish swear-word.

11. Probably onomatopoetic word suggesting the sound of a drum.

III

1. Johann Ludwig Tieck (1773–1853) was the most prolific writer of the first romantic school. Author of plays, novels, and poems, all of them a combination of fairy-tale elements, irony, and sentimentality, he is at his best where he catches the charm of the simple fairy tale and the moods of nature.

2. Fusion and confusion of sensations, of reality and imagination, of rational and irrational elements.

3. Ernst Theodor Amadeus Hoffmann (1776–1822), North German author of stories and fairy tales, was among the romantic writers the only one with remarkable ability for plot construction and dramatic effects. He deals particularly with uncanny, mysterious subjects. His

style, the atmosphere of his stories, and many of his characters and plots reflect his great interest in music. He was also a talented composer.

4. The proprietors of a café in the "Tiergarten" (famous park) in Berlin.

5. Madame Bethmann (1766–1815) was a celebrated German actress.

6. "Der geschlossene Handelsstaat" is a treatise by Johann Gottlieb Fichte (1762–1814) which was much discussed at the time.

7. "Fanchon oder das Leiermädchen," opera by F. H. Himmel (1765–1814), text by August von Kotzebue (1761–1819).

8. "Don Giovanni" (1787), opera by Wolfgang Amadeus Mozart (1756–1791).

9. Operas by Christoph Willibald Gluck (1714–1787).

10. The terms "open" and "closed" form were coined by the eminent art historian Heinrich Wölfflin. They were adopted by literary historians. Wölfflin writes in his "Principles of Art History" (Henry Holt & Co., New York), p. 124: "What is meant is a style of composition which, with more or less tectonic means, makes of the picture a self-contained entity, pointing everywhere back to itself, while, conversely, the style of open form everywhere points out beyond itself and purposely looks limitless, although, of course, secret limits continue to exist, and make it possible for the picture to be self-contained in the esthetic sense."

11. Gottfried Keller (1819–1890), a Swiss writer, marking the transition from romanticism to early realism, was author of novels, short stories, and poetry. The wealth of his imagery, his humor, the charm of his poetic style, and the sincerity and human appeal of his writings make him one of the outstanding masters of modern German prose. "Das Tanzlegendchen" is taken from "Sieben Legenden" (1872).

IV

1. The "Storm and Stress" movement in German literature preceded the classical period. It broke away from the imitation of French classicism and emphasized personal experience, emotion, and imagination as the sources of artistic inspiration.

2. Johann Wolfgang von Goethe lived 1749–1832.

3. Fragmentary early version (1775) of Goethe's "Faust," Part I.

4. Outstanding example of the German *Entwicklungsroman* (1796);

even today considered as one of the most thought-provoking novels ever written.

5. Adalbert Stifter (1805–1868), Austrian writer of novels and short stories, increasingly appreciated for the quiet charm of his style and the unpretentious sincerity of his descriptions of nature, things, and events of everyday life.

6. Thomas Mann (1875–   ), author of novels and short stories; impressionist and realist with early naturalistic touches. His more recent novels, based on the Biblical Joseph stories, seem to indicate a break with his earlier tradition and bring him closer to the symbolistic movement. His latest work, however, "Lotte in Weimar," attempts a realistic portrayal of the Weimar of 1816.

7. A folk song, a corrupted version of "Ein Jäger aus Kurpfalz."

8. Friedrich Wilhelm Nietzsche (1844–1900), philosopher and poet who exerted great influence on modern literature through his ideas as well as through his dynamic style.

9. Ernst Wiechert (1887–   ), author of novels and short stories. He grew up in a lonely forester's home in northeastern Germany. In "Wälder und Menschen" he tells about his youth; tales of the Bible stimulated his thoughts, and the woods became a deep source of emotional experience and a great character-forming influence in his development.

10. Probably Lady Macbeth in Shakespeare's "Macbeth."

V

1. Friedrich Schlegel (1772–1822), the philosophical and critical mind of the first romantic school.

VI

1. Arthur Schopenhauer (1788–1860), philosopher. His "Die Welt als Wille und Vorstellung" is a systematic presentation of his pessimistic philosophy, which was largely based on Kant but also influenced by Buddhism. It had a very considerable influence on modern literature.

2. The secret of being boring is to tell everything.

3. Plato's ideas were entities interposed between diffuse reality and

the one and absolute spirit. They were the ideal images of which reality contains only imperfect reproductions.

4. "Der Messias," epic poem by Friedrich Gottlieb Klopstock (1724–1803).

5. Epic poem by Torquato Tasso (1544–1595).

6. Epic poem by Vergil (70–19 B. C.).

7. Good Homer nods now and then. ("Ars Poetica.")

VOCABULARY

Basic words which every student is supposed to know after completing an elementary course are omitted. Principal parts of strong verbs are generally given with their basic forms only; thus the principal parts of **verstehen** are not given, since they are compounds of the principal parts of **stehen,** which are given. Nouns ending in **ung, heit,** or **keit** are often omitted when the verbs or adjectives from which they are derived are given.

die **Abart** (-en) variation

ab-blasen to blow; to play

ab-brechen to break off; **abgebrochen** *adj.* intermittent

ab-brennen to burn to the ground

der **Abend** (-s, -e) evening; **der heilige** — Christmas Eve

das **Abendbrot** (-s) supper

die **Abenddämmerung** dusk

die **Abendmahlzeit** (-en) supper

der **Abendmantel** (-s, ⸚) evening cloak

das **Abenteuer** (-s, –) adventure

abenteuerlich adventurous, dangerous, romantic, mysterious

abermals again

ab-fassen to draw up, write

ab-feuern to fire

ab-fliegen to start flying, speed

abgegriffen *adj.* worn by much thumbing, trite

abgelegen *adj.* out-of-the-way, isolated

die **Abgerissenheit** incoherence

der **Abgesandte** (-n, -n) ambassador

abgeschieden *adj.* secluded, separated; **—er Geist** departed spirit

die **Abgeschlossenheit** completeness

abgesehen *adv.* apart

ab-gleiten to slide off, glide off

der **Abgrund** (-s, ⸚e) abyss, precipice, depth

der **Abguß** (-es) = **Kaffeeabguß** coffee

ab-halten to restrain; **abgehalten werden** to take place

die **Abhaltung** celebration

der **Abhang** (-s, ⸚e) slope

ab-hängen von to depend on

abhängig dependent

die **Abkehr** turning away, desistance

ab-klingen to die away; **zum Abklingen bringen** to give a "dying fall"

die **Abkürzung** (-en) abbreviation

der **Ablauf** (-s) course

ab-laufen to run down

ab-legen to take off; **einen Besuch — ** to pay a visit

ab-lehnen to decline, refuse, refute

ab-leiten to dispel

ab-lenken to turn away, divert, distract

ab-lösen to replace; **einander — to** succeed each other in turn

ab-nehmen to derive

ab-reden to plan

ab-reißen to tear off

ab-rieseln to crumble off

ab-ringen to wrest from

der **Absatz** (-es, ¨e) heel; paragraph; **die Absätze zusammenziehen** to click one's heels

abscheulich abominable, detestable, loathsome

der **Abschied** (-s) farewell; **— nehmen** to take leave

ab-schließen to complete, conclude; **abgeschlossen sein** to be a thing of the past

der **Abschluß** (-es) end, conclusion, final word

ab-schneiden to cut off (short); **nicht übel —** to do quite well

der **Abschnitt** (-s, -e) paragraph, passage, segment

ab-schrecken to discourage

die **Absicht** (-en) intention

absichtlich intentional

ab-sprudeln to hurry through

ab-stäuben to dust (off)

ab-stechen to contrast

ab-stehen (Ohren) to stick out

ab-stellen to shut off, stop; to do away with

ab-streifen to brush off, do away with, eliminate

der **Absturz** (-es, ¨e) precipice

ab-teilen to divide, separate

die **Abteilung** (-en) division, section, shift

ab-tragen to clear off

ab-treten to cede, surrender; to favor with; **= absteigen** to alight, stop

ab-trocknen to dry

ab-tun to take off

ab-wälzen to shift

ab-warten to wait

abwechselnd intermittent, alternating

die **Abwechslung** (-en) change, alternation

die **Abwehr** defense, reserve, aloofness

ab-weichen to deviate, depart from, swerve from

ab-wenden (sich) to turn away

abwesend absent, away

ab-ziehen to pull off, take off

der **Abzug** (-s, ¨e) deduction; **in — bringen** to deduct

ach was! what the...!

die **Achsel** (-n) shoulder

acht: sich in — nehmen to be careful

achten to respect, esteem; **— auf** to give heed to, pay attention to

acht-geben, acht-haben to pay attention, be careful

die **Achtung** esteem

adelig aristocratic

die **Ader** (-n) vein

adies = adieu (*French for* goodby)

aha I see

ahnden, ahnen to have a presentiment of, sense, suspect

der **Ahnherr** (-n, -en) ancestor

ähnlich similar, like; **das sieht ihr — ** that looks like her

die **Ahnung** (-en) foreboding, presentiment, idea

ahnungslos guileless

der **Akkord** (-s, -e) chord

albern silly, absurd, insipid

allein alone, only

das **Alleinsein** (-s) solitude

allemal always

allerdings assuredly, to be sure, certainly

allerlei all kinds of, of all sorts

allerorten everywhere

allgemein general, universal

allmächtig almighty, powerful

allmählich gradual

allnächtlich nightly

der **Alltag** (-s) daily life, drudgery

alltäglich common, ordinary, everyday, average, commonplace

die **Alltagssprache** (everyday) spoken language

die **Alltagswirklichkeit** workaday world, commonplace reality

der **Alpensteiger** (-s, −) alpine climber

alsbald quickly

alsdann then

also thus

alsobald at once

alternd elderly

die **Ältesten** the Elders

ältlich oldish

altmodisch old-fashioned

der **Amboß** (-es, -e) anvil

das **Amt** (-es, ⁻er) office, job, duty

an-beten to worship

an-betteln to approach begging

der **Anblick** (-s) look, view, sight

an-brechen to break

an-bringen to show; to fasten; **höher — ** to raise

ambrosisch ambrosial

der **Anbruch** (-s) break

andächtig reverent, devout

andererseits on the other hand

anders *adv.* differently

das **Anderssein** (-s) being different

anderswo somewhere else

an-deuten to hint at, indicate, suggest; **kurz — ** to sketch with a few strokes

die **Andeutung** (-en) hint, allusion, suggestion

an-dringen to crowd

aneinander together; **— halten** to cling to each other; **— reihen sich** to follow each other

anerkanntermaßen as generally recognized

an-erkennen to recognize

an-fahren to arrive

anfänglich in the beginning

an-fertigen to make

an-feuchten to moisten

die **Anforderung** (-en) demand

an-führen to lead on, quote, cite; to fool; **angeführtes Zitat** beforementioned passage

an-geben to indicate

angeboren *adj.* innate

an-gehen = anfangen to begin

an-gehören to belong

der **Angehörige** (-n, -n) relation; **die —n** family, people

angeln nach to feel for; to fish for

das **Angesicht** (-s) face; presence

angesichts in view

an-greifen to attack

die **Angst** (⸚e) fear, anxiety
ängstigen to frighten, scare, worry
ängstlich timid
an-haben to wear
an-halten to last
anhaltend continuous
der **Anhaltspunkt** (-es, -e) fact; **so wenig** —**e** so little to go by
an-hängen: jemand eins — to accuse someone of something, cast a slur on someone
an-heben to begin
die **Anhöhe** (-n) height
an-klagen to accuse
an-klammern sich to cling to
an-kleiden (sich) to dress
an-klingen to be revived
an-knüpfen to tie, join, begin, connect, be connected
an-kommen to arrive; **auf etwas kommt es an** a thing is essential *or* significant; **es kommt sehr darauf an** much depends upon it
der **Ankömmling** (-s, -e) newcomer
an-künden to announce
an-kündigen to announce
die **Anlage** (-n) tendency
an-langen to arrive
der **Anlaß** (-es) cause, reason
an-legen to devise, take aim, put on
an-lehnen (sich) to lean (back); **die Tür** — to leave the door ajar
an-machen = **anzünden** to light
die **Anmaßung** presumption, arrogance
die **Anmut** grace, charm, pleasantness
anmutig graceful
an-nähen to sew on

an-nehmen to take on, assume
an-ordnen to regulate
die **Anordnung** (-en) arrangement
an-passen sich to adapt oneself
die **Anrede** (-n) address
an-regen to stimulate, excite, rouse
an-reihen to add
an-rühren to touch
anschaulich plastic, clear, perceptible
die **Anschaulichkeit** clearness; **von wunderbarer** — remarkably suggestive
die **Anschauung** (-en) perception, intuition; **lebendige** — intuitive perception
der **Anschein** (-s) appearance, impression
anscheinend seeming
an-schlagen to strike, sound
an-schließen sich to attach oneself to, join
an-schmauchen to begin to smoke
an-schmiegen sich to cling to
an-schwellen to swell out
an-sehen to look at
das **Ansehn** (-s) appearance; — **haben** to look, appear
die **Ansicht** (-en) opinion, view
ansichtig werden *w. gen.* to see
ansonst else
an-spannen to get the carriage ready
die **Anspannung** exertion, tension, strain
an-spielen auf to allude to
die **Anspielung** (-en) hint, allusion, sportfulness
an-sprechen to sound, express
der **Anspruch** (-s, ⸚e) claim, de-

mand; — **erheben** to aspire; **in
— nehmen** to claim

anspruchslos unpretentious

Anstalten machen to take steps

der **Anstand** (-s) poise, stateliness

an-steigen to mount, rise

an-stieren to stare at

der **Anstoß** (-es) impulse, impetus

an-strengen sich to strain

die **Anstrengung** (-en) exertion, effort

der **Anteil** (-s, -e) share, part, sympathy, interest, participation; **mit
innerem —** with sincere interest;
— nehmen to participate

der **Antrag** (-s, ⸚e) proposal

an-treffen to meet, find

an-tun to do, inflict

**an-wandeln: Furcht wandelte mich
an** I was seized with fear

an-weisen to show, assign

an-wenden to employ, use; **Mühe
—** to take trouble

anwesend present

die **Anzahl** number

die **Anzeige** (-n) announcement

an-zeigen to indicate

an-ziehen to put on, attract

die **Anziehungskraft** attraction

an-zünden to light

arbeiten to work, labor; **daraufhin
—** to work toward

arbeitslos unemployed

ärgerlich angry

der **Argwohn** (-s) suspicion

die **Arie** (-n) air, song

der **Arm** (-es, -e) arm; **in die Arme
fallen** to prevent from doing
something

die **Armbrust** crossbow

der **Ärmel** (-s, -) sleeve

armselig miserable

die **Armut** poverty

die **Art** (-en) kind, manner, way;
Zuschauer einiger — spectators
of the better class

artig pretty, pleasing

die **Artigkeit** (-en) courtesy

die **Arznei** (-en) medicine

der **Arzt** (-es, ⸚e) doctor, physician

aschenhaft ashen

asozial unsociable

der **Atem** (-s) breath

die **Atlasschleife** (-n) satin ribbon

der **Aufbau** (-s) composition

auf-bieten to exert

auf-blähen sich to puff oneself out

auf-brechen to start

auf-bringen to afford

der **Aufbruch** (-s) start

auf-decken to serve

der **Aufenthalt** (-s) stay; home

auf-fahren to rise suddenly

auf-fallen to fall upon, strike, be
conspicuous; **es fiel ihm auf** it
seemed to him

auf-fangen to catch

die **Auffassung** (-en) apprehension,
comprehension

auf-führen to perform

die **Aufgabe** (-n) lesson, problem,
task; **neue —n stellen** to find
new tasks

auf-geben to yield (up)

aufgekrempt turned-up

aufgeräumt gay, in good spirits

aufgetürmt towering

auf-greifen to seize, catch

auf-haben to wear (on one's head)

auf-halten to hold up, detain, stop; — sich to stay; — sich bei to devote oneself to

auf-hängen to suspend

auf-heben to pick up; to relieve; — sich to appear, rise

auf-heulen to howl, shriek, scream

auf-hören to cease, stop

auf-leben to take on new life

auf-lehnen sich to protest

auf-lösen to loosen, untie, dissolve, melt; auflösend wirken to have a disintegrating effect

aufmerksam attentive; jemand — machen to call someone's attention

die Aufmerksamkeit attention, diligence; — auf sich ziehen to attract attention

auf-nehmen to receive, assimilate

auf-nötigen to press on (someone)

auf-pflanzen to raise

auf-raffen sich to collect oneself, pick up courage

auf-räumen to put in order

aufrecht upright

aufrecht-halten to maintain

auf-regen to excite

auf-richten to set up; — sich to raise oneself

die Aufrichtigkeit sincerity, candor

auf-schimmern to light up, appear

auf-schlagen to open, advance, erect, set up; ein Gelächter — to laugh heartily

auf-schließen to open, reveal

der Aufschluß (-es, ⸚e) information; näherer — more —; — geben to reveal

auf-schreiben to write down, score

die Aufschrift (-en) inscription, title

der Aufschwung (-s) rapture

auf-seufzen to sigh

auf-spannen to spread

auf-spielen to make (dance) music

auf-steigen to rise; der aufsteigende Gang eines Motors increased roar of a starting motor

auf-stöbern to hunt up

auf-suchen to visit

auf-tauchen to appear

auf-tauen to thaw

auf-tragen to serve; to charge with

auf-trennen to rip open

auf-treten to step on; stark — to walk briskly

der Auftritt (-s, -e) scene

auf-tun to open

die Aufwärterin (-nen) maid

auf-weisen to show

die Aufzeichnung (-en) note

das Auge (-s, -n) eye; in die Augen fallen to catch one's eye, strike

der Augenaufschlag: einen — vollführen to cast a glance upward

augenblicklich instantly, immediately

die Augenblickserfahrung (-en) momentary or immediate experience

die Augenblickswelt world made up of fleeting impressions

die Augenbraue (-n) eyebrow

aus out of, from, of; over; — sein to be over, cease

aus-bauen to develop

aus-blasen to blow, to empty by blowing

aus-bleiben to stay away

aus-breiten to spread out, disseminate

die **Ausdauer** perseverance

ausdauernd lasting, patient

aus-dehnen to spread

der **Ausdruck** (-s, ⸚e) expression, phrase, term; **zum — bringen** to express

aus-drücken to express

die **Ausdrucksweise** (-n) way of expression

auseinandergespreizt widespread

auseinander-schieben to separate

auseinander-schlagen to open

auseinander-setzen to explain

auserkoren *adj.* elect

die **Auserwähltheit: ein Zeichen der —** a sign of his being a chosen one

aus-fließen to emanate, result in

aus-führen to execute, carry out, do; **ausgeführtes Bild** finished picture

ausführlich detailed

die **Ausführung** (-en) execution; **an die — gehen** to start work

der **Ausgang** (-s, ⸚e) way out; edge

ausgearbeitet well-developed

ausgebreitet extensive

aus-gehen to go out; **das Geld geht jemand aus** someone has spent all his money

die **Ausgelassenheit** extravagance; **bis zur — bordering on —**

ausgemalt finished

ausgenommen *adj.* with the exception of

ausgesprochen *adj.* pronounced, decided, definite

ausgestorben *adj.* without life

aus-halten to endure

die **Aushilfe** assistance

aus-lachen to laugh at

aus-laden to unload

aus-lassen to release, omit; **nicht —** to hold fast

aus-leeren to empty

aus-löschen to go out, be extinguished

aus-lösen to release, cause

aus-machen to constitute, determine

die **Ausnahme** (-n) exception

aus-prägen to express; **ausgeprägt** pronounced

aus-rechnen to figure out

aus-richten to perform

der **Ausruf** (-s, -e) exclamation, outcry

aus-ruhen to rest

die **Aussage** (-n) utterance

aus-schalten to exclude, eliminate

aus-schauen = aussehen to look like

aus-schlagen to strike out, kick; to refuse

aus-schließen to exclude

ausschließlich exclusive

der **Ausschnitt** (-s, -e) passage, excerpt

das **Aussehn** (-s) appearance, looks

außen outside

außer beside; **— sich —** oneself

äußer *adj.* outer, external, outward

außergewöhnlich extraordinary

außerhalb outside

äußerlich outer, external

äußern to utter, say; **— sich** to express oneself

außerordentlich extraordinary

äußerst extreme; **zum äußersten führen** to bring to an extreme; **äußerstes Meer** uttermost parts of the sea

die Äußerung (-en) utterance, remark, expression

aus-setzen an to find fault with

aus-sondern to select

aus-sprechen to pronounce, state

der Ausspruch (-s, ⸗e) sentence, remark, quotation, pronunciation

aus-spucken to spit

aus-staffieren to furnish

die Ausstattung (-en) outfit; **in voller harmonischer —** fully harmonized

aus-stehen to endure

aus-steigen to alight

aus-stoßen to thrust out; to disown

aus-strecken to stretch out, unfurl

aus-suchen to choose

aus-teilen to distribute

aus-toben to abate; **— sich** to rave, exhaust one's fury

aus-üben to exercise, practice, carry on

aus-wählen to select; **auswählend** selective

auswärtig foreign, strange

der Ausweg (-s, -e) way out, escape

aus-weichen to stray, turn, avoid

der Auswuchs (-es, ⸗e) growth

aus-ziehen to set forth, take off

der Auszug (-s) Exodus

die Backe (-n) cheek

die Bahn (-en) train; course; **Straßenbahn** streetcar

ballen to form into a ball; to clench

der Ballen (-s, –) bale; **— machen** to cake

die Banalität (-en) banality

das Band (-es, ⸗er) ribbon

die Bande *pl.* ties

bange uneasy

die Bangigkeit uneasiness

der Bann (-s) spell; **der — ist gelöst** the — is broken

bar in cash; clear

barmherzig merciful

die Barschaft (-en) stock of cash

der Baß (-es, ⸗e) bass; bass viol

bauen to build, form

baumeln to dangle

die Baumkrone (-n) treetop

der Baumwipfel (-s, –) treetop

die Baumwolle cotton

die Bauschung (-en) jutting

beabsichtigen to intend

beängstigen to make uneasy

der Becher (-s, –) goblet, cup

bedächtig deliberate

der Bedarf (-s) need

bedecken to cover

bedenken (bedachte, bedacht) to consider; **— sich** to hesitate; **bedacht sein auf** to be intent on

bedenklich ominous, bad

die Bedenklichkeit doubt

bedeuten to mean; **= liefern** to furnish; **= andeuten** to indicate

bedeutend important, significant, striking

bedeutsam significant

die Bedeutung significance, meaning

die Bedeutungslosigkeit insignificance

bedienen to serve; — **sich** *with gen.* to employ

die **Bedingung** (-en) condition

bedrängt pressed hard, uneasy

bedürfen (bedurfte, bedurft) to need

beeinflussen to influence

beendigen to finish

befallen (befiel, befallen) to seize

der **Befehl** (-s, -e) command, order, request

befestigen to fasten

befinden (a, u) **sich** to be, find oneself; to feel

befördern to further, advance

befragen to question

befreien to free

die **Befreiung** liberation, detachment

befreundet friendly

befriedigen to satisfy, pacify, calm

befruchten to stimulate; — **sich** to become stimulated

begabt gifted

die **Begabung** (-en) gift, talent

begeben (a, e) **sich** to betake oneself, go; to happen

die **Begebenheit** (-en) event

begehen (beging, begangen) to execute

begehren to demand

begeistern to inspire; — **sich** to become enthusiastic

die **Begeisterung** enthusiasm, inspiration, ecstasy

das **Begeisterungsmittel** (-s, —) means to excite people

die **Begierde** (-n) desire

begierig eager, greedy

begießen (o, o) to water

beglänzt lit, tinged

begleiten to accompany, follow

beglücken to make happy

begnadet gifted

begraben (u, a) to bury, hide

begreifen (begriff, begriffen) to understand, grasp; **begriffen sein in** to get into

begreiflich comprehensible; **sehr begreifliche Späße** practical fun

begrenzen to limit, mark

die **Begrenztheit** limitations

der **Begriff** (-s, -e) notion, conception; **im — sein** to be about

begründen to cause, explain, found; to be responsible for

begrüßen to greet

das **Begrüßungsgeprassel** (-s) applause

begünstigen to favor

behagen to please

das **Behagen** (-s) enjoyment; — **an** delight in

behaglich comfortable; — **beschreiben** to describe unhurriedly

behalten (ie, a) to keep

behandeln to treat, belabor; **frei —** to improvise

die **Behandlung** treatment

beharrlich persistent

behaupten sich to hold one's ground, maintain oneself

die **Behausung** (-en) habitation

behend fast, spry

beherrschen to rule, dominate, control

die **Beherrschung** mastery

behilflich helpful, of assistance

behüten to guard, protect

behutsam careful

der **Beifall** (-s) applause, approval, favor; — **klatschen** to applaud (with hands)

das **Beifallsgeprassel** (-s) loud applause

bei-mischen to mix in, admix

die **Beinkleider** *pl.* trousers

beisammen together

bei-stehen to assist

bei-tragen to contribute

das **Beiwerk** (-s) details

bekannt werden to get acquainted; **näher** — — to get better —

der **Bekannte** (-n, -n) acquaintance, friend

die **Bekanntschaft** (-en) acquaintance

die **Bekehrung** conversion

bekennen (bekannte, bekannt) to confess, reveal

beklagen to complain

bekleiden to dress, cover

bekommen (bekam, bekommen) to receive, get; **es gut** — to be well off; **wohl mag's Ihm** — to your health

bekümmern sich um to concern oneself with, pay attention to

belächeln to smile at, not take seriously

belanglos unimportant

belasten to burden, weigh upon

belaubt in foliage

belauschen to watch

beleben to animate, enliven

der **Beleg** (-s, -e) proof

belehren to instruct, inform

beleibt corpulent

beleuchten to throw light upon, illuminate, light (up)

die **Beleuchtung** lighting

beliebig at will

beliebt popular

bellen to bark

beloben to commend, praise

belohnen to reward

belustigen to amuse

bemalen to paint

bemeistern to master; — **sich** *w. gen.* to seize

bemerken to remark, notice, detect

bemühen sich to endeavor, strive, aim

die **Bemühung** (-en) effort, work, trouble, attention

benachbart neighboring

benachrichtigen to inform

benehmen (benahm, benommen) **sich** to behave

das **Benehmen** (-s) behavior, conduct

beneiden to envy

benützen to use

beobachten to watch, observe

die **Beobachtung** (-en) observation; — **von außen** superficial —

bepflanzen to plant

bequem comfortable, easy, convenient

berauben to rob, deprive of

bereiten to prepare, get ready

bergab downhill

bergan uphill

der **Bergbau** (-s) mining

der **Bergkristall** (-s, -e) rock crystal

der **Bergmann** (-s, -leute) miner

der **Bergrücken** (-s, –) mountain

der **Bericht** (-s, -e) report, statement, information

berichten to report, instruct

der **Berliner** (-s, –) inhabitant of Berlin

der **Beruf** (-s, -e) profession

die **Berufsarbeit** (-en) professional work, work to earn one's living

beruhen to rest, depend

beruhigen to calm, console; — **sich** to content oneself; **beruhigt** calm

berühren to touch; — **sich** to be in contact

die **Berührung** (-en) touch, contact; **in** — **stehen** to be in —

besäen to sprinkle

besänftigen to pacify

beschaffen sein to be (constituted)

beschäftigen sich to deal, busy oneself

die **Beschäftigung** (-en) occupation

beschattet shady, overshaded

der **Beschauer** (-s, –) beholder

bescheiden *adj.* modest, unpretentious

beschieden sein to be in store

beschleunigen to accelerate

beschließen (o, o) to decide, resolve

beschränken to limit, restrict, narrow; **das Beschränkte** narrow-mindedness

die **Beschränktheit** narrow-mindedness

beschreiben (ie, ie) to describe

beschweren to weigh down

besessen *adj.* possessed

besetzen to occupy

besinnen (a, o) **sich auf** to recall, call to mind

der **Besitz** (-es) possession, property

das **Besitztum** (-s, ⸚er) property

besonder *adj.* particular, distinct, singular, unusual, unique

die **Besonnenheit** presence of mind

besprechen (a, o) to discuss

bespritzt splashed with mud

bessern to improve

best: etwas zum besten geben to treat a person with a thing; **jemand zum besten haben** to play a joke on someone

beständig constant

bestätigen to confirm

bestehen (bestand, bestanden) to exist, be; — **bleiben** to remain; — **in** *or* **aus** to consist of

bestellen to order; **zum besten bestellt sein** to be of the best

die **Bestellung** (-en) order; **auf** — **to** —

bestenfalls at best

besticken to embroider

bestimmbar determinable

bestimmen to define, determine

bestimmt certain, definite; destined, intended

die **Bestimmung** determination

bestrafen to punish

bestreiten (bestritt, bestritten) to deny

bestürzt in dismay

betätigen to manifest

betäubt dazed

betaut dewy

beteiligen sich to share, take part, participate

betonen to emphasize, accentuate, stress

betören to hypnotize, fascinate

betrachten to consider, regard, view, look at, watch, pay attention

die **Betrachtung** (-en) observation, contemplation, reflection; **eine — anstellen über** to contemplate, reflect upon

betragen (u, a) **sich** to bear oneself, behave

das **Betragen** (-s) conduct

betreffend concerning, concerned

betreiben (ie, ie) to perform

betreten (a, e) to enter, step on; **das Seil —** to mount the rope

betrübt sad, sorrowful

betrügen (o, o) to deceive; **— um** to cheat out of

betteln to beg

betten to make a bed

das **Bettlaken** (-s, –) bed sheet

beugen (sich) to bow, bend

beunruhigen to worry

beurlauben sich to take one's leave

die **Bevölkerung** (-en) populace, inhabitants

bevorstehend ahead of

bewahre! of course not

bewährt valid, true

bewältigen to master, assimilate

bewegen to move, induce, stir

beweglich movable, flexible, not static; **schwer —** insensitive

die **Bewegtheit** liveliness, sprightliness

die **Bewegung** (-en) motion, movement, unrest; **in ewiger —** forever changing

beweisen (ie, ie) to prove, show

bewirken to cause, bring about

bewundern to admire

bewußt conscious

das **Bewußtsein** (-s) consciousness, mind; **jemand etwas zum — bringen** to make someone conscious of something; **etwas kommt uns zum —** we become conscious of something

bezeichnen to indicate

bezeichnenderweise characteristically

die **Bezeichnung** (-en) definition, label

bezeugen to testify

beziehen (bezog, bezogen): **bezogen sein auf** to be related to

die **Beziehung** (-en) relation, connection, contact, relationship; **in der —** in this respect; **in — setzen** to bring into relation

der **Bezirk** (-s, -e) district, place

bezwecken to aim at

bezwingen (a, u) to master

die **Bezwingung** control, domination; **die — seiner selbst** self-discipline

die **Bibelstelle** (-n) Bible text

biegen (o, o) to bend, curve, turn; **— sich** to bend, sway

bieten (o, o) to offer, present; **einen guten Tag —** to bid a good day

das **Bild** (-es, -er) picture, appearance, image; memory

bilden to form; **bildende Kunst** plastic art

bilderreich rich in imagery

bildhaft plastic, concrete

die **Bildhaftigkeit** imagery; **ohne — lacking in —**

der **Bildner** (-s, –) sculptor

die **Bildung** education, development, culture; countenance
billig cheap, inexpensive
die **Bindung** (-en) connection, tie
die **Birke** (-n) birch
die **Bitterkeit** bitterness, bitter taste
blamabel silly
blank shining, shiny
blasen (ie, a) to blow, sound
bleibend lasting, permanent
blendend dazzling, blinding
blicken to glance, look, shine; **in eine Seele — lassen** to give an insight into a person
blitzen to sparkle, flash; **blitzend** *adv.* sharply
blitzschnell like lightning
der **Block** (-s, ⸗e) block, boulder
blöde timid
bloß mere, only; bare
blühen to blossom; **blühend** fertile
der **Blumentopf** (-s, ⸗e) pot of flowers
die **Bluse** (-n) blouse
die **Blutlache** (-n) pool of blood
der **Bock** (-es, ⸗e) trestle
der **Boden** (-s) soil, ground; floor; end; attic; support
der **Bogen** (-s, –) sheet of paper; arc
die **Bogenlampe** (-n) arc light
bohnern to polish the floor
der **Böller** (-s, –) mortar
der **Bolzen** (-s, –) bolt
die **Botschaft** (-en) message
die **Brandmauer** (-n) fire wall
die **Brandstelle** (-n) place of a fire
der **Branntwein** (-s) brandy
braten (ie, a) to fry, roast
brauchen to need, make use of

die **Braue** (-n) brow
bräunlich brownish, tanned
brausen to roar, rush; **brausend** tumultuous
brav good, well-behaved
breit broad, wide, long, extensive; bold
die **Breite** breadth
das **Brett** (-es, -er) board
die **Bretterhütte** (-n) shack
die **Bretterwand** (⸗e) boards
der **Briefträger** (-s, –) letter carrier, postman
die **Brille** (-n) glasses, spectacles
bringen (brachte, gebracht) to bring; **= machen** to make; **— um** to deprive of; **es dahin —** to succeed
bröckeln to crumble
die **Brücke** (-n) bridge; strip
der **Brunnen** (-s, –) spring, fountain, brook
die **Brüstung** banister
die **Buche** (-n) beech
das **Bücherbort** (-es, -e) book shelf
bücken sich to bow, bend down
der **Bückling** (-s, -e) bow
die **Bude** (-n) *slang* place, room
die **Bühne** (-n) stage
das **Bukett** (-s, -e) bouquet
das **Bündel** (-s, –) bundle, bunch
der **Bundstiefel** (-s, –) laced boot
bunt many-colored, mixed; **immer bunter und bunter** ever more variegated
buntgemischt variegated
der **Bürger** (-s, –) citizen, townsman, one of the middle class
das **Bürschchen** (-s, –) little fellow, chap, lad

buschig bushy
der **Busen** (-s, -) bosom
die **Buße** penance
die **Büßerin** (-nen) penitent
das **Bußkleid** (-s, -er) penitential robe
die **Bußübung** (-en) penance

Cercle halten to receive homage
charakterisieren to characterize
der **Charakterzug** (-s, ⸗e) characteristic line
der **Chasseur** (-s, -s) cavalry man
der **Chor** (-s, ⸗e) chorus, choir
das **Chor** (-s) choir loft
das **Chorgeländer** (-s, -) banister of the choir loft
Cis C-sharp

da-bleiben to stay there, remain
dagegen however, on the other hand
dahingegen in contrast to which
dahingerafft taken away; dead
damalig at that time
damals formerly, at that time; it used to be
der **Damengruß** (-es, ⸗e) girl's gesture of greeting, curtsy
damit with it
dämmern to grow light (or dark); **das blaue Dämmern der Berge** the bluish distance of the mountains
dämmernd dusky; **dämmernder Friede** gleam of peace
die **Dämmerung** dusk
dampfen to steam
die **Dampfwolke** (-n) cloud of vapor

dankbar grateful
die **Danksagung: zur —** by way of thanks
daran-fügen sich to follow
darauf-drücken to imprint
dar-bieten to offer, hold out, present
dar-stellen to (re)present, exhibit, describe; **darstellend** representative
die **Darstellung** (-en) presentation, performance, description
die **Darstellungsweise** (-n) mode of presentation, way of describing
das **Dasein** (-s) existence, life
daselbst there
dauern to last
davon = fort away
davon-tragen to carry away; **den Sieg —** to come off victorious
die **Decke** (-n) ceiling
decken to cover; **den Tisch —** to set the table; **etwas deckt sich mit** something is identical with
der **Degen** (-s, -) sword
demgegenüber in contrast to that
demgemäß accordingly
demnach thus
denkbar imaginable
denken (dachte, gedacht) to think, intend, remember
dennoch = doch still, nevertheless
dergestalt in such a way, to such a degree
desgleichen like, likewise
deutlich clear, distinct
die **Deutlichkeit** distinctness
dicht close, thick, dense; **(Sterne)** densely clustered

der **Dichter** (-s, –) author, poet, writer

dichterisch poetic, poetical

die **Dichtung** (-en) work of literature, poetry, fiction; story, tale

die **Dielen** *pl.* floor (boards)

der **Dienst** (-es) service; — **tun** to render —; **zu Diensten stehen** to be at one's —

das **Dienstmädchen** (-s, –) maidservant

dieserhalb on this account

das **Diesseits** this world

der **Diskant** (-s) treble

der **Diskurs** (-es, -e) discourse

die **Distanz** (-en) distance; — **gewinnen** to gain in perspective

die **Distel** (-n) thistle

die **Dolde** (-n) cluster

die **Dominante** dominant (*fifth note of scale, harmonically the most important*)

der **Donnerschlag** (-s, ⸗e) peal of thunder; **mit einem lang hinrollenden** — with a long reverberating —

die **Doppelbüchse** (-n) double-barreled shotgun

das **Doppelkinn** (-s) double chin

der **Dörfler** (-s, –) villager

die **Dose** (-n) box

der **Dramatiker** (-s, –) dramatist

dramatisch dramatic; **das Dramatische** the dramatic element

der **Drang** (-es) impulse

drängen to push, urge, crowd, press

drehen (sich) to turn, twist

der **Drehsessel** (-s, –) revolving stool

dreifach threefold

der **Dreikäsehoch** (-s) hop-o'-my-thumb

der **Dreiklang** (-s, ⸗e) triad (*chord of three tones*)

drein-schlagen to strike at random

dringen (a, u) in to penetrate

drohen to threaten; to be in danger of

die **Drohung** (-en) threat; **mit —zusetzen** to threaten

drollig droll, amusing, funny

drüben across (*the street*)

drucken to print

drücken to press, force, oppress; **drückend** heavy, oppressive; **den Hut in die Augen** — to push the hat over one's eyes

ducken (sich) to duck; **die Köpfe in die Kleider** — to draw up one's shoulders

der **Duft** (-s, ⸗e) mist, scent

duften to send forth fragrance

duftig hazy, misty

dumpf hollow, somber; dazed, dull; subconscious

die **Dumpfheit** hollowness

dunkel dark, sinister, mysterious; **dunkles Gefühl** vague feeling

dünken: es dünkt mich I imagine

dünn thin, light, shallow

durch: — und — thoroughly

durchaus at all

durch-brechen to break through, destroy

durch-denken to think over carefully; **durchdacht** deliberate; **fein durchdacht** subtly constructed

durchdringen (a, u) to penetrate

durcheinander pell-mell; **das Durcheinander** confusion
durchflechten (o, o) to interweave
durch-führen to carry through
durchglühen to glow through, penetrate, inspire
durch-rechnen to count through, calculate
durchschauen to look through
durch-schimmern to shine out
durch-schlagen to break through; **durchschlagend** decisive, complete
der **Durchschnitt** (-s) average; **im Kampf mit dem — ** fighting mediocrity
durchsichtig transparent
durch-wühlen to ransack
durch-ziehen to mix with
**durchzittern: mit Licht — ** to fill with a vibrating light
dürr dry, withered
dürsten to be thirsty
düster dark, gloomy, sad, dismal

eben even; just
die **Ebene** (-n) plain
ebenfalls likewise
ebenmäßig even
ebenso just; **— wenig** neither; **— wie** just as
echt genuine
die **Ecke** (-n) corner, edge
das **Edelfräulein** (-s, –) gentlewoman, aristocrat
der **Edelstein** (-s, -e) gem
der **Effekt** (-s, -e) effect, sensation
die **Ehe** (-n) marriage, married life
die **Eheleute** married people
ehemalig former

ehemals once, formerly
eher rather
das **Eheweib** (-s) wife
ehren to honor
der **Ehrenplatz** (-es, ⸗e) place of honor
ehrfurchtgebietend awe-inspiring
ehrlich honest, sincere
ehrwürdig venerable
ei was! what of it!
eifernd fanatic
eifrig eager, diligent, zealous
eigen own, unique; **in eigener Person** in person
die **Eigenart** originality, individuality, characteristics
eigenartig original, characteristic, peculiar, unique
die **Eigenbedeutung** meaning of its own
das **Eigenleben** (-s) life of its own
die **Eigenschaft** (-en) quality, characteristic; attraction
der **Eigensinn** (-s) obstinacy, conceit
die **Eigensphäre** (-n) special sphere
eigentlich true, real, proper
das **Eigentum** (-s) property, one's own
eigentümlich peculiar, characteristic
eilen to hurry, hasten
eilig hurried; der **Eilige** man in a hurry; **etwas Eiliges** something requiring haste
der **Eimer** (-s, –) pail
ein-biegen to turn into
ein-bilden sich to imagine
die **Einbildungskraft** imagination
ein-bürgern to make a place for

ein-dringen to enter (by force), press upon

der **Eindruck** (-s, ⸗e) impression

eindrucksvoll impressive

einfach simple

der **Einfall** (-s, ⸗e) idea

ein-fallen to fall in, break in; to interrupt; to occur; **eingefallene Wangen** sunken cheeks

einfältig simple(-minded), stupid

ein-finden sich to appear, come, assemble

ein-flößen to suggest

einförmig monotonous

ein-fügen sich to adapt oneself

ein-führen to introduce

der **Eingeborene** (-n, -n) native

die **Eingebung** (-en) inspiration

ein-gehen auf to take up a thing; = **annehmen** to accept

eingehend detailed

eingelegt inlaid

eingemummt wrapped up snugly

ein-gestehen to confess; to grant

ein-greifen to interfere, intervene, take part

einheimisch at home

die **Einheit** (-en) unit, whole, unity; **in sich geschlossene —** complete unit

einheitlich uniform

ein-heizen to heat, light the stove

ein-holen to overtake

ein-hüllen to wrap in, envelop

einig werden to settle; **mit sich — — to** make up one's mind

ein-kehren to enter, pass the night, stop at

der **Einklang** (-s): **im — stehen** to harmonize

ein-leiten to introduce

einmal once; **dies ist — sein Name** believe it or not, such is his name

einmalig single, unique, isolated; **das Einmalige** (-n) that which happens but once

die **Einmaligkeit** unique quality

die **Einmischung** admixture

einmütig unanimous

ein-nehmen to take in, set (against); to cover

ein-prägen to impress

ein-richten to arrange; **besser —** to make more comfortable

einsam lonely

die **Einsamkeit** solitude, seclusion

der **Einsatz** (-es, ⸗e) introduction

ein-saugen to suck in, absorb

ein-schenken to pour, fill up

der **Einschlag** (-s) touch; **der dramatische —** dramatic element

ein-schlagen to break ground; to take; **den Rückweg —** to start back

ein-schließen to shut in; **eingeschlossener Lärm** muffled noise

einseitig one-sided, narrowing

die **Einsiedelei** hermitage

ein-stecken to put into one's pocket

die **Einstellung** attitude

einstig former

ein-stürmen to rush

einstweilen for the present

einstweilig temporary

eintönig monotonous

ein-tragen to enter (in a book)

ein-treffen to arrive, come (about)

ein-treiben to collect

das **Eintreten** entrance, beginning

der **Eintritt** (-s) entrance

ein-üben to practice

der Einwand (-s, ⸚e) objection

einzel single, individual, separate; das Einzelne (-n) the details; im einzelnen in detail; einzelne a few

die Einzelheit (-en) detail

der Einzelsatz (-es, ⸚e) single sentence

das Einzelwesen (-s, –) individual

ein-ziehen to move in, arrive

einzig single, only; zwei ⸚e Augen only two eyes

einzigartig unique

der Eisessaum (-es) edge of the ice

eisgrau grizzled, gray

die Eisspalte (-n) crevasse

der Ekel (-s) disgust

der Elegant (-s, -s) dandy

die Elektrische (-n) trolley

elend miserable, poor; das Elend misery

empfangen (i, a) to receive

empfänglich sensitive, receptive

empfehlen (a, o) sich to take one's leave; to win one's favor

empfinden (a, u) to feel, experience; — als to take for; humorvoll empfunden meant to be humorous

die Empfindung (-en) feeling, sentiment

der Empirekranz (-es, ⸚e) Empire garland

empor up, upward

empor-heben to raise up; sich — to rise

empor-klappen to turn up

empor-reißen to carry up, pull up

empor-schwingen sich to soar up

empor-stehen to project, emerge

empor-steigen to rise, loom

emsig busy

die Emsigkeit diligence, eagerness

endgültig definite, final

endigen to end

eng narrow; depressed

die Enge narrowness

das Engelsbild: steinernes — stone angel

das Enkelkind (-s, -er) grandchild

entbehren to do without

entblößt naked, bare

entdecken to discover, reveal

entfalten (sich) to unfold, develop

die Entfaltung development

entfernen to lead farther; — sich to go away; entfernt removed, distant, far away

die Entfernung (-en) distance

entflammen to inflame, kindle, inspire

entfliehen (o, o) to flee, run away

die Entfremdung estrangement

entführen to remove, take away, carry away

entgegen toward, against

entgegengesetzt opposite

entgegen-kommen to meet

entgegen-stellen to confront with, oppose

entgegen-treten to confront

entgegen-wirken to counteract, check

entgehen (entging, entgangen) to escape

enthalten (ie, a) to contain; — sich von to keep away from, refrain from

entheiligen sich to become profane

enthüllen to unveil, reveal, disclose

entkleiden to strip, divest

entkommen (entkam, entkommen) to get away, escape

entkräften to invalidate, exhaust, paralyze

entlarven to unmask, reveal

entlassen (ie, a) to dismiss

entlauben: der Wald entlaubt sich the leaves fall

entledigen sich to rid oneself

entleeren to empty, free

entnehmen (entnahm, entnommen) to take from

entreißen (i, i) to tear away from, rescue from

der Entrepreneur (-s) manager

entsagen to renounce

die Entsagung self-denial

entschädigen to make up

entscheiden (ie, ie) **sich** to decide; **entscheidend** decisive

entschließen (o, o) **sich** to decide

der Entschluß (-es, ⸗e) decision

entschwinden (a, u) to disappear

das Entsetzen (-s) terror, extreme fright, horror

entsetzlich terrifying, awful

die Entspannung relaxation

entspinnen (a, o) to develop

entsprechen (a, o) to correspond

entspringen (a, u) to spring from, arise, originate

entstehen (entstand, entstanden) to originate, grow out of, be born, result, be built

enttäuschen to disappoint

entwaffnen to disarm

entweichen (i, i) to escape

die Entweihung profanation, defilement

entwerfen (a, o) to sketch; **den Plan für den laufenden Tag —** to plan the day's work

entwickeln to develop

der Entwurf (-s, ⸗e) draft

entzücken to charm

das Entzücken (-s) delight, rapture

entzünden to kindle; **— sich** to be kindled

entzweien sich to quarrel

entzwei-springen to spring asunder, burst in two

die Epik epic poetry; epic quality

der Epiker (-s, –) epic writer

episodenhaft characteristic of the episode

die Epopöe epopee, epic poem

erbarmungslos merciless, cruel

die Erbauung edification

erbeben to quiver

erbieten (o, o) **sich** to offer

erblassen to grow pale, become dim

erblicken to perceive, see

erblühen to blossom forth, begin to glow

erbosen to make angry

die Erbschaft (-en) inheritance

das Erdbeben (-s, –) earthquake

der Erdboden (-s) earth

das Erdenleid (-s) earthly woe; **— und Heimweh** sad longing for earth and home

erdig earthen; **erdiger Boden** soil

ereignen sich to happen

das Ereignis (-ses, -se) event

erfahren (u, a) to learn

die Erfahrung (-en) (practical) experience

der **Erfahrungskreis** (-es, -e) range of experience

erfassen to comprehend, understand, grasp

erfinden (a, u) to invent

die **Erfindung** (-en) invention; freie — pure —

die **Erfindungsgabe** inventiveness

der **Erfolg** (-s, -e) success

erfolgreich successful

erforderlich required

erfordern to require

erforschen to search

erfreuen to please, entertain; — sich to enjoy

erfreulich delightful

erfrieren (o, o) to freeze to death

erfüllen to fill, fulfill, permeate, comply with; — sich to come to pass

das **Erfundene** (-n) things imagined

ergänzen to supplement

ergeben sich to develop; to surrender

ergebenst graciously

das **Ergebnis** (-ses, -se) result

ergießen (o, o) sich to pour forth

erglänzen to shine

ergreifen (ergriff, ergriffen) to seize, touch, affect, stir

ergrimmt cross

ergründen to find out, understand

erhaben *adj.* sublime

erhalten (ie, a) to receive, preserve, maintain

erheben (o, o) to lift, uplift; — sich to rise (above), get up

die **Erhebung** (-en) elevation

erheitern to cheer up, brighten

erhellen to light, illuminate; — sich to light up

erhitzen sich to get too warm *or* excited; **erhitzt** perspiring

erhöhen to heighten, increase, intensify

die **Erhöhung** (-en) elevation, bulge

erholen sich to recover, get over

die **Erinnerung** (-en) memory, recollection; memories

erkalten to cool

erkämpfen to conquer, win

erkennen (erkannte, erkannt) to recognize, discover, see; **sich zu — geben** to disclose oneself, introduce oneself; **das Erkennen** (-s) knowledge

die **Erkenntnis** (-se) understanding, realization, knowledge

erklären to explain, declare; **so erklärt es sich** this explains

erklärlich understandable

die **Erklärung** (-en) explanation

erklimmen (o, o) to climb

erklingen (a, u) to sound

erkranken to become ill

erkundigen sich nach to inquire about

die **Erlaubnis** permission

erleben to experience

das **Erlebnis** (-ses, -se) experience (of vital significance); **zum — werden** to become vital

die **Erlebnisfähigkeit** ability to experience

erlebt experienced, vital

erleichtern to lighten

die **Erleichterung** relief, facilitating

der **Erlenstamm** trunk of an alder

VOCABULARY

261

erlernen to acquire
erlogen *adj.* a lie, untruthful
erlöschen (o, o) to become extinguished, disappear
erloschen *adj.* lifeless
erlösen to redeem, liberate; **erlösend** beneficial
die Erlösung release, relief; happy ending
ermorden to murder
ermüden to tire (out), fatigue
erneuern to renew
der Ernst (-es) earnestness, gravity, seriousness
ernsthaft earnest, serious
erproben to test
erraten (ie, a) to guess
erregen to excite, arouse, stir, attract, cause
die Erregtheit agility, excitability
die Erregung excitement, tensity
erreichen to reach, accomplish; **die Absicht —** to realize the aim
errichten to build, erect
erringen (a, u) to succeed
erschaffen (erschuf, erschaffen) to create, produce
erschallen to ring
erscheinen (ie, ie) to appear, seem
die Erscheinung (-en) appearance, manifestation; = **Vorstellung** exhibition
erschöpfen to exhaust; **etwas zu Erschöpfendes** something exhaustible
die Erschöpfung exhaustion
erschrecken (a, o) to frighten, horrify
erschüttern to shake; to affect deeply, thrill; to upset

ersetzen to replace
ersichtlich visible
ersinnen (a, o) to conceive
erspähen to discern
erst only; **— wenn** not until
erstarren to become motionless, be overcome
erstarrt rigid, frozen, paralyzed
erstaunen to astonish, be astonished; **das Erstaunen** astonishment, surprise
erstehen (erstand, erstanden) to rise
ersterben (a, o) to die away
ersticken to choke
erstorben *adj.* dead, meaningless
erteilen to give
ertönen to sound
erträumt imaginary
ertrinken (a, u) to drown
erwachsen (u, a) to grow
erwägen to consider, discuss
erwählt distinguished
erwähnen to mention, refer to
erwartungsvoll expectant
erwecken to awaken, rouse, produce, create
erweisen (ie, ie) to show; **sich dankbar —** to **—** one's gratitude
erweitern to expand
erwerben (a, o) to acquire
erwidern to reply, return
erwürgen to choke
erzählend narrative
der Erzähler (-s, –) storyteller, writer
die Erzählungskunst narrative art
erzeigen to show, do
erzeugen to produce, create

erziehen (erzog, erzogen) to educate, bring up

der Erzvater (-s, ⸚) Patriarch

der Eschenjäger (-s) name of a hunter

die Eßwaren *pl.* food

ethisch ethical

der Euphon (-s) *word used by E. T. A. Hoffmann to indicate a vital musical experience*

das Evangelium (-s, -ien) gospel

ewig eternal, constant, forever; auf — forever

die Extramusik special band

die Fabelblume (-n) fantastic flower

der Fagott (-s, -e) bassoon

fähig capable

die Fähigkeit (-en) capacity

fahl pale, dim

das Fahlrot (-s) pale red

die Fahne (-n) flag; beard

fahren (u, a) to ride, drive, pass, run; — durch to pierce; — gegen to ascend; (Wind) to rustle; hinaus— to dart out

der Fahrweg (-s, -e) road

der Fall (-s, ⸚e) case

fallen (fiel, gefallen) to fall

die Falte (-n) fold, wrinkle

falten to fold

färben to color; der Wald färbt sich the leaves turn

der Färber (-s, –) dyer

farbig colorful

die Farbigkeit colorfulness

farblos colorless

das Faß (-es, ⸚er) barrel

fassen to seize; to understand, comprehend; gefaßt caught; ins Auge — to eye; ins Gesicht — to get a look at

die Fassung (-en) version; control, composure of mind; außer — geraten (*or* kommen) to lose command of oneself

fast almost

fasten to fast

die Faust (⸚e) fist

fechten (o, o) to fence; das Fechten duel(ing)

der Fechtmeister (-s, –) fencing master

die Fehde (-n) feud

fehlen to be absent, lack

der Fehler (-s, –) fault

feierlich solemn

feiern to celebrate

der Feiertag (-s, -e) holiday

fein fine, subtle, clever, delicate

feindlich hostile; feindlicher Soldat enemy

die Feindschaft (-en) enmity, hostility

die Feinfühligkeit sensitiveness

die Feldwirtschaft farming

der Felsen (-s, –) rock

die Felsenritze (-n) crevice

das Felsental (-s, ⸚er) rocky glen

die Fensterscheibe (-n) window pane

die Ferien *pl.* vacation; — machen to take a —

fern distant, far; ferner further

die Ferne (-n) distance

fertig finished, complete; — werden to get through

die Fertigkeit virtuosity

fertig-schmieden to hammer until finished

fesseln to fetter, hold, chain; **to** attract, fascinate

das Fest (-es, -e) feast, banquet

fest firm, solid, stable

fest-bannen to hold fast (spellbound)

fest-halten to hold

die Festigkeit firmness, determination

der Festtag (-s, -e) holiday

der Festzug (-s, ᵘe) procession

feucht damp

die Feuchtigkeit dampness, moisture

das Feuer (-s) fire, ardor

der Feuerfaden (-s, ᵘ) fiery thread

die Fiber (-n) fiber, nerve

die Fichte (-n) spruce

der Fichtenast (-s, ᵘe) branch of a spruce

die Fichtennadel (-n) pine needle

die Fichtenschonung (-en) nursery for spruce

die Fieberhitze severe fever

der Fiebertraum (-s, ᵘe) feverish dream, hallucination

der Figurant (-s, -en) chorister

finden (a, u) **sich in etwas** to get acquainted with something

die Fingerspitze (-n) fingertip

finster dark, gloomy

die Finsternis darkness

flach flat, open; **die flache Hand** palm

die Fläche (-n) plain, surface, slope; **die schiefe —** slope

die Flasche (-n) flask, bottle

flattern to flutter; **flatternde Wolken** passing clouds

flechten (o, o) to plait, make

der Fleck (-s, -en) spot

flehen to implore, entreat

das Fleisch (-es) flesh, meat

fleischlich fleshly

fließen (o, o) to flow; **auf jemand —** to reach someone

flimmern to glitter

die Flintern *pl.* spangles

der Flocken (-s, –) flake

die Flöte (-n) flute

der Fluch (-es, ᵘe) curse

fluchen to swear, curse

die Flucht flight

flüchten to flee, run away; **— sich** to take refuge

flüchtig hasty, superficial, fleeting

der Flügel (-s, –) wing; grand piano

der Flur (-s, -e) hall

der Fluß (-es, ᵘe) river; **epischer —** epic flow

flüstern to whisper

die Folge (-n) consequence

folglich consequently

foltern to torture

fördern to further, benefit, foster, support; **zutage —** to bring to light

die Forderung (-en) demand

die Form (-en) form, version

formal *adv.* formally, as far as form is concerned

formen to form, mold

formgebend form-creating

die Formgebung composition

die Formulierung formulation

die Formung expression

das **Formwerden** (-s) process of creation

der **Formwille** (-ns) artistic intent

der **Förster** (-s, –) forester

fort-eilen to hasten away; **im Trabe** — to trot along

fort-fahren to continue

fort-fallen to be absent

fort-führen to spend

der **Fortgang** (-s) continuation; **seinen** — **nehmen** to continue

fort-gehen to go away, continue on one's way

fort-läuten to continue to ring

fort-rennen to run away; **darüber** — to run away overhead

fort-schreiten to move forward, progress, proceed

der **Fortschritt** (-s, -e) progress, advance

fort-setzen to continue

fort-ziehen to set out, move away, pass

die **Frage** (-n) question; **nicht in** — **kommen** to be out of the —

Franken Franconia (*southwestern part of Germany*)

frappant striking

der **Fratz** (-es, -en) brat

fratzenhaft grotesque, ugly

die **Frau** (-en) woman, wife; **Unsere liebe** — the Virgin Mary

der **Frauenkreis** (-es, -e) feminine circle

die **Frauensperson** (-en) woman

das **Frauenzimmer** (-s, –) woman, lady

frech impudent

die **Freigebigkeit** generosity

freilich it is true; of course, certainly

der **Freiplatz** (-es, ⁔e) free seat

freiwillig voluntary

fremd strange, foreign; **in der Fremde** away from home

fremdartig strange-looking

der **Fremdling** (-s, -e) stranger

das **Fremdwort** (-s, ⁔er) foreign word

die **Freude** (-n) joy, delight, pleasure

das **Freudengeschrei** (-s) triumphant shouts

das **Freudenmädchen** (-s, –) prostitute

freudig joyful

freuen to give pleasure to; **es freut mich** I am glad; **er freut sich über** he is pleased (delighted) with; **er freut sich auf** he is looking forward to

der **Friede** (-ns) peace; composure

friedlich peaceful

frisieren to do one's hair

die **Frisierschürze** (-n) barber's apron

fröhlich gay, happy, cheerful

fromm pious

frösteln to be chilly

fruchtbar fruitful, stimulating

fruchten to be of avail

die **Frühe** early morning

früher former, earlier; before this

das **Frühstück** (-s) breakfast

fühlbar to be felt, be evident

die **Führerin** (-nen) guide

die **Führung** lead

das **Fuhrwerk** (-s, -e) carriage

die **Fülle** mass, fullness

der **Funke** (-ns, -n) spark; fire
funkeln to shine brightly, sparkle
die **Fürbitte** intercession
die **Furche** (-n) rut
fürchterlich terrifying
der **Fürst** (-en, -en) prince
die **Fußbekleidung** shoes
die **Fuß(s)tapfe** (-n) footprint, track
der **Fußsteig** (-s, -e) footpath
füttern to feed

die **Gabe** (-n) gift
gähnen to yawn
das **Galakleid** (-s, -er) court dress
der **Galgenstrick** (-s) rogue
der **Gang** (-es, ⸚e) gait, course, routine; passageway; (*in fencing*) pass; **in den — kommen** to get started
gänzlich complete, altogether
die **Garbe** (-n) sheaf
die **Garderobe** (-n) cloakroom
die **Gärung** fermentation, process of —
der **Gasherd** (-s, -e) gas stove
die **Gasse** (-n) street; **— aus, — ein** walking through many streets
der **Gasthof** (-s, ⸚e) inn, tavern, hotel
das **Gastmahl** (-s, -e) feast
das **Gastrecht** (-s) hospitality
die **Gaststube** (-n) room in an inn
der **Gastwirt** (-s, -e) innkeeper
der **Gatte** (-n, -n) husband
die **Gattin** (-nen) wife
der **Gaukler** (-s, –) juggler
gebannt spellbound
die **Gebärde** (-n) gesture, action

geben (a, e) to give; **was gibt's?** what is the matter? **— lassen** to order
gebenedeit praised, blessed
das **Gebet** (-s, -e) prayer
das **Gebiet** (-s, -e) territory, field, milieu; **auf ein anderes — hinüberspielen** to give another aspect (to a thing)
gebieten (o, o) to order, command
gebietend authoritative
die **Gebieterin** (-nen) mistress
das **Gebirge** (-s, –) mountains
der **Gebirgsbach** (-s, ⸚e) mountain stream
gebrannt burnt, roasted
gebrauchen to use
gebräuchlich customary, in use
gebückt bent over
das **Gebüsch** (-es, -e) bushes, thicket
die **Gebüschgruppe** (-n) cluster of bushes
das **Gedächtnis** (-ses) memory; imagination
der **Gedankengang** (-s, ⸚e) train of thought
der **Gedankenreichtum** (-s) wealth of ideas
gedanklich intellectual, mental
gedehnt: es ging immer — fort the way went on in an even stretch
gedeihen (ie, ie) to thrive; **nie gedeiht es** it never pays
gedenken = **denken** *with gen.* to remember
das **Gedicht** (-s, -e) poem
das **Gedränge** (-s) crowding
gedrängt crowded; condensed
die **Geduld** patience

gedulden sich to have patience
geduldig patient
geeignet suitable, appropriate
die **Gefahr** (-en) danger
gefährlich dangerous
gefallen (ie, a) to please
gefällig pleasant
die **Gefälligkeit** (-en) favor
das **Gefäß** (-es, -e) vessel
gefestigt steady, stable
geflochten *adj.* woven
das **Gefühl** (-s, -e) feeling, sentiment, emotion
der **Gefühlsausbruch** (-s, ⸚e) emotional outburst
der **Gefühlsausdruck** (-s) emotional expression
gefühlsbedingt emotional
der **Gefühlsüberschwang** (-s) excessive sentimentality
der **Gegenangriff** (-s, -e) counterattack
die **Gegend** (-en) region, country
das **Gegengeschenk** (-s, -e) present in return
das **Gegengewicht** (-s, -e) counterweight, balancing force, balance
der **Gegengruß** (-es, ⸚e) courtesy
der **Gegensatz** (-es, ⸚e) contrast
gegensätzlich contrasting, opposing
das **Gegensatzpaar** (-s, -e) contrast
das **Gegenspiel** (-s) opposing tendencies
der **Gegenstand** (-es, ⸚e) object
das **Gegenstück** (-s, -e) counterpart
das **Gegenteil** (-s) opposite; **im —** on the contrary
gegenüber opposite, in contrast to, in conflict with, in comparison with

gegenüber-stellen to oppose, contrast
die **Gegenwart** present, presence
die **Gegenwärtigen** *pl.* those present
der **Gegner** (-s, —) rival
der **Gehalt** (-s) contents, value; concept
das **Gehäuse** (-s, —) box, case
geheim secret
das **Geheimnis** (-ses, -se) secret, mystery; **— haben vor** to keep a secret from
geheimnisvoll mysterious
gehen (ging, gegangen) to go; **= übergehen** to change to; **nichts geht über** nothing is equal to
der **Gehetzte** (-n, -n) fugitive
gehorchen to obey
gehören to belong; **dazu —** to be part of it
gehorsam obedient
die **Geißel** (-n) scourge
der **Geist** (-es, -er) ghost; mind, soul, intellectual power, esprit, spirit, ingenuity
geistern to hover
die **Geisterwelt** spirit world
geistesgestört mentally deranged
die **Geisteshaltung** mental attitude
geistig mental, intellectual, spiritual; **das Geistige** (-n) spiritual experiences (force)
geistlich spiritual; **—es Lied** hymn
der **Geistliche** (-n, -n) clergyman
das **Gelag** (-s, -e) feast; drinking bout; **ins — hinein schreiben** to scribble
das **Geländer** (-s, —) railing
gelangen to come

gelassen *adj.* calm, composed
die **Gelassenheit** calmness
geläufig familiar
die **Geläufigkeit** glibness
die **Gelegenheit** (-en) occasion, opportunity
das **Geleise** (-s, –) tracks; **aus dem — bringen** to throw off the track, divert one's attention
geleiten to conduct, lead
das **Gelenk** (-s, -e) joint, wrist
gelingen (a, u) to succeed
geloben to promise
gelockt curled
gelten (a, o) to be worth, be true, be valid; **was gilt's?** what can it mean? — **lassen** to admit; **gelten(d) machen** to turn to advantage; to assert *(oneself)*
die **Geltung** value; **zur — kommen** to be appreciated; **zur — kommen lassen** to do justice to
gelungen *adj.* successful
das **Gemach** (-s, ⸚er) room
das **Gemälde** (-s, –) painting
gemäß suitable, akin, appropriate, appealing
gemeinsam in common
die **Gemeinschaft** community
das **Gemisch** (-es) combination
der **Gemsenwildschütze** (-n, -n) chamois poacher
das **Gemüt** (-s, -er) mind
gemütlich jolly, cheerful
gemütvoll affectionate
genau exact, thorough
die **Genauigkeit** exactitude
der **Generalbaß** (-es) thorough bass
genial ingenious, of genius
das **Genie** (-s) genius
genießbar enjoyable
genießen (o, o) to enjoy; = **essen** to eat
genügen to suffice
der **Genuß** (-es, ⸚e) enjoyment, pleasure
das **Gepränge** (-s) pomp
das **Geprassel** (-s) clapping
gerade straight, precisely, just then, directly; **fünf — sein lassen** (*lit.* to accept five as an even number) to pretend
geradeaus straight ahead
geradezu directly
geraten (ie, a) to hit upon, come to, fall
geraum considerable
das **Geräusch** (-es, -e) noise, sound; much ado
gerecht just; **— werden** to do justice
die **Gerechtigkeit** justice
gereuen to bring remorse, repent
das **Gericht** (-s, -e) court, magistrate
gering small, irrelevant, mean; **geringer** less
geringfügig unimportant
das **Gerippe** (-s, –) skeleton, framework; hack
der **Geruch** (-s, ⸚e) smell, fragrance, odor
gerundet: in sich — rounded, balanced
gerunzelt knitted, wrinkled
das **Gerüst** (-s, -e) scaffolding, stage
der **Gesamteindruck** (-s) total impression
das **Gesause** (-s) swishing

das **Geschäft** (-s, -e) occupation, task, business, store

geschäftig busy, active

das **Geschäftsgeheimnis** (-ses, -se) trade secret

der **Geschäftsmann** (-s, -leute) businessman

geschehen (a, e) to happen, take place, be committed; — **sein um** to be all up with

die **Geschicklichkeit** ability, skill

geschickt clever, skillful

das **Geschirr** (-s) dishes

das **Geschlecht** (-s, -er) sex; **das weibliche** — womankind, fair sex

geschliffen *adj.* polished

der **Geschmack** (-s) taste

das **Geschöpf** (-es, -e) creature, product

die **Geschwulst** (ϰe) swelling

der **Geselle** (-n, -n) journeyman, assistant, fellow

gesellen sich to be added; — — **zu** to approach, join

gesellig social

die **Gesellschaft** (-en) company, society, party

der **Gesellschafter** (-s, –) companion

die **Gesellschaftsschicht** (-en) social group

das **Gesetz** (-es, -e) law

das **Gesicht** (-s, -er) face; form; appearance

der **Gesichtsausdruck** (-s) facial expression

die **Gesichtsfarbe** complexion

der **Gesichtspunkt** (-s, -e) point of view

die **Gesichtsverzerrung** (-en) twitching of one's face

das **Gesims** (-es, -e) cornice

gespannt in suspense, tense; dramatic; **aufs höchste gespannte Teilnahme** sympathy aroused to the utmost; **in einem gespannten Alter** in the period of adolescence

das **Gespenst** (-es, -er) specter

gespenstisch ghostlike, uncanny, spooky

die **Gespielin** (-nen) playmate

das **Gespräch** (-s, -e) dialogue, conversation, talk

die **Gestalt** (-en) form, shape, figure; manner; — **werden** to take shape; **freundliche** — friendly face

gestalten to form, create, express, master; — **sich** to turn out

gestaltlos shapeless, nameless

die **Gestaltung** form, formation, forming, creation, artistic presentation; mastery

gestatten to allow

gestehen (gestand, gestanden) **to** confess

gestimmt disposed

das **Gestirn** (-s, -e) star

gestirnt starry

gestreift striped

gestrig of yesterday

gesucht artificial

das **Getöse** (-s) din, uproar

das **Getreide** (-s, –) wheat, grain

getreu true

das **Getriebe** (-s) goings-on

das **Getümmel** (-s) tumult

gewachsen sein to be equal

gewahr werden to become aware, perceive

gewähren to afford

die **Gewalt** (-en) force, power, control

gewaltig mighty, powerful

gewaltsam violent

das **Gewand** (-es, ⁻er) gown

gewandt skillful

das **Gewebe** (-s, –) web, woven material; — **an** — vision upon vision

das **Gewerbe** (-s, –) trade

der **Gewerbsmann** (-s, -leute) tradesman

das **Gewicht** (-s, -e) weight

das **Gewinde** (-s, –) maze

der **Gewinn** (-es, -e) gain

gewinnen (a, o) to win, gain, profit; **über sich** — to bring oneself (to do)

gewissermaßen so to speak

das **Gewitter** (-s, –) thunderstorm

der **Gewitterregen** (-s) thundershower

der **Gewitterstoff** (-s) **des Himmels** electric matter (charge) of the atmosphere

die **Gewitterwolke** (-n) thundercloud

gewöhnen sich to accustom oneself

die **Gewohnheit** (-en) custom, habit

gewohnheitsmäßig by habit

gewöhnlich usual, ordinary, common, average

gewohnt accustomed

das **Gewölbe** (-s, –) vault, arch, cave

gewölbt domed

das **Gewölk** (-s) clouds

das **Gewühl** (-s) crowd

gewunden *adj.* winding

geziemen: es geziemt sich it is proper

der **Giebel** (-s, –) gable

der **Gipfel** (-s, –) top, summit

gipfeln to culminate, lead, result

der **Glanz** (-es) splendor, radiance; — **des Hauses** reputation of her housekeeping

glänzen to sparkle, shine; **glänzend** glossy, bright; **das Glänzen des Himmels** the brightness of the sky

die **Glanzpartie** (-n) brilliant part

die **Glanzstärke** glazed starch

glatt smooth, slippery

glätten to smooth

die **Glatze** (-n) bald spot

der **Glaube** (-ns) (religious) faith, belief

gleich same, equal; **wie heißt sie —?** oh, what is the name? — **bleiben** to keep up

die **Gleichartigkeit** homogeneity, uniformity

das **Gleichgewicht** (-s) balance

gleichgültig indifferent; **—e Gespräche** general talk

der **Gleichklang** identity of sound

gleichmäßig even

der **Gleichmut** (-s) composure

das **Gleichnis** (-ses, -se) symbol, allegory, parable, simile

gleichnishaft symbolical

gleichsam so to speak, as it were

gleiten (glitt, geglitten) to glide, slide, slip

der **Gletscher** (-s, –) glacier

das **Glied** (-es, -er) limb; member

gliedern to divide, organize; **gegliedert** flexible

die **Gliederung** organization; **die scharfe —** (eines Satzes) the precise structure

die **Glocke** (-n) bell

das **Glockentürmlein** (-s, –) small steeple (belfry)

das **Glück** (-s) happiness, luck, delight; **— wünschen** to congratulate

glücken: es glückt jemand someone succeeds

glückselig blissful, happy

glühen to glow, burn; **glühend** brilliant

die **Glühlampe** (-n) bulb

die **Glut** (-en) fire, light; ardor, passion; **Gluten** waves of fire

die **Gnade** mercy

der **Gottesmann** (-s) prophet

die **Gottheit** (-en) divinity, God

das **Grab** (-s, ⸚er) grave

der **Graben** (-s, ⸚) ditch, ravine

der **Grad** (-es, -e) grade, degree

grämlich morose

die **Granate** (-n) pomegranate

gräßlich horrible

der **Grat** (-s, -e) edge, ridge

grauen to dawn

das **Grauen** (-s) horror, fear (of something uncanny)

grausam cruel

das **Grausen** (-s) horror

graziös graceful

greifbar tangible

greifen (griff, gegriffen) to seize, reach, grope; **in seinen Stiefel —** to dig into his boot; **einen Akkord —** to strike a chord

der **Greis** (-es, -e) old man

grell glaring, harsh, shrill

die **Grenze** (-n) limit, border, boundary, edge, borderline

der **Grenzhügel** (-s, –) hill at the boundary (of the estate)

der **Griff** (-es, -e) handle, haft

grinsen to grin

grob coarse, bad

der **Groschen** (-s, –) old German coin; **böse —** counterfeit money

groß great, large, wide; noble

die **Großstadt** (⸚e) large city, metropolis

größtenteils for the most part

die **Grube** (-n) hole

grübeln to brood

der **Grund** (-es, ⸚e) ground, bottom, reason; **auf —** on the basis; **im —** after all, really, at bottom; **von — aus** absolutely

der **Grundbaß** (-es) bass

der **Grundcharakter** (-s) fundamental characteristic

die **Gründe** pl. = **Wiesengründe** meadows

gründen sich to be based, rest

das **Grundgesetz** (-es, -e) fundamental law

gründlich thorough

grundlos unfathomable

der **Grundsatz** (-es, ⸚e) principle

die **Grundstimmung** basic mood

das **Grundthema** (-s) basic theme (idea)

der **Grundton** (-s) basic tone (of a key), tonic

grünen to become green; **das Grünen der Erde** the green earth
grüßen to greet, nod, bow
der Gulden (-s, –) guilder (*Dutch coin*)
die Gummischuhe *pl.* galoshes
günstig favorable
der Guß (-es, ⸚e) pouring out; **aus einem** — done at a stroke
gut good; **— und gern** easily; **jemand — werden** to come to like someone; **es — haben** to have no trouble; **nun, das ist gut!** well, what's the idea!
die Güte kindness
gütig kind, pleasant
gutmütig good-natured, kind
der Gymnasiast (-en, -en) preparatory-school student

der Haarzopf (-es, ⸚e) braid of hair, head of hair
die Habsucht greed
die Hacke (-n) pickax, mattock
der Hafen (-s, ⸚) harbor
haften to stick, cling; **— bleiben** to linger
hager lean
der Hahn (-es, ⸚e) cock
häkeln to crochet
halb half; **— machen** to do incompletely; **mit halben Gedanken** with vague thoughts
die Halle (-n) hall, market hall
hallen to sound, resound
der Halm (-es, -e) blade, grass stalk
der Hals (-es, ⸚e) neck
halsstarrig stubborn

das Halstuch (-s, ⸚er) neckerchief, scarf
halten (ie, a) to hold, stop; **sich — an** to be concerned with; **es ebenso —** to do likewise; **sich eng — an** to stick close to; **— für** to think, consider; **sich brav —** to give a good account of oneself; **in Prosa gehalten** expressed in prose
hämisch spiteful, malicious
die Handarbeit (-en) needlework
das Händeklatschen (-s) clapping of hands
handeln to act; **handelnd** active, in action; **sich — um** to be a question of, concern
die Handelsschule (-n) commercial school
die Handelsstadt (⸚e) commercial city
handhaben to handle, finger
die Handhaltung hand position
die Handlung (-en) action, occupation, plot; **die heilige —** divine service
der Handlungsteil (-s, -e) part of (plot) action
die Handlungsweise (-n) conduct, behavior
der Handrücken (-s, –) back of the hand
der Handwerker (-s, –) artisan
der Handwerksbursche (-n, -n) journeyman
hängen (i, a) to hang, be attached, adhere; **— bleiben** to get caught
der Hanswurst (-es) clown, poor fool
hantieren auf to meddle with

die **Harfe** (-n) harp

harmonisch harmonious

der **Harnisch** armor

der **Harz** (-es) resin; *mountain range in northern Germany*

der **Haß** (-es) hate, hatred

häßlich ugly

hastig quick, hasty

hauen to strike

häufen to heap up

häufig often, frequent

die **Häufung** accumulation, crowding; — des Geschehens — of incidents

Haupt- chief, main, major; das **Haupt** (-es, ⁀er) head

die **Haupthandlung** central plot

das **Hauptmotiv** (-s, -e) central theme

die **Hauptsache** (-n) main point, essentials, center of interest

hauptsächlich chiefly

die **Hauptstelle** chief passage

der **Hausgenosse** (-n, -n) member of the household

das **Haushaltsbuch** (-s, ⁀er) housekeeping book

die **Haushaltung** (-en) housekeeping

häuslich domestic

die **Häuslichkeit** domesticity

der **Hausrat** (-s) furniture

das **Hauswesen** (-s) household

heben (o, o) to lift; sich — to rise; = fördern to promote

die **Heerschar** (-en) host

die **Heerstraße** (-n) highway

heftig violent, vehement, hot; — streiten to dispute warmly

hehr sublime, majestic, august

der **Heide** (-n, -n) heathen, pagan

heikel ticklish

heilig holy, sacred

der **Heilige** (-n, -n) saint

heiligen to sanctify

die **Heiligkeit** holiness, sanctity

heimlich secret, secluded

heimwärts homeward

heiraten to marry

heißblütig hot-blooded

heißen (ie, ei) to be called; to order; to be said

heiter cheerful, gay, serene, bright

der **Held** (-en, -en) hero

das **Hemdlein** (-s, –) little shirt

hemmen to check

hemmungslos without restraint

der **Henker** (-s, –) hangman, executioner; in —s Namen in the devil's name

herab-schauen to look down

herab-schießen to shoot down

herab-ziehen to bring down

heran-rennen to rush up

heran-treten to come near

herauf-beschwören to conjure up

heraus-finden sich aus to solve

heraus-fordern to challenge

heraus-heben to lift out; herausgehoben *adj.* differentiated

heraus-putzen to dress up, decorate, bedizen

heraus-schreien to blurt out

heraus-streichen to extol, praise

heraus-wälzen to roll out

heraus-werfen to throw out; to destroy

heraus-wühlen to dig out

herbei-rufen to call, summon

herbei-schaffen to fetch

herbei-strömen to gather

die Herberge (-n) inn

der Herdenführer (-s, –) leader of mobs

herein-brechen to set in

her-erzählen to recite

her-gehen: es geht hoch her things are going on merrily

die Herkömmlichkeit established customs

die Herkunft descent, history, parentage

der Herrgott (-s) Good Lord

her-richten to get ready, prepare

die Herrschaft mastery

herrschen to rule; to prevail; eine Hitze herrschte it was very hot

der Herrscher (-s, –) ruler, organizer

her-sagen to recite, make

herum-greifen to encircle

herum-schlagen sich to toss about

herum-schwärmen to wander about

herum-stolzieren to stalk about

herunter-klirren to fall clattering

hervor-bringen to produce, execute

hervor-gehen to emanate, grow out, proceed

hervor-heben to emphasize; — sich to stand out

hervor-holen to pull out

hervor-jubeln to call out (with cheers)

hervor-ragen to rise

hervor-sprießen (o, o) to sprout forth

hervor-treten to stand out, come to the front

das Herz (-ens, -en) heart; es wird einem schwer (leicht) ums — one's heart grows heavy (light)

herzhaft hearty, forcible

die Herzlichkeit cordiality

hetzen to hunt, chase; gehetzt breathless

die Heuchlerin (-nen) hypocrite

heutzutage nowadays

die Hexe (-n) witch

hieraus from this

hie und da now and then

die Hilfe help; zu — nehmen to use

der Hilferuf (-s, -e) call for help

die Hilflosigkeit helplessness

hilfreich helpful

der Himmel (-s) heaven, sky, paradise

die Himmelfahrt ascension

hin thither, toward, on, along; hin und her forward and backward

hinab-bedeuten = hinabrufen to call down

hinab-senken to lower

hinan upward

hinan-steigen to ascend

hinauf-ziehen to raise

hinaus-bringen: es — über to get further than

hinaus-gehen: weit — to go far beyond

hinausgeschlagen: immer auf die Dominante — always ending up with the dominant (*which necessitates repetition of the march*)

hin-bringen to bring; sein Leben — to spend one's life

hindern to hinder, prevent

hin-deuten to point to, glance toward

hinein-geraten to get into

hinein-poltern to stumble noisily into

die **Hingabe** devotion

hin-geben sich to give oneself up to, surrender, yield

hingegen on the other hand

hin-gehen to go, pass; to race

hin-reichen to be sufficient

hin-reißen to carry away, seize

hin-schreiten to walk along

hin-starren to stare at, look fixedly at

hintereinander in succession

der **Hintergrund** (-s) background, end

hinterher afterward

das **Hinterpförtchen** (-s, –) back door

das **Hinterzimmer** (-s, –) back room

hin-tönen to ring out

hinüber-spielen: auf ein anderes Gebiet — to give another aspect to a thing

hinunter-klappern to trip down

hinunter-stürzen to throw down; in einem Zug — to empty at one draft

hinweg-begeben sich to remove oneself

der **Hinweis** (-es, -e) hint, allusion, indication

hin-zeichnen to dash off

hin-ziehen to move; to hover; to extend, prolong

hinzu-fügen to add

der **Hirte** (-n, -n) shepherd

die **Hitze** heat

das **Hochamt** (-es) High Mass

hochaufatmend panting

der **Hochruf** (-s, -e) cheer

das **Hochzeitsgewand** (-s, ⁰er) bridal garment

der **Hof** (-es, ⁰e) court, courtyard; farm

die **Hofdame** (-n) lady in waiting

hoffähig presentable at court

hoffnungslos hopeless

höflich polite

die **Hofstelle** (-n) homestead

die **Höhe** (-n) height, hill, mountain; in die — up(ward)

die **Hoheit** highness; dignity

der **Höhenweg** (-s, -e) mountain road

der **Höhepunkt** (-s, -e) climax, highlight

die **Höhle** (-n) cave

hohlschwebend unsupported

die **Höhlung** (-en) hollow (way)

hold sweet, gracious

holländisch Dutch

die **Hölle** hell

das **Holz** (-es) wood; im hohen — in the high forest

der **Holzbock** (-s, ⁰e) wooden trestle

der **Holzhauer** (-s, –) woodcutter

der **Holzschlag** (-s) wood chopping

der **Holzschnitt** (-s, -e) woodcut

das **Horn** (-es, ⁰er) horn; peak

die **Hose** (-n) pants, trousers

der **Hotelbediente** (-n, -n) hotel page

das **Hufeisen** (-s, –) horseshoe

die **Hüfte** (-n) hip

der **Hügel** (-s, –) hill

die **Huld** grace

huldigen to subscribe to

die **Hülle** (-n) cover, veil, cloak
hüllen to cover, envelop, wrap
humoristisch humorous
humorvoll humorous, genial
hüpfen to leap, skip
hurtig nimble
husten to cough
hüten to guard
die **Hüttenwand** (≠e) wall of a shack
hybrid from incongruous sources; **hybriden Ursprungs** of hybrid origin

ich I, self; **das Ich** the individual
idealisieren to idealize
identisch identical
ihrer zehn ten of them
ihretwegen on their account
immerzu all the time
imstande sein to be able, be capable
inbrünstig ardent, fervent
indem while, as; since, because
indes = während as
indessen however
das **Individuelle** (-n) individual characteristics
das **Individuum** (-s, Individuen) individual
ineinander: das In- und Durcheinander mixture, confusion
das **Ingesinde** (-s) help, servants
der **Inhalt** (-s) content(s)
inhaltlich of the content
inkonsequent inconsistent
inne-halten to stop, pause
innen inside; **von — her** from within
das **Innenleben** (-s) inner life

inner *adj.* inner, mental, emotional, psychological
das **Innere** (-n) inmost soul, inner life
innerlich inner, interior, inward
innerst inmost; **das Innerste** (-n) the very heart, the innermost self
inniglich deeply
insofern in so far
inständig urgent
der **Instinkt** (-s, -e) instinct, instinctive reactions
intensiv intensive, intense
interessieren to interest; **menschlich — to** arouse human interest
inwendig inside; by oneself
inwiefern to what extent
inzwischen in the meantime; however
irdisch on earth, earthly
irgend any
irgendwie somehow
irren to be mistaken
der **Irrtum** (-s, ≠er) error; **im — sein** to be mistaken
der **Irrweg: nach vielen Irrwegen** after losing one's way many times
der **Isolator** (-s, -en) insulator

das **Jäckchen** (-s, –) jacket
die **Jagd** (-en) hunt
jagen to hunt, chase; to hurry, run
das **Jägerhaus** (-es, ≠er) hunting lodge; inn in the woods
jäh sudden
jammern to cry; **es jammert mich** it grieves me
jauchzen to cheer
jedoch however

jedweder = jeder every

jegliche = jede every imaginable

jenseits on the other side

der **Jubel** (-s) joy

die **Jüdin** (-nen) Jewess

jugendlich youthful

die **Jungfer** = **Jungfrau** maiden, young woman

die **Jungfrau** (-en) maiden, virgin

der **Jüngling** (-s, -e) youth, young man

der **Kaffeeaufguß** (es, ⸗e) coffee

der **Käfig** (-s, -e) cage

der **Kahlkopf** (-es, ⸗e) bald head

kakophonisch cacophonous (disharmonious)

das **Kalbfellränzchen** (-s, -) knapsack made of calf's skin

die **Kaltblütigkeit** cold-bloodedness, composure

das **Kamin** (-s, -e) chimney; **der —** fireplace

die **Kammer** (-n) chamber, bedroom

der **Kampf** (-es, ⸗e) fight, conflict

der **Kampfplatz** (-es, ⸗e) place of action

die **Kanzel** (-n) pulpit

der **Kapellmeister** (-s, -) conductor

das **Kapitel** (-s, -) chapter

die **Kappe** (-n) cap, hood

karg niggardly

die **Kargheit** scarcity, dearth

karikaturhaft caricaturelike

der **Käse** (-s, -) cheese

die **Kastanie** (-n) chestnut (tree)

der **Käufer** (-s, -) buyer, customer

das **Kaufmannshaus** (-es, ⸗er) family of merchants

die **Kausalität** causality

die **Kegelbahn** (-en) bowling alley

die **Kehle** (-n) throat

der **Kelch** (-es, -e) calyx, flower cup

der **Kellner** (-s, -) waiter

der **Kenner** (-s, -) expert

kennzeichnen to mark, characterize

der **Kerl** (-s, -e) fellow, guy

der **Kern** (-s, -e) kernel, core, essence, best part

kerzengerade straight as a dart, upright

die **Kette** (-n) chain

keuchen to gasp

kichern to snicker

der **Kiesel** (-s, -) pebble

der **Kinderkittel** (-s, -) child's frock

das **Kinderland** (-s) place of one's childhood

das **Kinderstück** (-s, -e) childhood fantasy

die **Kinderweise** childish fashion

kindisch childish

kindlich childlike

das **Kinn** (-s) chin

der **Kirchturm** (-s, ⸗e) spire

die **Kiste** (-n) box

die **Klage** (-n) complaint, lament; pain; plaintive sounds

klagen to complain, lament, moan; **klagend** mournful; = **anklagen** to accuse

klammern sich to cling

der **Klang** (-s, ⸗e) sound, melody

die **Klangwelle** (-n) sound wave

klappen to open and close

klar clear, clean-cut; serene, lucid

die **Klarheit** clarity, clearness
klatschen to clap; **schlagen, daß es klatscht** to give a sounding slap
die **Klause** (-n) cell
das **Klavier** (-s, -e) piano
der **Kleiderzipfel** (-s, -) corner of a coat
die **Kleidung** clothes
kleinbürgerlich of the lower middle class
die **Kleinigkeit** (-en) trifle
kleinlich petty
das **Kleinod** (-s, -ien) gem
klettern to climb
klingen (a, u) to sound, ring; **daß der Boden klang** that the steps resounded on the ground
der **Klingklang** jingling, tumty-ti-ti-tum
die **Klippe** (-n) cliff
klirren to clatter, shatter
klopfen to knock, slap, throb, beat, tap
klug knowing, clever, skillful, wise
die **Klugheit** cleverness, prudence
knapp brief, limited, sudden, tight, concise
der **Knecht** (-s, -e) (man)servant
knicken to break
der **Knirps** (-es, -e) urchin, little chap
knistern to rustle
der **Knöchel** (-s, -) bone, knuckle
knöchern *adj.* bony
knollig bulbous
der **Knopf** (-es, ⁻e) button, ball
der **Knoten** (-s, -) knot
knüpfen sich an to be connected with
knurren to grumble

der **Kohlenaufzug** (-s, ⁻e) coal elevator
der **Köhler** (-s, -) charcoal-burner
der **Koloß** (-es, -e) giant
das **Kompliment** (-s, -e) compliment, bow
kompliziert complicated, involved
die **Kompliziertheit** involved construction
komponieren to compose (*music*)
der **Komponist** (-en, -en) composer
kompositorisch with regard to composition
königlich royal
können (konnte, gekonnt) can, to be able; **das Können** skill
der **Kontrolleur** (-s, -e) controller
konzentrieren to concentrate
der **Kopf** (-es, ⁻e) head; **der — der Pfeife** bowl of the pipe
der **Korb** (-es, ⁻e) basket
das **Korn** (-s) grain
körperlich physical, bodily
die **Körperschwere** weight of the body, gravity
die **Koseform** (-en) pet name
kostbar precious, valuable, expensive; magnificent
kosten to cost; to taste; **auf Kosten** at the expense
köstlich exquisite, delicious
krachen to crash, crack, break
die **Kraft** (⁻e) force, power
kräftig strong, big, robust
kraftvoll powerful
der **Kragen** (-s, -) collar
krähen to crow
der **Krampf** (-es, ⁻e) cramp, convulsion; turmoil
krampfhaft convulsive, spasmodic

der **Kranz** (-es, ⸗e) wreath, garland

kräuseln to curl

das **Kraut** (-es, ⸗er) herb

das **Kräuterbüschel** (-s, –) (tuft of) herbs

der **Kreis** (-es, -e) circle; **die höchsten** —e the aristocracy

kreischen to scream, shriek; **kreischend** shrill

die **Kresse** cress

das **Kreuz** (-es, -e) cross

die **Krise** (-n) crisis, turning point

kristallisieren to crystallize

die **Kritik** (-en) criticism; — **halten** to make critique

der **Kritiker** (-s, –) critic

kritteln to criticize in a petty way

die **Krücke** (-n) crutch, cane

der **Krückenstock** (-s, ⸗e) crutch, walking stick

krümmen to bend, curve; — **sich** to cringe; **gekrümmt** contorted

krummgebückt crookbacked

die **Küchenschürze** (-n) kitchen apron

kühl cool, detached

kühn audacious, daring, bold

kümmern sich um to trouble oneself about, worry about

der **Kunde** (-n, -n) customer

die **Kunst** (⸗e) art; **die schönen Künste** the fine arts

kunsterfahren *adj.* artistic

das **Kunsterlebnis** (-ses, -se) artistic experience; **das romantische** — the — of the romanticists

kunstgerecht elaborate

der **Künstler** (-s, –) artist

das **Künstlererlebnis** (-ses, -se) artist's experience

künstlerisch artistic, aesthetic, creative

das **Künstlertum** (-s) artistic power, art

künstlich artificial; careful

das **Kunstmittel** (-s, –) material of art

der **Kunstsinn** (-s) taste for art, meaning of art

das **Kunststück** (-s, -e) feat, stunt

kunstvoll skillful

das **Kunstwerk** (-s, -e) work of art

der **Kupferstich** (-s, -e) copper engraving

kurz short; **vor kurzem** recently; — **und gut** quickly, in short; **nach kurzem** in a short while

die **Kürze** brevity

kürzen to abbreviate, shorten, cut

die **Kutsche** (-n) coach, carriage

laben to take a delight

labil unstable

lächeln to smile

lachen to laugh; **auf seine eigene Hand** — to — by oneself

lächerlich ridiculous

laden (u, a) to load; **auf sich** — to accept; = **einladen** to invite

der **Laden** (-s, ⸗) shop

die **Lage** situation, location

das **Lager** (-s, –) bed

lagern to settle, linger

lähmen to paralyze

lallen to stammer

das **Lampenbrett** (-s, -er) lamp stand

das **Land** (-es, ⸚er) land, country; **am —** on the shore; **ans —** to shore

der **Landjäger** (-s, –) gendarme (policeman)

der **Landmann** (-s, -leute) farmer, peasant

die **Landschaft** (-en) landscape, region

der **Landsmann** (-s, -leute) fellow-countryman

der **Landstreicher** (-s, –) vagabond

langsam slow

längst for a long time; **— schon** by now

langweilen to bore

langweilig boring, tiring, tedious

lappländisch of or like Lapland

der **Lärm** (-s) noise

das **Lärmbedürfnis** (-ses) craving for noise

die **Larve** (-n) mask; face

lassen (ie, a) to let, leave, give up; **ich kann es nicht —** I cannot give up the habit

die **Last** (-en) burden

lästig troublesome, irksome

die **Laterne** (-n) lantern, lamp

lau mild, tepid

das **Laub** (-s) foliage, leaves

der **Laubwald** (-s, ⸚er) wood of deciduous trees

lauern to be on the lookout

der **Lauf** (-es) run

laufen (ie, au) to run; to extend

die **Laune** (-n) caprice, whim; esprit, humor

der **Laut** (-es, -e) sound

die **Laute** (-n) lute, guitar

läuten to ring (*bells*), peal

lauter pure; *adv.* nothing but

lautlich sound

lautlos silent, mute

lebendig alive, lively, vivid, vital

die **Lebensart** (-en) kind or way of life

das **Lebensgefühl** (-s) vitality

der **Lebenslauf** (-s) existence, course of life

der **Lebensweg** (-s, -e) course of life

die **Lebensweise** way of living

der **Lebertran** (-s) cod-liver oil

lebhaft lively

die **Lebhaftigkeit** vivacity

Lebtag: sein — all one's life

lecker tasty

der **Leckerbissen** (-s, –) dainty

das **Leder** (-s) leather; **vom — ziehen** to draw one's sword

lediglich wholly

leer empty

die **Leere** vacancy, emptiness

leeren to empty

leergewischt wiped clean, suddenly empty

legen to lay, put; **— sich** to lie down

lehnen to lean, rest; to put

der **Lehnstuhl** (-s, ⸚e) armchair

die **Lehre: in die — nehmen** to instruct, accept as an apprentice; **eine gute — geben** to give good advice

die **Lehrjahre** *pl.* apprenticeship

der **Lehrjunge** (-n, -n) apprentice

der **Lehrling** (-s, -e) learner, beginner

der **Leib** (-es, -er) body

das **Leibchen** (-s, –) bodice

die **Leiche** (-n) corpse; funeral

das **Leichengefolge** (-s) mourners

die **Leichenpredigt** (-en) funeral sermon

der **Leichenwagen** (-s, –) hearse

der **Leichenzug** (-s, ⁓e) funeral procession

leicht light, easy, nimble

die **Leichtigkeit** ease, dexterity, agility, volubility; **die fallende —** the diminished weight

leichtlebig lighthearted, easygoing

der **Leichtsinn** (-s) levity

leichtsinnig careless, happy-go-lucky

das **Leid** (-es) harm, pain, sorrow, suffering; **sich ein — antun** to harm (*or* kill) oneself

leiden (litt, gelitten) to suffer

die **Leidenschaft** (-en) passion, passionate love, emotional intensity; weakness

der **Leidtragende** (-n, -n) mourner

die **Leine** rope, rein

das **Leintuch** (-s, ⁓er) sheet; shroud

leise low, soft, quiet, gentle, faint

leisten to give, render; **Gesellschaft —** to keep company

die **Leistung** (-en) achievement

leiten to lead, guide

lenken to direct

leuchten to shine; **leuchtend** radiant

das **Leutehirn** (-s, -e) average brain

die **Levkoje** (-n) stock, wallflower

das **Licht** (-s, -er) light; **ins — setzen** to show clearly; **einfallende Lichter** checkered lights and shadows

der **Lichtstrahl** (-es, -en) ray of light

das **Lid** (-s, -er) eyelid

liebenswürdig amiable, charming

liebevoll loving

die **Liebhaberei** (-en) hobby; **mit — ** with a taste for things

lieblich lovely, gracious, charming

die **Lieblingsbetrachtung** (-en) favorite speculation

das **Lieblingsstück** (-s, -e) favorite piece

liefern to supply

die **Linde** (-n) linden tree; **Unter den Linden** *famous street in Berlin*

das **Lineal** (-s, -e) ruler

die **Linie** (-n) line

literarisch literary, of literature

das **Lob** (-s) praise

lobenswürdig praiseworthy

der **Lobgesang** (-s, ⁓e) hymn of praise

das **Löckchen** (-s, –) little curl

locken to tempt, attract, invite

locker loose; extravagant

lockern to loosen up

der **Lodenrock** (-s, ⁓e) jacket of coarse woolen cloth

logisch logical

der **Lohn** (-s, ⁓e) reward

lohnen to reward, repay

der **Lorbeerkranz** (-es, ⁓e) laurel wreath

los-binden to free, liberate

los-brechen to burst forth

lösen to loosen; to solve; **die Glieder —** to relax; **— sich** to be solved

los-gehen auf to go toward

los-kommen to get rid of, get free, escape

los-lassen to let go of

los-lösen to detach

los-machen sich to free oneself

los-schlagen to strike, beat at random

die **Lösung** (-en) solution; **die glückliche —** happy end

los-werden to get rid of, free oneself of

die **Lücke** (-n) gap

die **Luft** (⸹e) air, breeze

das **Lüftchen** (-s, –) breath of wind

das **Luftschloß** (-es, ⸹er) castle in the air, dream

die **Lüge** (-n) lie, falseness

lugen to look

der **Lügner** (-s, –) liar

lungensüchtig consumptive

die **Lust** desire, pleasure; **— haben** to like; **nicht übel — haben** to be rather inclined

die **Lustbarkeit** (-en) amusement, entertainment

lustig merry, gay

der **Lustspieldichter** (-s, –) writer of comedies

machen to make; **sich an jemand — to** approach someone; **eine Reise — to** go on a journey

die **Macht** (⸹e) might, power; **ihr ewigen Mächte!** Ye Heavenly Powers!

mächtig mighty, powerful; **einer Sache — sein** to have command (control) over a thing

die **Magd** (⸹e) maidservant

der **Magen** (-s, –) stomach

mahlen to grind

der **Mahlgang** (-s) set of millstones; works (of the mill)

der **Mahner** (-s, –) reminder

die **Mahnung** (-en) warning

die **Maische** mash; **die — ablassen** to draw —

die **Malerei** (-en) painting

mancherlei of all sorts, various

manchmal sometimes

die **Mandel** (-n) almond; **gebrannte —n** glazed —s

der **Mangel** (-s) lack, want

die **Manieren** *pl.* manners

mannigfaltig manifold

die **Mannigfaltigkeit** manifold aspects

die **Mannschaft** (-en) men

die **Mannsperson** (-en) man

die **Manschette** (-n) cuff

der **Mantel** (-s, ⸹) cloak, mantel, overcoat

die **Manteltasche** (-n) overcoat pocket

die **Mantille** (-n) mantilla

das **Märchen** (-s, –) fairy tale

märchenhaft of the fairy tale, fabulous; **die märchenhafte Jugend** childhood resembling a fairy tale

die **Märchenhandlung** (-en) plot of the fairy tale

die **Märchenstimmung** fairy-tale atmosphere

der **Märchenton** (-s) fairy-tale atmosphere; **Märchentöne** reminiscences of the fairy tale

der **Markt** (-es, ⸹e) market place

der **Marktflecken** (-s, –) market town

die **Markttasche** (-n) shopping bag

die **Marmorplatte** (-n) marble top

die **Maschine** (-n) machine; sewing machine

das **Maß** (-es, -e) measure, measuring rod; degree, law; **in viel stärkerem** — to a much higher degree; **über alles** — boundlessly

die **Masse** (-n) mass, crowd

die **Mäßigkeit** frugality, temperance

die **Mäßigung** moderation

maßlos, lawless

maßvoll conforming to the law

der **Mast** (-es, -en) pole

der **Mastbaum** (-s, ⁻e) mast

materialisieren to materialize; — **sich** to become apparent

matt weary, tired

die **Matte** (-n) meadow, pasture

die **Mauer** (-n) stone wall

das **Maul** (-s, ⁻er) mouth

der **Maurer** (-s, –) mason

der **Mechanismus** device, mechanism

medizinisch medical

der **Meerbusen** (-s, –) bay

das **Mehl** (-s) meal, flour

mehlbestaubt dusty with flour

mehrteilig complex

die **Meile** (-n) mile

meinen to mean, believe, think

die **Meinung** (-en) opinion, intention

meisterhaft masterly

die **Meisterschaft** mastery, eminent skill

das **Meisterstück** (-s, -e) masterpiece

melancholisch melancholy

melden to announce, tell; **was sich im Tale meldet** what can be heard from the valley

die **Melismen** *pl.* flourishes, variations

melodisch melodious, with regard to melody

die **Menge** (-n) crowd, multitude, quantity; mass, lot; average man

die **Menschengestaltung** creation of characters

menschlich human; **vom rein Menschlichen her** from the purely human point of view

die **Menschlichkeit** human existence, human nature

merken to notice; **darauf** — to pay attention to it

merklich noticeable

das **Merkmal** (-s, -e) characteristic, mark

merkwürdig unusual, remarkable, noteworthy; **es ist mir** — I am struck by it

merkwürdigerweise it is surprising that

die **Merkwürdigkeit** curiosity

messen (a, e) to measure, look at; — **sich mit** to try one's strength with

die **Meßlichkeit** measurability

metrisch metrical; — **gebundene Sprache** metrical language

die **Miene** (-n) facial expression, feature; **eine** — **machen** to make a face

mieten to rent

mildern to soften, mitigate, relieve

das **Milieu** (-s) environment

mindern to diminish

mischen to mix, mingle

mißachten to think little of

mißbrauchen to misuse

der **Mißgriff** (-s, -e) mistake

die **Mißhandlung** (-en) abuse

mißlingen (a, u) to fail

das **Mißtrauen** (-s) distrust

das **Mißverständnis** (-ses, -se) misunderstanding

mißverstehen (mißverstand, mißverstanden) to misunderstand, misinterpret

mit-begründen to be a contributary cause of

mit-bestimmen to influence

der **Mitbürger** (-s, –) fellow-being (fellow-citizen)

mit-erleben to share an experience; das **Miterleben** (-s) vital interest; die **Intensität des Miterlebens** intense interest

mit-fechten to take part in the fighting

das **Mitgefühl** (-s) sympathy

mithin consequently

die **Mitlebenden** *pl.* contemporaries

das **Mitleid** (-s) pity, compassion

mitleidig merciful, compassionate, sympathetic

mit-nehmen to take along; das ist **mitzunehmen** that is worth the taking

mitnichten not at all

mit-reißen to thrill; **mitreißend** irresistible

mitsamt with

mit-schwingen to be implied

der **Mittag** (-s) noon; south

das **Mittagsmahl** (-s, -e) dinner, lunch

die **Mitte** middle, center; **positive** — nucleus

mit-teilen to express, communicate; — **sich** to impart oneself, confide in

die **Mitteilung** (-en) communication

mittel medium

das **Mittel** (-s, –) means

die **Mittellage** middle register

mittelmäßig, mediocre

der **Mittelpunkt** (-s, -e) center

mittelst by means

der **Mittelstand** (-es) middle class

mitunter now and then

die **Mitwirkung** co-operation

die **Möbel** *pl.* furniture

der **Moder** (-s) mold

modisch fashionable

die **Möglichkeit** (-en) possibility

die **Mohrrübe** (-n) carrot; der **Mohrrübenkaffee** coffee made of chicory (= bad coffee)

das **Moment** (-es, -e) element; — der **Spannung** — of suspense

momentan momentary

der **Mönch** (-es, -e) monk

monoton monotonous

die **Monotonie** monotony

das **Moos** (-es) moss

die **Moosstelle** (-n) mossy spot

der **Mord** (-es, -e) murder

morden to commit murder

der **Mörder** (-s, –) murderer

der **Mordkerl** (-s, -e) devil of a fellow

morgend *adj.* following

die **Morgendämmerung** dawn

das **Morgengrau** (-ens) dawn

die **Morgenhelle** dawn

das **Morgenrot** (-s) morning glow
morsch rotten
der **Motor** (-s, -e) motor, engine
müde tired
die **Müdigkeit** fatigue, weariness
die **Mühe** (-n) trouble, pains, difficulty; **sich — geben** to take pains
der **Mühlbach** (-s, ⸗) mill brook
die **Mühle** (-n) mill
das **Mühlrad** (-s, ⸗er) mill wheel
mühsam with difficulty
die **Mühseligkeit** exertion
munter cheerful, lively, merry, awake
die **Münze** (-n) coin
die **Musik** music; **die ganze —** the entire realm of —
der **Musikant** (-en, -en) musician
das **Musikbübchen** (-s, –) minstrel urchin
der **Musiker** (-s, –) musician
der **Musikliebhaber** (-s, –) music lover
musizieren to play
das **Muskelspiel** (-s) twitching of muscles
der **Müßiggang** (-s) idleness
das **Muster** (-s, –) model
der **Mut** (-es) courage
mutwillig mischievous
die **Mütze** (-n) cap
die **Myrte** (-n) myrtle

na! well!
nach after; according; **— und —** by degrees, gradually
nach-ahmen to imitate
nach-denken to meditate, reflect
nachdenklich thoughtful

der **Nachdruck** (-s) stress; **— geben** to lay — upon
nach-geben to give in
nachlässig careless
nach-legen to put in (*more fuel*)
nach-machen to imitate
nachmals afterward
die **Nachricht** (-en) news
der **Nachsatz** (-es, ⸗e) following sentence
nächst next, close
die **Nachtigall** (-en) nightingale
die **Nachtseite im Menschen** dark mysterious forces in man
der **Nachzügler** (-s, –) latecomer
der **Nacken** (-s, –) neck
nahe close, near; **jemand — stehen** to be close to someone; **näher** nearer, fuller
die **Nähe** nearness, neighborhood
nähern sich to approach
nähren to nourish, entertain; **— sich von** to feed on
die **Nahrung** food, stimulus
die **Naivität** naïveté, artlessness
nämlich namely, that is to say; for; **der nämliche** (-n) the same
die **Narbe** (-n) scar
der **Narr** (-en, -en) fool; **einen Narren an etwas fressen** to go mad about something
naschen to nibble
der **Näscher** (-s, –) person fond of sweet things
die **Näscherei** (-en) dainties
naß wet, damp
die **Nässe** moisture, humidity; **— machen** to melt
die **Naturgewalt** (-en) force of nature, element

naturnah close to nature

der **Nebel** (-s, –) fog, mist

der **Nebenbuhler** (-s, –) rival

nebeneinander next to one another; das harte **Nebeneinander** der **Sätze** the harsh succession of sentences

die **Nebenhandlung** (-en) episode

die **Nebenstube** (-n) adjoining room

das **Nebenwerk** (-s) supplementary work

neblig foggy, misty

nebst with

necken to tease

neckisch teasing

nehmen (nahm, genommen) to take; das **Wort** — to begin to speak

der **Neid** (-es) envy

neigen to bend; — **sich** to bow

nervig sturdy

die **Nervosität** nervousness

netto net, profit

die **Neugier, Neugierde** curiosity

neulich the other day

der **Nichtschaffende** (-n) unproductive mind

nichtsdestoweniger nevertheless

nichtssagend meaningless

die **Nichtswürdigkeit** unworthiness

nicken to nod

die **Niederlage** (-n) defeat

nieder-tauchen to go down, disappear

niederträchtig mean, worthless, vile

niedlich pretty

niedrig low

nirgends nowhere

nochmals once more, again

die **Norm** (-en) rule

die **Not** misery; necessity

die **Note** (-n) note; undertone

das **Notenblatt** (-s, ⸗er) sheet of music

das **Notenheft** (-s, -e) music (-book)

nötigen to urge

notwendig necessary

die **Novelle** (-n) short story

nüchtern sober, prosaic, dry

nunmehr now

nützlich useful

die **Oberfläche** (-n) surface

das **Oberflächen-Erlebnis** (-ses, -se) experience not extending beyond the surface of life

oberflächlich superficial, surface

die **Oberhand: die** — **gewinnen** to gain the upper hand, predominate, prevail

der **Oberkörper** (-s, –) body from the waist up

die **Oberstimme** (-n) high-pitched tone, melody, principal part

das **Objekt** (-s, -e) object, subject matter

öd barren, desolate, dreary

der **Ofen** (-s, ⸗) stove

offenbar evident, apparent

offenbaren to reveal, manifest

öffentlich public

die **Ohnmacht** fainting spell; **in** — **sinken** to faint

der **Oktavenjäger** (-s, –) one who is after (objects to) octaves

die **Oper** (-n) opera

opfern to sacrifice

ordentlich orderly; well, very, positively, in earnest

ordnen to set in order, arrange; to formulate; **ordnend,** organizing; **Vorstellungen —** to compose one's thoughts

die **Ordnung** order; **in — bringen** to classify

organisch organic

die **Orgel** (-n) organ

orientiert informed, guided

das **Originelle** (-n) that which is out of the ordinary

der **Orkan** (-s) hurricane

der **Orkus** underworld

der **Ort** (-s, -e *or* ⁼er) spot, place

die **Örtlichkeit** (-en) locality

die **Ortschaft** (-en) locality, place

die **Ouvertüre** (-n) overture

paaren to couple

packen to pack; **pack dich!** be gone! **aufeinander —** to pile up; **packend** gripping

Pagliasso clown

der **Paletot** (-s, -s) overcoat

der **Pantoffel** (-s, -n) slipper

die **Papageiennase** (-n) parrot nose

die **Pappel** (-n) poplar

die **Partie** (-n) area

passen to fit; **— in to — in** with

die **Patrone** (-n) cartridge

die **Pauke** (-n) kettledrum

pauken to beat the kettledrums, make music; **paukt nur zu!** just keep on beating!

pausbäckig puffy-cheeked

pechschwarz pitch-black

peinigen to torture, torment, trouble

peinlich embarrassing

der **Peitschenstiel** (-s, -e) handle of a whip

der **Pelz** (-es, -e) fur

das **Pelzjäckchen** (-s, —) fur jacket

der **Perserteppich** (-s, -e) Persian rug

die **Persönlichkeit** (-en) personality

die **Perücke** (-n) wig

der **Pfad** (-es, -e) path

pfeifen (pfiff, gepfiffen) to whistle

der **Pfeifenbläser** (-s, —) piper

der **Pfeifenstummel** (-s, —) short pipe

der **Pfeiler** (-s, —) column, pillar

der **Pfiff** (-es, -e) shrill sound

das **Pflaster** (-s) pavement

die **Pflege** care, cultivation

pflegen to take care of; to be accustomed to; **wie es zu sein pflegt** as it usually is

pflügen to plow

der **Pfosten** (-s, —) post

die **Pfuscherei** dabbling

die **Phantasie** imagination, fancy

phantasievoll fanciful, imaginative

die **Phantastik** capricious fancy

phantastisch fantastic, fanciful

Pierinnen *pl.* Pierians (*pertaining to Pieria, an area in Thessaly supposed to be one of the earliest domiciles of the Muses*)

der **Plafond** (-s) ceiling

plagen to torment; **plagt Ihn...!** what the deuce!

das **Plakat** (-s, -e) poster

plätten to iron

der **Platz** (-es, ⁼e) place, square; **— nehmen** to take a seat

die **Plauderei** (-en) chat

die **Plüschmöbel** *pl.* plush furniture
pochen to knock
das **Podium** (-s) platform
die **Poesie** poetry
polieren to polish
die **Politur** (-en) polish
das **Porzellan** (-s) porcelain, china
die **Positur** posture
die **Potenz** (-en) power; **in höherer — ** in greater intensity
die **Pracht** splendor
prächtig splendid, magnificent, gorgeous
prachtvoll splendid
prahlerisch showy
praktisch practical
prasseln to rattle
die **Prellerei** cheating
pressen to press; **mit gepreßter Stimme** in a choked voice
preußisch Prussian
das **Prinzip** (-s, -ien) principle
pritschen to breech, slap
die **Probe** (-n) test; **auf die — setzen** to test
die **Probezeit** (-en) probation time
probieren to try, practice
die **Problematik** problems
protegieren to patronize
prüfen to test
die **Prügel** *pl.* beating
prügeln to fight, beat up
der **Prunk** (-s) luxury, splendor
prunkhaft palatial
prunkvoll luxurious
das **Publikum** (-s) spectators, audience; **das große — ** mob
der **Pudermantel** (-s, ⁻) dressing gown, peignoir

das **Pudermesser** (-s, –) powder knife
pudern to powder
der **Puff** (-es) puff
der **Pult** (-es, -e) music stand
der **Punkt** (-es, -e) point, dot; period
pünktlich punctual, in time
das **Puppenspiel** (-s, -e) puppet play
purpur purple
der **Putz** (-es) finery, glittering decorations
putzen to clean, polish; to attend to; **geputzt** dressed up, newly washed
die **Putzmacherin** (-nen) milliner

die **Qual** (-en) torment, torture, anguish, misery
quälen to torment, torture
qualvoll excruciating
der **Quark** (-s) (*slang*) rubbish
der **Quell** (-s, -en) well, spring
die **Quelle** (-n) spring, source
quer crosswise
das **Querholz** (-es, ⁻er) crossbar
die **Querstraße** (-n) side street
die **Quinte** (-n) quint, interval of a fifth

der **Radau** (-s) hullabaloo
das **Rädchen** (-s, –) little (spinning) wheel
raffen to gather
raffiniert exceedingly clever
ragen to rise
die **Rahmenerzählung** (-en) framed story
der **Rand** (-es, ⁻er) edge

der **Rang** (-es, ⸚e) rank, class
rasch quick
das **Rascheln** (-s) rustling
rasen to race; to rage; **rasend** crazy
die **Raserei** madness, rage
die **Rasse** (-n) race
die **Rastlosigkeit** restlessness
rastrieren to rule (*paper*)
der **Rat** (-es) counsel
ratlos helpless
ratschlagen to take counsel
das **Rätsel** (-s, –) riddle, puzzle, mystery, enigma
rätselhaft mysterious, puzzling
das **Rauchfeuer** (-s, –) smudge fire
die **Rauchsäule** (-n) column of smoke
raufen to pull one's hair
rauh harsh, raw
der **Raum** (-es, ⸚e) room, space, place, region; **der nächtliche —** night
raunen to murmur
der **Rausch** (-es) rapture
rauschen to rustle, murmur, surge, whir, throb, swish
die **Raute** (-n) rue
das **Reale** (-n) the real, reality
die **Rechenschaft** account
rechnen to count, rank, class; **— zu** to include in
recht right; **zum Rechten sehen** to put things right; **im Recht sein** to be right
das **Recht** (-es) justice
die **Rechte** right hand
rechtfertigen to justify
recken to stretch; **aufwärts —** to raise
die **Rede** (-n) talk, speech; **die —**

sein von to be spoken of; **es kann nicht die — sein von** it cannot be a question of; **in — stehend** in question
die **Redensart** (-en) expression, phrase
der **Referendar** (-s, -e) junior barrister
reflektieren to reflect, ponder, think about
rege active; **— werden** to be aroused
die **Regel** (-n) rule
regelmäßig regular
regen sich to move, stir
regieren to rule, control
regnicht = **regnerisch** rainy
regsam active; living
die **Regung** (-en) movement
die **Regungslosigkeit** motionlessness
das **Reich** (-es, -e) realm
reichen to reach, give, offer, **allow**
reichlich abundant, fully
der **Reichtum** (-s, ⸚er) wealth, riches
reif werden to ripen
der **Reigen** (-s, –) round dance
die **Reihe** (-n) row, line, rank, circle, number; **der — nach** one after another
reihen sich to be lined up
der **Reim** (-es, -e) rime
rein pure, clear, clean, true
reinigen to clean
reinlich clean
reinrassig well-bred
der **Reis** rice
die **Reise** (-n) journey, trip, traveling

der **Reisegefährte** (-n, -n) companion

das **Reiserchen** (-s, –) little twig

reißen (i, i) to tear, pull

der **Reißer** (-s, –) drawing card; catch or trick that brings the house down

reiten (ritt, geritten): **den Kerl reiten Legionen** the fellow must have legions of devils in him

der **Reiter** (-s, –) rider, cavalryman

der **Reiz** (-es, -e) charm, attraction, fascination, stimulus

reizen to stimulate, tempt, anger

reizvoll charming, tempting

der **Reklameapparat** publicity organization

der **Rektor** (-s, -en) president of a university

die **Rettung** rescue, escape

reuig repentant

rhythmisch rhythmical, with regard to rhythm

richten to direct, turn; **den Blick —** to — one's eyes; **— sich auf** to be directed at, aim at; **sich nach etwas —** to go by something; **gerichtet** fastened

richtig correct, right, true

die **Richtung** (-en) direction, aim, course, tendency; **eine literarische —** a literary movement

riechen (o, o) to smell; **es riecht nach** there is an odor of

der **Riegel** (-s, –) bolt

der **Riemen** (-s, –) leather strip

der **Riese** (-n, -n) giant

das **Rieseln** (-s) murmuring

riesenhaft enormous, gigantic

ringen (a, u) to wrestle, fight

die **Ringmauer** (-n) encircling wall, town wall; rampart

rings um round about

der **Ritter** (-s, –) knight (*title of nobility*)

das **Röckchen** (-s, –) little skirt, dress

das **Rockfutter** (-s) lining of a coat

das **Rohrdach** (-s, ̈er) reed-thatched roof

der **Rohrstuhl** (-s, ̈e) cane chair

die **Rolle** (-n) role, part

der **Roman** (-s, -e) novel

der **Romantiker** (-s, –) romantic poet, romanticist

rosenfarbig rosy

rosig pink

das **Rosmarin** (-s) rosemary

rückblickend looking back, in retrospection

rücken to move, shift

der **Rücken** (-s, –) back

der **Rückfall** (-s, ̈e) relapse

die **Rückkehr** return

die **Rücksicht** (-en) consideration

der **Ruf** (-es, -e) shout, call, cry

rügen to criticize, condemn

die **Ruhe** calm, rest; **zur — bringen** to calm; **zur — gehen** to relax

ruhen to rest; **in sich ruhend** self-contained

die **Ruhestätte** (-n) resting place

ruhig quiet, tranquil; serene, composed

der **Ruhm** (-es) glory, fame

rühmen to praise

rühren to touch, move; **sich —** to stir; **rührend** emotional

die **Rührung** sympathy, affection

runzelig wrinkled

der Rußfleck (-ens, -en) smudge
die Rüster (-n) elm
rüstig vigorous
das Rütchen (-s, –) stalk
rütteln to rouse, shake
der Rhythmus (-es, Rhythmen) rhythm

der Saal (-s, Säle) hall
die Saalmiete rent of the hall
die Sache (-n) thing, matter; bei der — bleiben to stick to the point, remain objective
die Sachkenntnis: Menschen- und — practical knowledge of people and affairs
sachlich real, objective; *adv.* in subject matter
die Sachlichkeit objectivity
sacht gentle, light
die Sage (-n) legend, myth
sammeln to gather, collect; in sich gesammelt self-contained
der Sammetfauteuil (-s, -s) velvet-upholstered armchair
die Sammlung (-en) collection; concentration; — aufbringen to be capable of —
sämtlich complete, all
sanft soft, gentle, delicate
sänftlich gently, softly
satirisch satirical
der Sattel (-s, ⸗) saddle
der Satzbau (-s) sentence structure
die Satzbildung sentence structure
die Satzfolge sequence of sentences
der Satzteil (-s, -e) part of a sentence
sauber clean
der Saum (-s, ⸗e) seam, edge

säuseln to rustle; Bibi säuselt seine Reverie B. plays his R. fleetingly
schädlich harmful
der Schäfer (-s, –) shepherd
schaffen (schuf, geschaffen) to work, create; = holen to get, fetch; zu — haben to have to do
der Schaffende (-n, -n) artist
der Schaft (-es, ⸗e) stem
schal insipid
der Schal (-s, -s) shawl
die Schale (-n) shell
der Schall (-s) sound
schallen to sound, ring, resound
die Schalmei(e) (-n) shawm; als wenn Waldhorn und — durcheinander spielen like the blended notes of a hunting horn and a —
schämen sich to be ashamed
die Schande shame
scharf sharp, keen, subtle, accurate
die Schärfe: an — gewinnen to sharpen
die Scharlatanerie (-n) charlatanry
die Schärpe (-n) sash
der Schatten (-s, –) shadow, shade
das Schattenbild (-s, -er) silhouette
der Schatz (-es, ⸗e) treasure
schätzen to value, esteem, reckon, consider
der Schauder (-s) feeling of horror
schauen to look, perceive; schaut's da heraus? is that it?
der Schauer (-s, –) shower, shudder; von einem kleinen — angeweht shivering
schauerlich gruesome, horrible
schäumen to foam
der Schauplatz (-es, ⸗e) scene
das Schauspiel (-s, -e) play, show

der **Schauspieler** (-s, –) actor

die **Schauspielerei** acting

schauspielern to act a part

die **Scheibe** (-n) window pane

die **Scheide** (-n) sheath

scheiden (ie, ie) to separate, part

der **Schein** (-s) shine, light, glow, splendor; appearance

scheinbar seeming, apparent

der **Scheitel** (-s) (crown of the) head

scheiteln to part (hair)

scheitern to be shipwrecked

schelten (a, o) to scold

schemenhaft shadowy, like a phantom

die **Schenke** (-n) tavern, inn

schenken to give (as a gift)

die **Scherbe** (-n) splinter; = **Topf** pot

scheren to shear; **sich —** to be off, get away

der **Scherz** (-es, -e) jest, joke, trick, gaiety

die **Scheu** shyness, timidity

scheuen sich to be afraid

das **Schicksal** (-s) fate, destiny; = **Schöpfung** creation, experience

schieben (o, o) to shove, push; **sich —** to slip

schief wry, steep; **durch ein paar —e Mäuler** by a wry mouth or two

der **Schiffbruch** (-s) shipwreck

schildern to describe

die **Schilderung** (-en) description

schillern to glitter

der **Schimmer** (-s) shimmer, glamour, tinge

schimmern to gleam

die **Schimpfrede** (-n) abuse

die **Schindel** (-n) shingle

die **Schlacht** (-en) battle

schlaftrunken *adj.* overcome with sleep

der **Schlag** (-es, ⸚e) blow; carriage door; **durch einen elektrischen —** with electric force and speed

schlagen (u, a) to strike, slap, defeat; to thrust; **zu Boden —** to cast down

die **Schlange** (-n) snake

schlank slender, slim

das **Schlappseil** (-s, -e) slack rope

das **Schlaraffenland** (-s) fool's paradise

schleichen (i, i) to creep, crawl, slink, steal

der **Schleier** (-s, –) veil

das **Schleierauge** (-s, -n) filmy eye

die **Schleife** (-n) bow

schleifen to glide

schleppen to carry, drag, move slowly

schleudern to fling

schleunig hurried

schlicht straight, modest

schließen (o, o) to shut, close, lock; to end; **sich —** to join; **an sich —** to embrace; **einen Kreis —** to form a circle

schließlich finally

schlimm bad

schlingen (a, u) to wind; **den Arm —** to throw one's arm

die **Schlingpflanze** (-n) creeper, climbing plant

schlitzen to slash

das **Schloß** (-es, ⸚er) castle

das **Schlückchen** (-s, –) little swallow

der **Schlummer** (-s) slumber, sleep

schlüpfen to slip

der **Schluß** (-es, ⁓e) end

die **Schlußfolgerung** (-en) conclusion

schmal small, narrow

schmecken to taste

schmeicheln to flatter, make up to

schmelzen (o, o) to melt; **ineinander —** to fuse; **schmelzend** languishing

der **Schmerz** (-es, -en) pain, grief, regret, sorrow

der **Schmiedegeselle** (-n, -n) young smith, journeyman smith

schmiegen sich to cling to, curl about

die **Schminke** paint

der **Schmuck** (-es) ornament, jewelry

schmücken to adorn

schmucklos simple, unadorned

der **Schmutz** (-es) dirt

der **Schnaps** (-es, ⁓e) liqueur, brandy

schnarren to rattle, jar, grumble

der **Schneeberg** (-s, -e) glacier

der **Schneenebel** (-s) fine snow (like mist)

schneidern to sew

schnell fast, quick, swift

schneuzen sich to blow one's nose

der **Schnitt** (-es, -e) cut

die **Schnur** (⁓e) string

schnurren to hum

die **Scholle** (-n) clod

schöpfen to draw; to dish; **Argwohn —** to become suspicious

schöpferisch creative

der **Schoß** (-es, ⁓e) lap, tail (*of coat*)

schräg slanting

der **Schrank** (-es, ⁓e) cupboard, wardrobe, cabinet

schrankenlos unlimited

schrecken to frighten

der **Schrecken** (-s, –) terror

schreckhaft terrifying

schreien (ie, ie) to shout, scream

die **Schrift** (-en) writing

der **Schriftsteller** (-s, –) writer, author

der **Schritt** (-es, -e) step

der **Schrund** (-es, ⁓e) crevice

schüchtern shy

die **Schuhschleife** (-n) shoestring

die **Schuld** (-en) debt, guilt, blame

schuldig guilty; **— sein** to owe

die **Schuldigkeit** duty

schürfen to dig

der **Schuß** (-es, ⁓e) shot

der **Schuster** (-s, –) shoemaker

schütteln sich to shake oneself, shiver

schütten to throw, empty

der **Schütze** (-n, -n) marksman

schützen to guard, protect

schwach weak, pale

die **Schwäche** (-n) weakness

schwanken to sway

schwärmen to swarm, dream, wonder

schwarzbärtig black-bearded

schwarzsamten *adj.* of black velvet

schwatzen to chat

schweben to hover, float; **in Gefahr —** to be in danger

schweigen (ie, ie) to be silent; **zum Schweigen bringen** to silence

schweigsam silent

der Schweiß (-es) sweat; **der — stand auf der Stirn —** oozed from his forehead

die Schwelle (-n) threshold

schwellen (o, o) to rise

schwemmen to wash, carry

schwer heavy, deep, difficult, hard

die Schwere weight, heaviness, seriousness; **die stoffliche —** heaviness of earthly things

die Schwerelosigkeit levity, lack of seriousness

die Schwerenot: die — kriegen to get "hell"; to get enough to sicken one

schwer-fallen to oppress

schwerfällig clumsy, awkward, ponderous, unwieldy

schwerlich hardly

schwermütig melancholy

schwerreich very wealthy

das Schwert (-es, -er) sword

der Schwiegersohn (-s, ⸚e) son-in-law

die Schwierigkeit (-en) difficulty

schwindeln to be dizzy, be giddy

schwindlicht dizzy

schwingen (a, u) to wave; **— sich** to fly

schwirren to flit about

der Schwung (-es) verve

das Schwungbrett (-s, -er) swingboard

die Schwungfeder (-n) pinion

schwunghaft flourishing

der Seehandel (-s) maritime trade

seelisch of the soul, spiritual

segeln to sail

segnen to bless

sehnen sich nach to long for

die Sehnsucht longing, yearning

sehnsuchtsschwer wistful

die Seide silk

das Seil (-es, -e) rope

der Seiltänzer (-s, –) rope-dancer

das Seiltänzerstückchen (-s, –) rope-dancer's trick

das Sein (-s) existence, personality

die Seitenbemerkung (-en) side remark

der Seitenblick (-s, -e) side glance

der Seitengang (-s, ⸚e) side aisle

seither from that day

seitwärts at the side, sideways

der Sektierer (-s, –) member of a religious sect, sectarian

sekundär: im Sekundären in secondary matters

selbst self; **von —** of its own accord

die Selbständigkeit independence

die Selbstbeobachtung (-en) introspection

die Selbstbiographie (-n) autobiography

das Selbsterlebnis (-ses, -se) realization of one's own self

selbstgenügsam self-sufficient

das Selbstgespräch (-s, -e) monologue

der Selbstmord (-es, -e) suicide

der Selbstredner (-s, –) soliloquist

die Selbstüberwindung self-denial

selbstverständlich as a matter of course, instinctive

der Selbstzweck (-s) end in itself

selig blessed, sainted, blissful

die **Seligkeit** bliss
selten seldom, rare
seltsam strange, odd
die **Seltsamkeit** strange event, strange incident
das **Senkblei** (-s) lead
der **Sessel** (-s, –) chair, stool
seufzen to sigh
sich: an — in itself, by itself
sicher certain, safe, secure
die **Sicherheit** security, backing
sichtbar visible
Sideralpe Sideralp chalet
der **Siegelring** (-s, -e) seal ring
siegen to be victorious
die **Signalpfeife** (-n) police whistle
das **Silbenmaß** (-es, -e) meter
der **Silberreif** (-s) silvery frost
simpel simple, uninteresting
der **Sinn** (-es, -e) sense, meaning; capacity, faculty; aim, purpose; mind; **ohne** — **und Verstand** without any sense; **zu** — **sein** to feel
sinnarm senseless
der **Sinneseindruck** (-s, ⁀e) sense impression, sensation
sinnlich of the senses, sensuous, sensual, visual; concrete
sinnlos senseless
sinnreich clever
sinnvoll meaningful, significant
die **Sitte** (-n) custom; die **Sitten** virtue
die **Sittsamkeit** virtue
sitzen (saß, gesessen) to sit; to fit, be adjusted
das **Skelett** (-s, -e) skeleton
die **Skizze** (-n) sketch
skizzieren to sketch

skurril ludicrous
sofort at once, immediately
sogenannt so-called
die **Sohle** (-n) sole, sandal
sollen: was soll das? what is the meaning of it?
sonderbar strange, odd, peculiar
der **Sonderling** (-s, -e) peculiar person
der **Sonnenuntergang** (-s, ⁀e) sunset
sonst else, otherwise, in all other respects; **wie** — as usual
sorgen to care, arrange
die **Sorgfalt** care, pains, carefulness, cultivation
sorgfältig careful
sorglos carefree
spalten to split, divide
spannen to strain, excite; to span, make; — **sich** to extend; to become tense
die **Spannung** (-en) suspense, tension, tense moment; das **Spannungsmoment** element of suspense
spannungslos without suspense, calm
sparen to save; **mit Flüchen wird nicht gespart** they are not chary of curses
spärlich scant
sparsam economical
die **Sparsamkeit** economy
spasmatisch spasmodic
der **Spätherbst** (-es, -e) late autumn
der **Spatz** (-en, -en) sparrow
spazieren to stroll, walk
die **Spazierfahrt** (-en) pleasure drive

der **Spaziergänger** (-s, –) stroller
der **Specht** (-es, -e) woodpecker
die **Speise** (-n) food
die **Spende** (-n) tribute
der **Spiegel** (-s, –) mirror
das **Spiel** (-s, -e) play, game; playfulness; **aus dem — bleiben** to be left out of account; **satirisch-ironisches —** play of irony and satire
spielen to play, fumble; **spielend** playful
die **Spielerei** (-en) play, flirtation
der **Spielkamerad** (-en, -en) playmate
der **Spielraum** (-s, ⸚e) free play, leeway; **weiter —** considerable —
das **Spinnengewebe** (-s, –) cobwebs
die **Spitze** (-n) peak; lace; **auf die — treiben** to carry to an extreme
spitzfindig artful
die **Spitzfindigkeit** sophistry
spitzig pointed
spitznäsig with a pointed nose
der **Splitter** (-s, –) splinter
der **Sporn** (-s, Sporen) spur; **Sporen geben** to set spurs
spornen to spur on
die **Sprachdisziplin** linguistic discipline, control of the language
die **Sprache** (-n) language, style
der **Sprachgebrauch** (-s) idiom
die **Sprachkultur** highly cultured use of the language
sprachlich with regard to language, linguistic, of style
die **Sprachmelodie** (-n) melodic line (of speech), speech melody, cadence

sprengen to gallop
springen (a, u) to spring, jump; to crack; **tanzen und —** to dance and play
der **Springer** (-s, –) leaper, tumbler
sprühend brilliant
der **Sprung** (-s, ⸚e) jump, skip, leap, bound; crack
die **Spur** (-en) sign, trace, track
spüren to feel
sputen sich to hurry
der **Stahl** (-s) steel
der **Stall** (-es, ⸚e) stable
der **Stamm** (-es, ⸚e) stem, trunk
stammen von to spring from, come from
die **Stamm-Mutter** great mother
der **Stand** (-es, ⸚e) state, station, class, rank, position
stand-halten to withstand, resist; **kein Gedanke hielt ihm stand** he could hold fast no thought
der **Standort** (-s, -e) where one stands
die **Stange** (-n) pole
der **Star** (-s, -e) starling
stark strong, strenuous
die **Stärke** force, power, strength
stärken to strengthen
starkknochig bony
starr rigid, stiff
starren to stare, look fixedly
stattlich stately, good-sized
der **Staub** (-s) dust
stauen to dam, stem; **— sich** to be compressed
staunen to be astonished, be amazed
stecken to stick, conceal, put; to be found

der **Steg** (-s, -e) small wooden bridge

stehen (stand, gestanden) to stand; to be written; **jemand gar artig** — to look very pretty on someone

die **Stehlampe** (-n) desk lamp

stehlen (a, o) to steal

das **Steigeisen** (-s, –) climbing iron

steigen (ie, ie) to climb, rise, mount; **auf und ab** — to rise and fall

steigern to intensify, increase, heighten, work up, excite; — **sich** to rise

die **Steigerung** heightening, intensification, enhancement

steil steep

die **Steingutschüssel** (-n) earthenware bowl

die **Steinrippe** (-n) rib of rock

die **Stelle** (-n) passage, place, spot, speck; **an die** — **treten** to take the place

die **Stellung** (-en) position

sterben (a, o) to die; **im Sterben liegen** to be about to die

die **Sternenblume** (-n) daisy

der **Sternenkranz** (-es) starry coronet

der **Sternenschein** (-s) starlight

die **Sterntaler** *pl.* the Star Money

sticken to embroider

der **Stiefel** (-s, –) boot

der **Stil** (-s) style

stilistisch with regard to style

still still, silent, quiet; **im stillen** privately

die **Stille** silence, quiet; **in der** — quietly, secretly

stillschweigend tacit

das **Stilmittel** (-s, –) element of style, device

die **Stimme** (-n) voice; instrument; **mit halber** — in a low voice; **zu ihren** —**n** accompanying their voices

stimmen to tune, put in a mood; **to make**

die **Stimmung** mood, atmosphere, emotion

der **Stimmungsträger** (-s, –) that which sustains the mood

die **Stirn** (-en) brow, forehead

de.- **Stock** (-es, ⸚e) stick; story (*of a house*)

stockend stagnant

die **Stockung** (-en) standstill

der **Stoff** (-es, -e) stuff, material; cloth, substance; subject matter

stofflich material; *adv.* with regard to subject matter

die **Stofflichkeit** matter-of-factness

stopfen to mend; **eine Pfeife** — to fill a pipe

die **Stoppel** (-n) stubble; **die** —**n** stubble fields

stören to disturb; **störend** as a defect

die **Störung** (-en) disturbance; flaw

der **Stoß** (-es, ⸚e) shock

stoßen (ie, o) to push, knock; — **auf** to come upon

stottern to stammer

die **Strafe** (-n) punishment

straff tight, compact, concentrated

strahlen to shine

strapaziert marred

der **Strauch** (-es, ⸚er) shrub

der **Strauß** (-es, ⸚e) bouquet
streben to strive, endeavor, aim, tend
das **Streben** (-s) desire
streicheln to pat, chuck, stroke
streichen (i, i) to stroke; **Brote —** to butter slices of bread
streifen to brush
der **Streifen** (-s, —) stripe, strip, streak
der **Streit** (-s) contention; **in — geraten über** to dispute about
streiten (stritt, gestritten) to quarrel, dispute
der **Streiter** (-s, —) contender
streng severe, strict, strong, stern, austere
der **Strichpunkt** (-s, -e) semicolon
der **Strom** (-es, ⸚e) stream; **Ströme des Lichts** efflorescence of light
strömen to stream, flow
die **Strömung** (-en) current
der **Strumpf** (-es, ⸚e) stocking
die **Stube** (-n) room; **gute —** drawing room
die **Stufe** (-n) step; level
stumm silent, dumb
die **Stumpfheit** insensitiveness, dullness
stürmen to storm
der **Sturz** (-es, ⸚e) sudden fall, plunge
der **Sturzacker** (-s, ⸚) plowed field
stürzen to fall (headlong), rush, plunge
die **Stütze** (-n) assistance, support, pillar
stützen to rest, support
stutzen to hesitate
stutzig machen to disconcert

die **Suche** quest, search
suchen to seek, search
die **Sucht** longing, urge
die **Sühne** atonement
sühnen to atone for
die **Sündhaftigkeit** sinfulness
das **Symbol** (-s, -e) symbol; **im —** symbolically
der **Symbolgehalt** (-s) symbolic value
die **Symbolik** symbolism

tadeln to censure, criticize
die **Tafel** (-n) table
das **Tageslicht** daylight; **ans — befördern** to produce
das **Tagewerk** (-s) day's work
der **Takt** (-es, -e) time, bar, rhythm; taste; **bei jedem —** with every note; **verläßt den — nicht** does not stop beating the time
das **Tal** (-es, ⸚er) valley
der **Taler** (-s, —) *old German silver coin*
der **Tambour** (-s, -e) drummer
die **Tändelei** (-en) playfulness, flirtation
tändeln to fondle
der **Tänzer** (-s, —) dancer
die **Tanzlust** passion for dancing
der **Tanzplatz** (-es, ⸚e) dance hall
die **Tanzweise** (-n) dance melody
tapfer brave
tappen to grope
die **Tasche** (-n) pocket
die **Tastatur** keyboard
tasten to grope
die **Tat** (-en) deed; **in der —** in fact
tätig active, industrious

die **Tätigkeit** action
die **Tatsache** (-n) fact
der **Tau** (-s) dew
die **Taube** (-n) pigeon, squab
der **Taubenhals** (-es, ⁀e) dove's breast
das **Taubenhaus** (-es, ⁀er) dovecot
taumeln to tumble
täuschen to deceive
die **Täuschung** deception, illusion
die **Technik** technical skill
technisch technical
der **Teich** (-es, -e) pond
der **Teil** (-es, -e) part
teilen to divide; — **sich in** to arrange oneself
die **Teilnahme** sympathy, interest, participation
teil-nehmen to take part, interest oneself
der **Teilsatz** (-es, ⁀e) sentence as part of a longer sentence
die **Telegraphenstange** (-n) telegraph pole
der **Teller** (-s, –) plate
das **Tempo** (-s) tempo, time, rhythm
die **Tendenz** (-en) tendency
der **Teppich** (-s, -e) carpet
die **Terz** (-en) third (of a chord)
teuer dear, valuable
der **Teufel** (-s, –) devil; **Teufel!** confound it!
der **Teufelskerl** (-s) devil of a fellow
theatralisch theatrical, melodramatic, dramatic
das **Thema** (-s, Themen) theme; **ein — stellen** to give a theme
tief deep, essential, profound

die **Tiefe** (-en) depth
die **Tiefenwirkung** (-en) deep-reaching effect
tiefgefurcht deeply furrowed
der **Tiergarten** (-s) *a park in Berlin*
das **Tintenfaß** (-es, ⁀er) inkstand
der **Tisch** (-es, -e) table; **nach —** after dinner
die **Toilette** (-n) (evening) gown
toll mad
tollen to rave, carry on wildly
der **Ton** (-s, ⁀e) tone, sound, note
tönen to sound, resound; **tönend** jubilant
die **Tonwelle** (-n) wave of sound
das **Tor** (-s, -e) gate
der **Tor** (-en, -en) fool
die **Torheit** (-en) folly
töricht foolish, silly
das **Totenkleid** (-s) death garment
tot-schlagen to kill
der **Trab** (-s) trot
traben to trot (along)
die **Tracht** (-en) costume, clothes
trachten to hurry
träge lazy
tragen (u, a) to carry, bear; to sustain
die **Trägheit** laziness, indolence
die **Tragik** tragedy
der **Tragsessel** (-s, –) portable chair
trainieren to train
der **Transport** (-s, -e) transportation
die **Traube** (-n) grape
trauen to trust
die **Trauer** sadness
die **Trauerrüster** (-n) drooping elm

das **Trauerspiel** (-s, -e) tragedy

traulich familiar, friendly

der **Traum** (-s, ⸗e) dream

das **Traumbild** (-s, -er) vision

die **Träumerei** (-en) daydream, fancy

träumerisch dreamy

traumhaft dreamlike

die **Traumphantasie** (-n) dream phantasy

traurig sad

treffen (traf, getroffen) to meet, hit upon, catch; **treffend** striking, astute

treiben (ie, ie) to drive, urge; **vorwärts** — to — on; **aufs äußerste** — to pursue to the limit

trennen to separate; — **sich** to part

die **Treppe** (-n) stairs

treten (a, e) to step; **auf jemand zu**— to approach someone, come to someone; **an Stelle** — to take the place of

die **Treue** faith, accuracy, loyalty

treuherzig naïve, frank

der **Trieb** (-es, -e) impulse

die **Trinität** Trinity

der **Tritt** (-es, -e) step, stride

triumphieren to triumph

die **Trockenheit** dryness

trommeln to drum

der **Trompetenstoß** (-es, ⸗e) trumpet blast

das **Trompetenstückchen** (-s, —) musical piece for the trumpet, light popular number

der **Tropfen** (-s, —) drop

trösten to comfort

trostlos wretched

der **Trotz** (-es) defiance

trotzdem nevertheless, in spite of

trotzig defiant, sulky

trübe dreary, dismal, dim, gloomy

trübselig dismal, dreary

die **Trümmer** pl. fragments, pieces

die **Truppe** (-n) troop

das **Tuch** (-es, ⸗er) cloth, shawl, handkerchief

tüchtig fit, able, efficient

tückisch deceitful

die **Tulpe** (-n) tulip

tun (tat, getan) to do; to put; **nicht gut tun** to be no good; **es tut nichts** it does not matter

die **Tüte** (-n) paper bag

das **Typische** (-n) the typical

der **Typus** (–, Typen) type; appearance

übel bad, harmful

überbrücken to bridge, overcome

überdies besides this

übereinander-schlagen to cross

überein-stimmen to agree

der **Überfallwagen** (-s, —) squad car

überfliegen (o, o) to pass over

der **Überfluß** (-es) superfluity

überflüssig superfluous

überfüllt crowded

der **Übergang** (-s, ⸗e) passage, transition

über-gehen in to pass on to, change into, melt into

das **Übergewicht** (-s) preponderance

übergroß too great

überhauchen to breathe upon, touch

überhaupt altogether, at all, in general

überholen to pass; — **sich** to overtake each other

überhören to miss; **Aufgaben** — to hear lessons said

überirdisch unearthly

überlassen (ie, a) to turn over, surrender; — **sich** to yield, abandon oneself

überlaufen (ie, au) to pass through

überlegen to think over, deliberate; *adj.* superior

die **Überlegenheit** superiority

die **Überlegung** deliberation

übermannen to overcome, overpower

das **Übermaß** (-es) excess, abundance

übermütig in high spirits; —**es Spiel** high-spirited frolic

übernehmen (-nahm, -nommen) to undertake, assume

überpersönlich more than personal, universal

überragend superior

überraschen to surprise

überreden to persuade

überreichen to hand, give

überrieseln to run through

der **Überrock** (-s, ⁻e) cloak, overcoat

überschauen to survey

überschlagen (u, a) **sich** to turn a somersault

überschütten to shower

übersehen (a, e) to overlook

übersetzbar translatable

übersichtlich clear

überstehen (-stand, -standen) **to** stand, endure

übertaghell far brighter than day

übertragen (u, a) to carry over, transfer

übertrieben *adj.* exaggerated; — **oft** excessively

überwachen to watch over, supervise

überwiegend predominant

überwinden (a, u) to overcome, master, prevail over; **überwunden** of the past

überzeugen to convince

überziehen (-zog, -zogen) to cover, overcast

üblich customary

übrig remaining; — **geblieben** left over; **nichts** — **lassen** to leave nothing (to do)

übrigens for the rest, furthermore; incidentally

die **Übung** (-en) exercise, practice

der **Uhu** (-s, -e *or* -s) owl

um-drehen (sich) to turn round

der **Umfang** (-es) extent, degree

umfangen (i, a) to embrace, enclose, surround

umfangreich comprehensive

umfassen to comprehend, embrace, contain

umfließen (o, o) to flow round

der **Umgang** (-s) companionship, friend

umgeben (a, e) to surround

die **Umgebung** (-en) environment

um-gehen to have contact, treat; **to** live; to haunt, wander about

um-gestalten to transform

umgürten to tie round

um-haben to wear

umher around, about

umher-irren to wander about

umher-streifen to wander about

um-kehren to turn (back); **ehe man noch eine Hand umkehrt** in the turn of a hand

umrahmen to frame

umrändert edged; **matt —e Augen** eyes with pale rings round them

umreißen (i, i) to define

umringen to encircle

der Umriß (-es, -e) outline

um-schlagen to turn over

umschließen (o, o) to contain, paraphrase

umschlingen (a, u) to embrace

umschnörkelt framed in arabesques

um-sehen sich to look around

umso . . . je the . . . the

umsonst in vain, for nothing, without reason

umspinnen (a, o) to spin round; to entangle in a net

der Umstand (-es, ⁻e) circumstance; **ohne Umstände** without hesitation; **die näheren Umstände** the further particulars

umständlich in detail; awkward, clumsy

die Umstellung (-en) change of position

die Umwandlung (-en) transformation

der Umweg (-s, -e) detour, circumlocution

die Umwelt surroundings, milieu

um-wenden to turn

unabhängig independent

die Unablässigkeit: mit der — und Kraft with the unremitting energy

unabsehbar beyond the reach of the eye

unansehnlich plain

die Unart (-en) blunder

unaufhaltsam constant

unaufhörlich constant, incessant, interminable

unausgesetzt constant

unausgesprochen *adj.* without being mentioned

unbarmherzig unmerciful

unbedeutend unimportant, trifling, trivial

unbefangen *adj.* naïve

unbeholfen *adj.* clumsy, awkward

unbekannt unknown

unbekümmert unconcerned

unbemerkt unnoticed

unbequem awkward, difficult

die Unberechenbarkeit inconsistency

unberührt untouched

unbeschneit without snow

unbeschreiblich indescribable, unspeakable

unbesetzt unoccupied

unbesiegt unconquered

der Unbestand (-s) instability

unbewegt immovable, motionless

unbewußt unconscious, subconscious; **wie —** as if unconsciously

unbezwinglich uncontrollable

undankbar ungrateful

undenkbar unthinkable

undeutlich vague

undurchsichtig not transparent, opaque

unecht not genuine

unedel ignoble

unendlich endless, immense

unentwickelt undeveloped

unerfahren *adj.* inexperienced

unergründlich mysterious, unfathomable

unerhört unheard-of

unerlöst unredeemed

unermeßlich infinite

unerreichbar out of reach, unattainable

unerschöpflich inexhaustible

unerschütterlich unshakable

unerträglich unbearable, intolerable

unerwartet unexpected

unerzogen *adj.* poorly trained, unmannerly

die **Unfähigkeit** inability

unfaßbar incomprehensible

unfehlbar unfailing, sure, inevitable

unfertig unfinished

unfrisiert with untidy hair

der **Unfug** (-s) racket; **einen —
über den andern** a perpetual —

ungeachtet notwithstanding

ungebunden *adj.* unconstrained;
ungebundene Prosa prose (in
contrast to metrical language =
gebundene Sprache)

ungeduldig impatient

ungefähr about, approximately

ungefestigt unstable

ungeformt unformed, shapeless

ungeheuer monstrous, enormous

das **Ungeheuer** (-s, –) monster

ungelöst unsolved

ungemein uncommon, great

ungerührt unperturbed

die **Ungeschicklichkeit** lack of skill

ungeschickt awkward

ungestört undisturbed

ungestüm vehement

ungewiß uncertain, apprehensive

ungewöhnlich unusual, extraordinary

ungewohnt unaccustomed

ungewollt natural

ungezügelt unrestrained

unglaublich unbelievable, extreme

ungleich different, dissimilar

das **Unglück** (-s) misfortune; **zum
—** unfortunately

ungreifbar intangible

unharmonisch disharmonious

unheildrohend ominous

unheilig unholy, profane; die **Unheiligen** the unworthy ones

unheimlich uncanny

unhörbar inaudible, silent

die **Unkenntlichkeit: bis zur —** beyond recognition

unkindlich unlike a child's

unkompliziert uncomplicated, simple

unkünstlerisch inartistic

unleidlich intolerable

unmerklich unnoticeable

unmittelbar direct, immediate,
original

die **Unmittelbarkeit** directness, ingenuity

der **Unmut** (-s) ill humor

unnennbar inexpressible

unnütz useless

unpersönlich impersonal

unrecht wrong

das **Unrecht** (-s) wrong, injustice

unreif immature

unrein impure, out of tune

die **Unruhe** unrest, restlessness, worries; disturbances; irritation; **voller —** worried

unruhig restless

unscheinbar simple, homely, unpretentious

unschicklich paltry

unschlüssig undecided

die **Unschuld** innocence

unschuldig innocent, inexperienced

unselig miserable, wretched

unsicher doubting, uncertain, doubtful

die **Unsicherheit** insecurity

unsichtbar invisible

der **Unsinn** (-s) absurdity

unsinnig absurd

untätig inactive

unterbrechen (a, o) to interrupt

unter-bringen sich to find accommodation (*a seat*)

unterdessen in the meantime

unterdrücken to suppress

der **Untergang** (-s, ⁀e) ruin, destruction, death

unter-gehen to go under, sink, end

unterhalb below

unterhalten (ie, a) to entertain

die **Unterhaltung** conversation, entertainment

der **Unterhaltungsroman** (-s, -e) popular fiction

die **Unterhandlung** (-en) bargaining

unterirdisch subterranean, deeplying

das **Unterkommen** (-s) shelter; situation

unterliegen (a, e) to succumb

das **Unternehmen** (-s, –) undertaking

die **Unternehmung** (-en) undertaking, enterprise

unter-ordnen to subordinate

unterrichten to instruct

unterscheiden (ie, ie) **sich** to differ

der **Unterschied** (-es, -e) difference

unterstreichen (i, i) to underline, emphasize

untersuchen to examine

untreu unfaithful, disloyal; **—** **werden** to disobey

unüberwindlich invincible

unveränderlich unchanging

unverändert unchanged

unverdient undeserved

unverfälscht genuine, true

unvergänglich imperishable

unverletzt intact

unvermeidlich inevitable

unvermittelt direct; **—er Gegensatz** sharp contrast

unvermutet unexpected

unversehens suddenly

unverständig inexperienced, ignorant

unversucht lassen to leave untried

unverwandt incessant

unvollkommen imperfect

unwichtig unimportant

unwiderstehlich irresistible

der **Unwille** (-ns) indignation

unwillig reluctant

unwillkürlich involuntary, instinctive

die **Unwirklichkeit** unreality

die **Unwissenheit** ignorance

unwissentlich unknowing

die **Unzahl** incredible number
unzertrennlich inseparable
unzufrieden discontented
üppig sumptuous, ornamental
der **Urheber** (-s, –) author
die **Ursache** (-n) cause
der **Ursprung** (-s, ⸗e) origin
ursprünglich original, elemental
das **Urteil** (-s, -e) judgment, sentence
urteilen to judge

variieren to vary
das **Vaterunser** (-s, –) Lord's Prayer
die **Väterweise** usages of one's forefathers
das **Veilchen** (-s, –) violet
verabfolgen to administer
verabreden to agree upon
verabscheuen to detest
verachten to despise
verächtlich contemptuous, contemptible
die **Verachtung** contempt
verändern to change
die **Veränderung** (-en) change, diversion
verängstigt intimidated
verankern to anchor
veranlagt gifted
die **Veranlassung** (-en) cause; **ich bin die** — I induced . . . ; **stoffliche** — subject matter
die **Verantwortlichkeit** responsibility
die **Verantwortung** responsibility
die **Verarbeitung** assimilation
verarmend restrictive
verbergen (a, o) to hide, conceal

verbieten (o, o) to forbid
verbinden (a, u) to connect, relate; — **sich** to combine; **innerlich** — to put in contact with
die **Verbindung** (-en) connection, combination, union
verbreiten to spread, arouse
verbringen (verbrachte, verbracht) to pass
die **Verbundenheit** connection, relationship
verdächtig suspicious
verdammen to condemn, to damn
die **Verdammnis** damnation
verdampfen to evaporate
verdecken to cover
die **Verdeutlichung** elucidation, illustration
verdichten to condense
verdienen to deserve
der **Verdienst** (-es) merit, profit; business
verdolmetschen to interpret
verdoppeln to double, redouble
verdrängen to displace, push aside, suppress; to obscure
der **Verdruß** (-es) irritation
verdunkeln to darken, obscure
verdünnen sich to become thinner
veredeln to ennoble, refine, perfect
verehrungswürdig adorable
verengen to narrow
die **Vererbung** heredity
verfallen (verfiel, verfallen) to tumble down; — **auf** to hit upon, conceive; **auf delikate Gedanken** — to think of delicate subjects; *adj.* dilapidated, fallen in
der **Verfasser** (-s, –) author
verfehlen to fail

verfeinern to refine, reduce

verflucht accursed, confounded

verfolgen to pursue; to listen

verfügen to ordain; — **sich** to betake oneself, go

vergangen *adj.* gone by

die **Vergangenheit** past

vergänglich passing, fleeting, transitory, perishable

vergebens in vain

vergehen (verging, vergangen) to perish, waste away; to pass

vergelbt = vergilbt yellow with age

das **Vergessen** (-s) oblivion

vergeßlich forgetful

vergießen (o, o) to shed

der **Vergleich** (-es, -e) comparison, simile

vergleichen (i, i) to compare

das **Vergnügen** (-s) pleasure, satisfaction

vergoldet gilded

verhalten (ie, a) **sich** to be related to, be the case; *adj.* suppressed

das **Verhältnis** (-ses, -se) relation

verhängnisvoll fatal, unhappy

verhaßt hateful, odious

verhehlen to conceal

verhindern to prevent

verhüllen to hide, conceal, wrap, veil

verhungern to starve to death

verirren sich to stray, lose one's way; **verirrt** bewildered

verjährt past, gone by

verjüngt rejuvenated

der **Verkehr** (-s) traffic

die **Verkettung** chain

verkleidet in disguise

verknüpfen sich to be connected

die **Verknüpfung** tying together, connection

verkörpern to represent

die **Verkörperung** personification

verkriechen (o, o) **sich** to creep away, hide

verkümmern to spoil

verkünden to announce

verkürzen to shorten

verlangen to demand

verlängern to prolong, lengthen

verlassen (ie, a) to leave, forsake, desert

die **Verlassenheit** loneliness

der **Verlauf** (-s) course, progress; **nach — einer Stunde** after one hour

verlaufen (ie, au) **sich** to disperse

die **Verlegenheit** embarrassment, perplexity

verleihen (ie, ie) to lend, bestow upon, give

verleiten to seduce

verletzen to hurt, break

verlieren (o, o) to lose; **sich —** to disappear

vermaledeit confounded

vermehren to replenish, increase

vermeiden (ie, ie) to avoid

die **Vermeidung** avoidance

vermeint supposed

vermerken to state

vermischen sich to mix; to be confused

die **Vermischung** mixing

vermissen to miss

vermitteln to suggest

vermittels by means of

vermögen (vermochte, vermocht) to be able, can

das **Vermögen** (-s, –) income, wealth

vermummt masked, draped

vermuten to expect

vermutlich probably

vernachlässigen to neglect

vernehmen (vernahm, vernommen) to hear

verneigen sich to bow

die **Vernunft** reason

vernünftig reasonable, sensible, intelligent

verpflichten to oblige; **ethisch —** to bind ethically

verpuppen to change into a pupa (chrysalis)

verraten (ie, a) to betray, show

die **Verrenkung** (-en) contortion

verrichten to perform; **nach verrichteter Sache** their work done

versammeln to assemble

die **Versammlung** (-en) meeting, audience

versäumen to neglect, lose, miss; **— sich** to linger

verschaffen to procure

verscheiden (ie, ie) to breathe one's last

verschenken to give

verscheuchen to frighten away, drive away

verschieben (o, o) (sich) to shift, postpone

die **Verschiebung** pedal; **die — spielen lassen** to work the —

verschieden adj. different; pl. **verschiedene** various

die **Verschiedenheit** difference

verschlafen adj. sleepy, drowsy

verschließen (o, o) to lock

die **Verschlossenheit** reserve

verschmelzen (o, o) to blend, fuse

die **Verschmelzung** fusion

verschollen adj. forgotten, remote

die **Verschollenheit** remoteness, remote world

verschonen to spare

verschränkt folded

verschreiben (ie, ie) **sich** to sell oneself

verschrumpft shriveled

verschüchtert half scared, intimidated

verschwenden to waste

verschwiegen adj. discreet

verschwinden (a, u) to disappear, vanish

verschwommen adj. vague, confused

versehen (a, e) **sich** to be aware

versenken to sink, plunge

versetzen to reply; **= setzen** to set

versichern to assure

versiert versed, knowing, smart

versinnlichen to render tangible, embody

versinken (a, u) to sink down, disappear

versöhnen sich to become reconciled

die **Versöhnung** reconciliation

verspäten sich to be late

verspielt capricious

der **Verstand** (-es) reason, intelligence, ingenuity

die **Verstandesgemäßheit** reasonableness

das **Verständigungsmittel** (-s, –) means of understanding, means of communication

VOCABULARY

verständlich understandable

das Verständnis (-ses) understanding

verstaubt dusty

verstecken to hide, conceal

verstehen to understand, know how

verstellen sich to dissemble

die Verstellung pretense

verstimmt ill-humored, out of tune

der Verstorbene (-n, -n) the deceased

der Verstoß (-es, ⸚e) offense

verstoßen (ie, o) to drive out, ban, exile

der Verstoßene (-n, –) outlaw

verstreuen to scatter

verstummen to cease, grow silent

der Versuch (-s, -e) attempt

versuchen to try, attempt

die Versuchung (-en) temptation; **in — setzen** to tempt

die Verszeile (-n) metrical line

verteidigen to defend

verteilen to distribute; **— sich** to dissolve

vertiefen to deepen

vertragen (u, a) to bear, stand

vertrauen to confide in, trust

vertraulich confidential

die Vertraulichkeit confidence

vertraut intimate, close; **— machen** to acquaint

der Vertraute (-n, -n) confidant

die Vertrautheit intimacy, familiarity

verursachen to cause

verwachsen adj.: **tief —** very intimate

verwahren to preserve, protect

verwaist orphan(ed), motherless

verwandeln to transform, change

verwandt related, friendly, congenial

der Verwandte (-n, -n) relation

die Verwandtschaft relationship

verwegen adj. bold, daring, foolhardy

die Verwegenheit audacity

verweigern to refuse

verweilen to linger

verweisen (ie, ie) to reprove

verwenden to employ, use

die Verwendung (-en) use, application

verwettert weatherbeaten; confounded

verwickelt entangled, involved

die Verwirrung confusion, disorder

die Verwischung blotting out, blurring

verworren adj. disheveled, confused

verwundert astonished

die Verwunderung surprise, astonishment

verwünscht cursed

verzagt fainthearted

verzaubern to enchant, bewitch

verzehren to eat, consume

die Verzeihung forgiveness, pardon

verzerren to distort

verzichten auf to give up, renounce

verziehen (verzog, verzogen) to distort; **— sich** to twist

verzieren to decorate

verzittern to die away

verzückt rapturous

verzweifeln to despair

viel much; **um vieles** considerably

vielfältig manifold

vielmehr rather

vieltönendes Brausen many-toned whir

die **Viertelsflasche** (-n) half-pint bottle

die **Virtuosität** virtuosity

die **Volksdichtung** (-en) popular national poetry

das **Volksmärchen** (-s, –) popular fairy tale, folk tale

der **Volkston: im —** in the language of the common people

volkstümlich popular; **das Volkstümliche** (-n) the popular spirit

die **Volksüberlieferung** (-en) popular tradition

voll full, crowded, complete

vollbringen (vollbrachte, vollbracht) to perform

die **Vollendung** completion

vollgriffig: mit —en Akkorden with full harmonies

völlig complete, perfect; *adv.* quite

vollkommen *adj.* complete, perfect

vollständig complete, entire

vollziehen (vollzog, vollzogen) to perform; **— sich** to take place

die **Volute** volute (*a spiral ornament on an architectural detail*)

vonnöten haben to want, need

vor-arbeiten to pave the way, herald

voraus: im — in advance

voraus-gehen to go ahead, precede

voraus-sagen to predict

voraus-setzen to presuppose; **etwas als bekannt —** to take the knowledge of something for granted

vorbei-gehen to pass

vorbei-kommen to pass

vor-bereiten to prepare

das **Vorbild** (-es, -er) example

der **Vordergrund** (-s) foreground

vor-dringen to advance

der **Vorfall** (-s, ⁓e) event, incident

der **Vorgang** (-s, ⁓e) event, happening; experience

die **Vorgeschichte** what happened before

das **Vorhaben** (-s) intention, purpose

vor-halten to hold up (to)

vorhanden sein to be there (present)

der **Vorhang** (-s, ⁓e) curtain

vorher before

vorher-gehen to precede

vor-herrschen to prevail, predominate

vor-kommen to happen, occur; to seem

die **Vorliebe** preference

vor-machen to perform

vormalig past

vorn in front

der **Vorname** (-ns, -n) first name

vornehm dignified, distinguished, elegant, principal; **die —e Gesellschaft** society

vor-nehmen to take up; **— sich** to intend, plan

der **Vorrat** (-s, ⁓e) supply, reserve

vor-rechnen to reckon up

die **Vorrede** introduction

die **Vorrichtung** (-en) preparation

der **Vorsaal** (-s, -säle) hall

der **Vorsatz** (-es, ⁓e) purpose, intention, plan

Vorschein: zum — kommen to appear, be found

der **Vorschlag** (-s, ⸗e) proposal, proposition

vor-schlagen to propose

vor-schreiben to prescribe, order

vor-setzen: ohne sich einen bestimmten Weg vorzusetzen without any definite destination in view

der **Vorsprung** (-s, ⸗e) projection

vor-stehen to protrude

vor-stellen to present; **— sich** to imagine, think

die **Vorstellung** (-en) conception, idea, image, thought, impression, picture in one's mind

vor-tasten to grope forward

vor-täuschen to pretend, create the illusion of

der **Vorteil** (-s, -e) advantage; **— ziehen** to procure an —

vor-tragen to recite, speak

die **Vortrefflichkeit** excellence

vorüber over, by, past

vorüber-eilen to hurry past

vorüber-gehen to pass

vorwärtsdrängend pressing forward, dynamic, dramatic

vor-werfen to reproach

der **Vorwurf** (-es, ⸗e) reproach

der **Vorzug** (-s, ⸗e) advantage

vorzüglich especially, in particular

wach-rufen to wake

wachsam watchful

wachsen (u, a) to grow; **er hat noch ein Ende zu —** he has still to develop

wächsern waxen

das **Wachstum** (-s) growth, development

wacker sturdy

die **Waffe** (-n) weapon

wagen to risk, venture, dare

die **Wahl** selection

wählen to select, choose

der **Wahn** (-s) illusion

wähnen to fancy

der **Wahnsinn** (-s) madness

wahnsinnig mad, crazy

der **Wahnsinnige** (-n, -n) madman

die **Wahnvorstellung** (-en) hallucination

wahr true, genuine; whole; perfect

währen to last

wahrhaft true, genuine

wahr-nehmen to seize; to perceive

wahrscheinlich probable

das **Walddunkel** (-s) dark woods

die **Waldeinsamkeit** solitude of the woods

die **Waldung** (-en) forest, wood

die **Waldwiese** (-n) forest glade

walten to reign, rule, prevail

wälzen to roll

der **Walzer** (-s, –) waltz

wandeln to walk, move; **— sich** to change

die **Wanderschaft** journey, trip

die **Wandlung** (-en) transformation; **die — des heiligen Hochamts** the Holy Transubstantiation

das **Wandlungsglöcklein** (-s, –) bell announcing the Holy Transubstantiation

der **Wandschirm** (-s, -e) screen

der **Wandschrank** (-s, ⸗e) cupboard

die **Wanduhr** (-en) wall clock
die **Wange** (-n) cheek
das **Wanken** (-s) hesitation
ward = wurde; es — mir I felt
die **Ware** (-n) ware, goods
das **Warengewölbe** (-s, –) storage vault
die **Warenstube** (-n) salesroom
warten to wait; auf sich — lassen to keep waiting
die **Wäsche** laundry, underwear
die **Waschschüssel** (-n) washbowl
der **Wechsel** (-s) change
wechseln to change, alternate
wechselseitig reciprocal
wechselweise each other
wecken to awaken, rouse
wedeln to wag (*tail*)
weg away, gone
der **Weg** (-es, -e) way, path; aus dem — gehen to avoid
weg-lassen to let go; not to talk
weg-rasen to race
weg-stoßen to push aside
die **Wegstunde** (-n) hour's walk
der **Wegweiser** (-s, –) guide
weg-zehren to consume
weh: es tut mir — it hurts
wehen to blow, wave, sway, flicker; das Wehen des Windes the sighing of the wind; das Wehen der Luft the breeze
die **Wehmut** sadness
wehmütig melancholy, sad
das **Wehr** (-s, -e) weir
wehren to hinder; — sich to defend oneself, resist
die **Weiblichkeit** female; womanliness
weich soft, mild, tender, gentle

weichen (i, i) to give way, disappear
weichgeformt delicately modeled
der **Weidegrund** (-s, ⸚e) pasture
weihen to devote
die **Weise** (-n) way, manner; melody; auf eigene — in a peculiar way
die **Weisheit** wisdom
das **Weißbrot** (-s, -e) roll (white bread)
weißseiden clad in white silk
weit wide, far, large, extended; *adv.* much
die **Weite** distance, space
weiter further; nichts — nothing else; — *and verb* to continue to
der **Weizen** (-s) wheat
welk withered, dry
die **Welle** (-n) wave
die **Welt** (-en) world; society; die werdende — maturing conception of the world
die **Weltanschauung** (-en) philosophy
das **Weltbild** (-es) conception of the world, philosophy of life
das **Weltensystem** (-s) universe
die **Wende** turn
wenden to turn; — sich an to appeal to
die **Wendung** (-en) turn; expression
der **Werdegang** (-s) development
werfen (a, o) to throw, cast; durcheinander — to hurl into a heap
das **Werkzeug** (-s, -e) instrument
der **Wermut** (-s) vermouth
wert worthy

der **Wert** (-es, -e) value, dignity;
— **legen auf** to value

wertvoll valuable

das **Wesen** (-s, –) being, creature,
personality; nature

wesentlich essential

die **Weste** (-n) vest, waistcoat

die **Wetterfahne** (-n) weathervane

der **Wicht** (-es, -e) creature, imp

wichtig important

widerspenstig contentious

wider-spiegeln to reflect, be reflect-
ed; to re-create

der **Widerspruch** (-s, ‑e) contra-
diction

widerstehen (widerstand, widerstanden) to resist

widerwärtig repugnant

widrig unpleasant

wie how, as; **wie?** what do you
think? — **auch** however

wieder-erkennen to recognize

wieder-geben to render

die **Wiederholung** (-en) repetition

wieder-kehren to return, reappear

der **Wiederkehrer** (-s) revenant
(one who returns from the dead)

wieder-lieben to return one's love

wiewohl although

das **Wild** (-es) wild animals, game,
deer

die **Wildgans** (‑e) wild goose

willen: um . . . willen for the sake
of

willig willing

die **Willkür** free will, caprice, ar-
bitrariness

willkürlich at will, arbitrary

die **Wimper** (-n) eyelash

winden (a, u) to wind, shape

der **Windstoß** (-es, ‑e) gust of
wind

die **Windung** (-en) curve

der **Winkel** (-s, –) corner

winken to beckon, give a signal

winseln to whine

winzig tiny

der **Wipfel** (-s, –) treetop

wirken to work, effect, have an effect, produce; to impress; **zündend —auf** to have an inspiring
effect on

wirklich real

die **Wirklichkeit** reality

wirklichkeitsgetreu true to reality

die **Wirklichkeitsschilderung** (-en)
description of reality

die **Wirklichkeitstreue** truthful
presentation of reality

wirksam effective

die **Wirksamkeit** activity, industry

die **Wirkung** (-en) effect; **eine —
üben** to make an impression

die **Wirtin** (-nen) landlady

die **Wirtschaft** inn; housework;
housekeeping

wirtschaften to work, do

wischen to wipe; **Staub —** to dust

das **Wissen** (-s) knowledge, understanding

die **Wissenschaft** (-en) science

der **Witz** (-es) wit

witzig witty

wogen to surge; **das Wogen des
Meeres** the waves

wohl well; **es tut einem —** it does
one good; **— sein** *w. dat.* to feel
good, feel at home

wohlberechnet well planned

wohlerzogen *adj.* demure

die **Wohlfahrt** welfare; — **der Ihrigen** — of her family
wohlgebildet handsome
das **Wohlgefallen** (-s) pleasure
wohlgefällig with pleasure
wohlhabend well-to-do
der **Wohlstand** (-es) prosperity; means
die **Wohltat** (-en) relief
wohltuend satisfying
das **Wohltun ohne Grenzen** immeasurable solace
wohlversorgt well provided for
die **Wohnung** (-en) living quarters
wollen: wenn man will if you please; **ich wollte untergehen** I was about to sink; **gewollt** intended
das **Wollen** (-s) will, desire, urge; **das dunkle** — the obscure striving urge
die **Wollust** voluptuous delight
der **Wonneschauer** (-s) shudder of bliss
das **Wort** (-es, ⸚er) word; — **haben** to confess; **aufs** — **verstehen** to understand exactly
die **Wortfolge** (-n) sequence of words
das **Wortkunstwerk** (-s) masterpiece of style
der **Wortschatz** (-es) vocabulary
die **Wortwahl** choice of words
der **Wortwechsel** (-s, –) argument
der **Wuchs** (-es) growth, form, figure
das **Wunder** (-s, –) miracle, wonder
wunderbar miraculous, strange; wonderful, marvelous

der **Wunderglauben** (-s) faith in the supernatural
das **Wunderkind** (-es, -er) infant prodigy
wunderlich strange, odd, singular
wundern sich to wonder
der **Wundervogel** (-s, ⸚) magic bird
der **Wunsch** (-es, ⸚e) wish, desire
wünschen to wish; **es läßt zu** — **übrig** it leaves much to be desired
die **Würde** dignity
die **Würdelosigkeit** lack of self-respect (dignity)
würdig worthy, adequate
würdigen to hold worthy
die **Wurzel** (-n) root
die **Wüste** (-n) desert
die **Wut** fury, rage
wütend raging

die **Zacke** (-n) spike, peak, point
zählen to count; = **alt sein** to be (*age*)
zähmen to tame, subdue, check, restrain
der **Zank** (-es) contention
zanken to quarrel
zart delicate, dainty
zärtlich tender
zartsinnig delicate, refined
der **Zauber** (-s) magic, spell, charm
die **Zauberformel** (-n) magic formula, charm, spell
zauberhaft magic
die **Zaubermacht** magic (supernatural) power
das **Zauberreich** (-s) magic realm
der **Zaun** (-es, ⸚e) fence
die **Zehe** (-n) toe

die **Zehrung** food

das **Zeichen** (-s, –) sign

die **Zeichentafel** (-n) slate (for writing and drawing)

zeichnen to draw; **drei Kreuze —** to make the sign of three crosses

die **Zeichnung** (-en) drawing

der **Zeigefinger** (-s, –) index finger

zeigen to show, point

die **Zeile** (-n) line

die **Zeit** (-en) time; **— meines Lebens** in all my life; **eine Zeitlang** some time; **bei Zeiten** early

zeitgebunden adj. limited to a special time

zeitlebens all one's life

zeitlich temporal, temporary

zeitlos timeless

der **Zeitpunkt** (-es, -e) time, moment

die **Zelle** (-n) cell

das **Zelt** (-es, -e) tent

der **Zentner** (-s, –) hundred pounds

das **Zentrum** (-s, Zentren) center

zerarbeitet worn out with hard work

zerbrechen (a, o) to break (to pieces), destroy

zerbrochen adj. broken; wounded

zerfallen (zerfiel, zerfallen) to fall apart, be divided; **mit sich —** to be at variance with oneself

zerfließen (o, o) to dissolve, melt

zerfressen (a, e) to gnaw at

zermalmen to crush

zerrütten to ruin

zerschneiden (zerschnitt, zerschnitten) to cut to pieces; to pierce

zerspringen (a, u) to break

zerstören to destroy

die **Zerstörung** (-en) destruction

zerstreuen to distract; **— sich** to divert one's thoughts; **zerstreut** scattered

der **Zettel** (-s, –) handbill

das **Zeugnis** (-ses, -se) proof, evidence

ziehen (zog, gezogen) to pull, draw, move, pass; **hinauf — sich** to be raised

das **Ziel** (-es, -e) goal, aim

zielbewußt conscious of one's aim, direct

ziemlich fairly, considerable

der **Zierat** (-s, -e) adornment

zieren to deck, decorate

die **Zierkleidung** (-en) dainty garments

zierlich tiny, dainty, pretty, slim

die **Zierlichkeit** grace

zimmern to repair (do carpentering)

zinnern of tin

der **Zinnteller** (-s, –) tin plate

der **Zipfel** (-s, –) end, corner

das **Zitat** (-s, -e) quotation

zittern to tremble

zögern to hesitate

zollen to pay as a due

der **Zopf** (-es, ̈e) plait, braid

der **Zorn** (-es) anger, passion, rage

zu-bringen to spend

züchtigen to discipline, punish, chastise

zucken to twitch; to flash; to blink

das **Zuckerwerk** (-s) sweets

zudringlich forward, impertinent

zu-fahren to dart on

der **Zufall** (-s, ⸚e) coincidence
zu-fallen to fall shut, slam; **es war ihm zugefallen** he had inherited
zufällig accidental, incidental, by chance
die **Zufälligkeit** (-en) contingency
die **Zuflucht** refuge, shelter
zu-flüstern to whisper
zufolge in consequence
zufrieden contented, satisfied
der **Zug** (-es, ⸚e) train, procession, flock; feature, trace; **der — hat nicht — genug** (*pun*) the procession is not long enough; **— um — one** trait after another; **in einem —** without stopping; **in den stärksten Zügen** in their greatest intensity
zugänglich accessible
zu-geben to admit
zugegen present
zu-gehen to close; to meet; to happen; **es geht lustig zu** things are going on merrily
zu-gehören: wem es zugehört who is responsible for it
der **Zügel** (-s, –) rein(s)
die **Zügelung** curb, check
das **Zugeständnis** (-ses, -se) concession
zu-gestehen to grant
zugetan sein to be fond of
zugleich at the same time
zugrunde-gehen to perish
zugrunde-liegen to underlie; **einer Sache —** to be at the bottom (basis) of a thing
zugrundeliegend basic, underlying
zugunsten in favor
zu-hören to listen

der **Zuhörer** listener; *pl.* audience
zu-knöpfen to button
die **Zukunft** future
zu-lassen to admit
der **Zulauf** (-s) influx
zuletzt at last, in the end
zumute: es wird mir — I am in the mood, I begin to feel like
zündend inspiring, rousing
zu-nehmen to increase
die **Zuneigung** fondness
zu-nicken to nod
zupfen to pick, pluck, tug
zurecht-kommen to manage, break even
zurecht-schneiden to cut out
zürnen to get into a rage
zurück-führen to reduce
zurückgehalten *adj.* stunted
zurück-gehen auf to go back to, spring from
zurück-hallen to echo
zurückhaltend reserved
die **Zurückhaltung** reserve
zurück-kehren to return; to get away
die **Zurückkunft** return
zurück-legen to put back; **den Weg —** to wander, travel
zurück-lehnen sich to lean back
zurück-leiten to lead back
zurück-schrecken to shrink (in fright)
zurück-stehen hinter to fall short of
zurück-treten to step back, recede; to become less important
zurück-weichen to recede, withdraw
zurück-wenden sich to turn back
zurück-ziehen sich to withdraw

zusammen-drängen to huddle together

zusammen-fahren to contract

zusammen-fassen to compress, unite, sum up

die **Zusammenfassung** summing up

zusammengesunken *adj.* cowering

der **Zusammenhang** (-s, ⁻e) connection

zusammen-hängen to be connected

die **Zusammenkunft** (⁻e) meeting

zusammen-legen to fold up

zusammen-richten to fix up, put up

zusammen-rollen to roll up

zusammen-scharren to scrape together

zusammen-schließen sich to join

zusammen-schmieden to weld together

zusammen-setzen to make up, compose; — **sich** to be composed

zusammen-stürzen to collapse

zusammen-treffen to meet

zu-schauen to watch

der **Zuschauer** (-s, –) spectator

zu-schließen, to lock; **zugeschlossen** impenetrable

zu-sehen to watch

zu-spitzen: sich zur Krise — to come to a crisis

der **Zustand** (-es, ⁻e) condition

zustande-kommen to be produced

zutraulich confident, confidential, naïve

zuverlässig reliable

zuwege-bringen to produce

zuweilen at times

zu-wenden sich to turn to

zuwider repugnant

zu-ziehen to tie, draw; to earn

der **Zwang** (-es) compulsion, necessity

zwanglos unconstrained, free, natural

zwar although, indeed, truly, to be sure

der **Zweck** (-es, -e) aim, purpose, end, object

die **Zweckbestimmtheit** purposiveness

zweckdienlich proper

zwecklos aimless

zweifelhaft doubtful

zweifellos without doubt

zweifeln to doubt, question

der **Zweig** (-es, -e) twig, branch

die **Zweiheit** dualism

der **Zwiespalt** (-s, -e) disharmony, discord

zwiespältig twofold, divided

das **Zwitschern** (-s) twitter

der **Zylinder** (-s, –) top hat